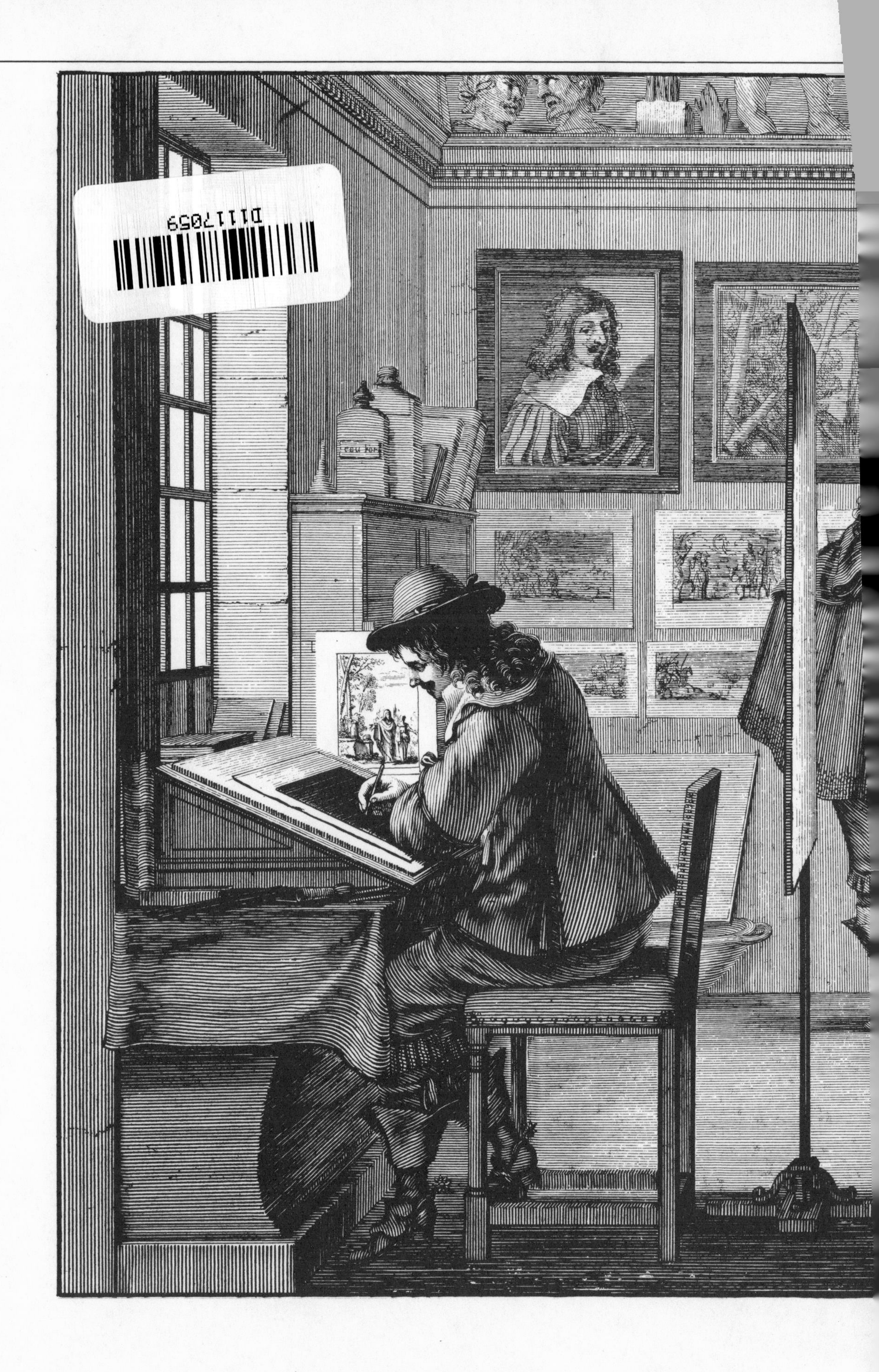

Harald Keller

DAS ALTE EUROPA

Die Barockgärten am Rennweg in Wien.
Vogelschaubild der beiden Belvedere-Schlösser des Prinzen Eugen.
Links davon der Garten der Salesianerinnen, rechts der der Fürsten Schwarzenberg.
Stich von Salomon Kleiner, bald nach 1731 entstanden.

Harald Keller

DAS ALTE EUROPA

Die hohe Kunst der Stadtvedute

Deutsche Verlags-Anstalt

Idee und Gesamtkonzeption dieses Buches
stammen von Bodo Harenberg.
Der Band ist unter Verwendung von Abbildungen aus der Reihe
»Die bibliophilen Taschenbücher« entstanden.

CIP-Kurztitelaufnahme der Deutschen Bibliothek

Das alte Europa:
d. hohe Kunst d. Stadtvedute / Harald Keller. –
Stuttgart: Deutsche Verlags-Anstalt, 1983.
ISBN 3-421-02586-X
NE: Keller, Harald [Hrsg.]

Lektorat: Nora von Mühlendahl
Typographische Gestaltung: Brigitte Müller
Umschlagentwurf: Edgar Dambacher, Stuttgart,
nach einer Vedute von Giovanni Battista Piranesi
Satz und Druck: Georg Wagner, Nördlingen
Bindearbeit: Werner Müller GmbH, Stuttgart
Printed in Germany

Dem Gedächtnis von

EDUARD VODOZ
(1901–1982)

Dipl.-Ing., Dr. phil.
Generalsekretär
des Eidgenössischen
Departements des Inneren

Inhalt

Einleitung 9
Die Anfänge 13

Italien 19
Rom 19
Venedig 24
Florenz 28
Turin 30
Frankreich, Niederlande und England . 32
Das alte Deutschland 37
Wien 37
Salzburg 42
München 42
Augsburg 45
Die »Schönborn'schen Lande«:
Würzburg, Franken und Mittelrhein . 46
Der Niederrhein 49
Berlin 51
Dresden 53
Warschau, Breslau, Prag 56
Schweden, Dänemark und Rußland . 57

TAFELTEIL

Die Anfänge 60
Italien 62
Rom 62
Venedig 82
Florenz 96
Toskana 102
Turin 106
Genua und Caserta 110
Spanien 112
Frankreich 114
Paris 114
Versailles 134
Schlösser in der Provinz 140
Niederlande 150
England 158
Das alte Deutschland 162
Wien 162
Salzburg 188
München 196
Augsburg 206
Ludwigsburg 210
Schweiz 212
Die »Schönborn'schen Lande«:
Würzburg, Franken und Mittelrhein . 214
Bonn 227
Frankfurt 228
Kassel 234
Salzdahlum und Herrenhausen . . 238
Berlin und Potsdam 240
Dresden 250
Warschau 262
Breslau 264
Prag 266
Schweden 270
Dänemark 276
Rußland 278

Anhang
Nachwort 283
Literaturverzeichnis 284

Einleitung

Der moderne Mensch im Zeitalter der Fotografie kann sich kaum mehr vorstellen, welche Bedeutung Kupferstiche von heimischen und fremden Bauten für den Kunstfreund der Barockzeit hatten. Goethe berichtet in »Dichtung und Wahrheit« über sein Vaterhaus am Hirschgraben in Frankfurt am Main: »Innerhalb des Hauses zog meinen Blick am meisten eine Reihe römischer Prospekte auf sich, mit welchen der Vater einen Vorsaal ausgeschmückt hatte, gestochen von einigen geschickten Vorgängern des Piranesi, die sich auf Architektur und Perspektive wohl verstanden und deren Nadel sehr deutlich und schätzbar ist. Hier sah ich täglich die Piazza del Popolo, das Colosseo, den Petersplatz, die Peterskirche von außen und innen, die Engelsburg und manches andere. Diese Gestalten drückten sich tief bei mir ein.« Kupferstiche also haben Goethes Italienbegeisterung entzündet und bis zum Verlassen des Vaterhauses mit 26 Jahren wachgehalten. Solche Stichwerke und Einzelblätter setzen natürlich von seiten des Betrachters und Käufers ein großes Interesse an der Architektur voraus. Das bedeutet aber, daß im schöpferischen Zeitalter der abendländischen Barockarchitektur den großen Baumeistern ein Publikum entsprach, das »mitging«, das in der neuen Baukunst sein eigenes Lebensgefühl verwirklicht sah. Der Sinn für Architektur war in der Barockzeit bei Adel und Bürgertum weit stärker entwickelt als heute.

Selbst die breiten Massen, auch die Frommen ohne große ästhetische Bedürfnisse, erblickten in den Augsburger Bibelillustrationen etwa des Johann Ulrich Kraus (um 1711) riesige Säle, weitläufige Treppenhäuser und Höfe, in denen sich die winzig kleinen Figuren des Alten Testaments bewegen. Das Verlesen der Gesetze durch Josua findet in einem dreigeschossigen genuesischen Palasthof statt, das Gastmahl des Nebukadnezar in Sälen, die mit Versailles wetteifern können. In den großen Kupferstichfolgen mit Architekturdarstellungen überschneiden sich zuweilen die Gattungen: Auf den strengen Bauaufnahmen ist wenig oder gar keine Staffage zu sehen – höchstens eine winterliche Schlittenfahrt auf einem Marktplatz oder ein Roßballett, allenfalls noch eine Prozession. Bei den Blättern, die aus Anlaß eines einmaligen Ereignisses oder eines jährlich wiederkehrenden Festes gestochen wurden, ist die Architekturdarstellung zur Kulisse abgesunken. Die Wiedergabe der Karnevalsaufbauten am Giovedi Grasso auf der Piazzetta in Venedig, das Jahresfest eines Fußballspiels (des Calcio in Costume) in Florenz und gar die mannigfachen Zeremonien einer Kaiserkrönung in Frankfurt verbinden in eigentümlicher Weise das Architekturbild mit dem »Ereignisbild«.

Die Architekturstiche der Barockzeit beherrschen das Feld über ziemlich genau zweihundert Jahre. Die Reihe beginnt mit den peinlich genauen Stichen, die der französische Kupferstecher Étienne Dupérac zwischen 1564 und 1569 anfertigte. Er wollte damit eine ideale Vorstellung der Bauten in vollendetem Zustand anschaulich vermitteln, welche der fast neunzigjährige Michelangelo bei seinem Tode als gewaltige Torsi hinterlassen hatte (Kapitolsplatz, Peterskirche). In Italien endet die Reihe der großen Stecher mit Piranesi, der 1788 starb. In Frankreich und Deutschland entstehen aber schon seit 1750 oder 1760 keine barocken Architekturstiche mehr, die Blätter werden klassizistisch-phantasielos, und die Technik des Stechens geht in auffallendem Maße zurück. Nach 1800 entstandene, mit Architekturstichen illustrierte Reisebeschreibungen zum Beispiel sind kein Vergnügen mehr für den Betrachter.

In diesen zweihundert Jahren waren die Auftraggeber für große Stichwerke vor allem fürstliche Mäzene; die städtischen Gemeinschaften oder bürgerliche Privatleute traten ganz zurück. Nur weltliche und geistliche Fürsten bauten Schlösser, legten Parks an, auf die sie stolz waren und deren Gestalt sie in Kupferstichen der Nachwelt zu überliefern wünschten.

Der Kurfürst von Mainz und Bischof von Bamberg, Lothar Franz von Schönborn, legte den größten Wert darauf, daß seine Neubauten sogleich in Stichwerken erschienen. Durch seinen Wiener Neffen, den Reichsvizekanzler Friedrich Carl von Schönborn, ließ er sich den Zeichner Salomon Kleiner (1703–1761) empfehlen, der seit 1721 in Wien lebte und dort schon einiges von den Familienbauten der Schönborns zeichnerisch aufgenommen hatte. 1723 siedelte Kleiner nach Mainz über, ab 1724 hat er als kurfürstlicher Hofingenieur die Mainzer Favorita sowie die fränkischen Schlösser Seehof, Pommersfelden und Gaibach aufgenommen.

Kaum weniger war dem Kurfürsten Max Emanuel von Bayern daran gelegen, seine Bautätigkeit in Bildern festgehalten zu sehen. Durch den Maler Franz Joachim Beich ließ er eine Folge von großformatigen Veduten anfertigen, die in den beiden Galerien aufgehängt waren, welche in Nymphenburg den Hauptpavillon mit den Nebenpavillons verbinden. Nach dieser Serie wurden um 1730 Pergamentminiaturen angefertigt, die im Miniaturenkabinett der Reichen Zimmer in der Münchner Residenz ihren Platz fanden. Nach diesen Miniaturen begann der Zeichner Johann Claudi Serron eine vorzügliche Kupferstichserie, die leider unvollendet blieb.

Auch in Berlin wollte man im ersten Jahrzehnt des jungen Königtums die Projekte, welche Dom und Schloß, Regierungsgebäude, Marställe usw. zu einer Art nordischem Escorial vereinigen sollten, möglichst rasch gestochen sehen.

In den freien Reichsstädten Deutschlands und in den übrigen europäischen Stadtrepubliken war das Bedürfnis, das Stadtbild in Kupferstichen festzuhalten, kaum vorhanden. So besitzen wir zwar von allen großen Städten dieser Verfassungsart eine Gesamtansicht von weit außerhalb der Mauern – dafür haben Merian, Braun und Hogenberg und andere gesorgt. Aber Straßen und Plätze, Brücken und Brunnen, Bauten für die Gemeinschaft wie Rathäuser, Tanzhäuser, Metzig, Zunfthäuser oder Zeughäuser, Kirchen, Kapellen und Gottesäcker wurden nirgendwo in republikanischen Stadtverwaltungen in großen Stichfolgen festgehalten. So ist also unser Material nicht homogen – gerade von den alten Stadtbildern, die uns heute als besonders geschlossen und schön erscheinen, vermissen wir schmerzlich zeitgenössische Ansichten. Das gilt zum Beispiel für die Schweizer Städte, vor allem für Bern und Basel, Zürich und Genf, Freiburg im Üchtgau und Solothurn.

Historische Konstellationen wirkten sich für die Stadtdarstellung unterschiedlich aus. Die beiden Mainbistümer waren im 18. Jahrhundert meist in Personalunion vereinigt, und die Residenz war Würzburg. So herrschte dort ein reiches Kunstleben, aber Bamberg ging dabei leer aus. Wir besitzen keine Stiche von dem barocken Bamberg, während Salomon Kleiner die Würzburger Schönbornzeit in einer prachtvollen Stichfolge festhielt.

Daß wir gerade von der großartigsten europäischen Stadtanlage des 18. Jahrhunderts – von dem barocken Nancy, seiner herrlichen Abfolge von Plätzen, die wie an einer Perlenschnur aufgereiht erscheinen – keine Stiche besitzen, ist allein in der politischen Situation begründet. Seit Jahrhunderten hatte Frankreich versucht, die beiden Herzogtümer Lothringen und Bar dem französischen Staatsverband einzuverleiben. Als das schon fast gelungen war, brauchte man plötzlich für den Schwiegervater Ludwigs XV., den vertriebenen polnischen König Stanislas Lesczynski, ein Land und eine Residenz. Dieser hat dann als großer Bauherr von 1737 bis zu seinem Tode 1766 in Nancy regiert. In Paris wartete man ungeduldig auf seinen Tod. Geld, um die herrlichen Schöpfungen seiner Stadtbaukunst in Stichen festzuhalten, besaß der arme Flüchtling nie, und unmittelbar nach seinem Tode wurden alle seine Bauten auf ausdrücklichen Befehl Ludwigs XV. abgerissen, soweit sie sich nicht als Kasernen verwerten ließen. Die Erinnerung an die Lothringer Herzöge und an den polnischen König sollte radikal ausgelöscht werden. Da war kein Raum für Stichwerke von der herrlichen Stadtanlage des Stanislas Lesczynski.

Eine geographische Homogenität der Stadtvedute über ganz Europa gibt es nicht, weil nicht jedes bedeutende Stadtbild den Künstler fand, der es der Nachwelt überlieferte. Nach dem Geschmack der Barockzeit waren zudem mittelalterliche Städte nicht bildwürdig. Für die Schönheit der Stadtbilder von Nürnberg, Köln, Hildesheim oder Erfurt, von Verona oder Ravenna, von Reims oder Poitiers fehlte den Menschen noch der Sinn, der erst der Romantik aufging. Nachdem in England die Gotik wiederentdeckt worden war, malte und zeichnete man im Klassizismus Veduten nach dem vollständig erhaltenen mittelalterlichen Stadtbild von Lübeck. Noch 1770 schrieb Herder an Merck: »Straßburg ist der elendeste, wüsteste, unangenehmste Ort, den ich, behutsam und bedächtig gesprochen, in meinem Leben gefunden.« Das Lied »O Straßburg, o Straßburg, du wunderschöne Stadt« stammt erst aus dem 19. Jahrhundert.

So gibt es natürlich erst recht keine Homogenität der künstlerischen Leistung auf dem Gebiet der Stadtvedute. Das Niveau wechselt von Stadt zu Stadt. Piranesi und Canaletto waren Genies, Salomon Kleiner oder Perelle tüchtige Künstler, aber Franz Anton Danreiter, der Oberaufseher aller Salzburgischen Hofgärten, hatte keinen rechten Blick für künstlerische Bildkomposition und war zudem kein anmutiger Zeichner.

Nicht alle Künstler, die große Veduten aufnahmen, waren auch Stecher. Der bekannteste deutsche Vedutist des 18. Jahrhunderts, Salomon Kleiner, war ausschließlich Zeichner, die Übersetzung in den Kupferstich überließ er den großen Verlegern, für die er arbeitete. Diese befanden sich in der Mehrzahl in Augsburg. Zwei von ihnen, Jeremias Wolff (1663–1724) und Johann Andreas Pfeffel (1674–1748), teilten sich fast in ein Monopol für Kupferstich-Veduten. Nach Wolffs Tod 1724 führte der Erbe Johann Friedrich Probst den Verlag weiter. Für beide Verlage war der Kupferstecher Johann August Corvinus tätig (1683–1738), seit 1705 in Augsburg ansässig, so wie Carl Remshard (1678–1735), der zum Beispiel die Dieselschen Zeichnungen zum Werk über die rings um München gelegenen Schlösser des Kurfürsten Max Emanuel in Stiche umsetzte. Corvinus war überall in Deutschland von Salzburg bis Berlin hoch geschätzt. In Salzburg fertigte er viele Stiche nach Entwürfen Franz Anton Danreiters, in der herzoglich-württembergischen Residenz Ludwigsburg nach Frisoni (26 Blatt), in Mainz sämtliche Stiche nach den Entwürfen Kleiners für den Kurfürsten Lothar Franz von Schönborn, in Charlottenburg Aufrisse des königlichen Schlosses nach Andreas Majer (17 Blatt).

In Italien war es nicht anders. Für Giuseppe Zocchis Veduten von Florenz und für den Band über die Villen der Toskana wurden die Stiche überwiegend von anderen Stechern wie Gregori, Pazzi, Marieschi und Vasi ausgeführt. Besonders kompliziert waren die Verhältnisse in Venedig. Für Canalettos erstes Stichwerk, den »Prospectus Magni Canalis Venetiarum« vor 1742, malte Canale nur »vor dem Motiv« im Freien, wohl meist von der Gondel aus. Mit der graphischen Umsetzung hatte er nichts zu tun. Die 14 Gemälde, alle im Besitz des englischen Konsuls Joseph Smith, ließ dieser durch den Architekten, Kupferstecher und Buchillustrator Antonio Visentini stechen, wobei aber schon die Vorzeichnung, die Übersetzung des Gemäldes in die Graphik, das Werk des

Stechers war. Kein Wunder, daß die Medaillonbildnisse in Halbfigur von Maler und Stecher dem Werk als ebenbürtige Künstler vorangesetzt sind. Für sein Spätwerk über die venezianischen Staatsfeste, die »Funzioni Dogali«, jedoch lieferte Canaletto (nach 1766) sehr genaue Vorlagen in Gestalt von lavierten Federzeichnungen, die von Anfang an als Stichvorlagen gedacht waren. Sie sind wie Druckgraphik von einem dicken Rand umschlossen und haben etwa das Format der Stiche, die nach ihnen entstanden. Canalettos Verhältnis zur Druckgraphik wechselt demnach zwischen den Extremen.

Es erscheint vielleicht nicht unangebracht, am Schluß dieser Einleitung ein Wort über den Unterschied von Kupferstich und Radierung zu sagen, da beide Gattungen der Graphik in der Vedute Verwendung finden.

Der Kupferstecher bearbeitet die Kupferplatte, die eben gehämmert, geschliffen und glatt poliert worden ist, mit dem Grabstichel, »einem vierkantigen Eisen, das in einem rautenförmigen Querschnitt schräg angeschliffen ist, so daß eine scharfe Spitze gebildet wird« (Kristeller). Mit leisem oder kräftigem Druck der Hand werden Linien von unterschiedlicher Stärke in die Kupferplatte eingegraben. Um ganz feine Striche zu erzeugen, wie sie der Grabstichel nicht zu leisten vermag, verwendet man eine Nadel, die sogenannte Kaltnadel. Durch das Eingraben der Linien mit dem Grabstichel entstehen leichte Erhebungen an den Rändern. Das ist der »Grat«, der mit Hilfe des Schiebers entfernt wird, einem Stahl mit drei scharfen Kanten. Die hohe Schätzung eines Kupferstichs »mit viel Grat« wird Blättern von Rembrandt oder Tiepolo entgegengebracht, sie spielt aber bei Architekturstichen kaum eine solche Rolle. Der Künstler arbeitet fast immer nach einer zeichnerischen Vorlage, die meist von ihm selbst stammt. Nach dem Einfärben und dem Druck der Kupferplatte erscheint der Abzug des zeichnerischen Vorbildes naturgemäß seitenverkehrt – links und rechts im Bild sind vertauscht. Die Anzahl der Abzüge, die eine Platte hergibt, ohne daß die Qualität der Drucke leidet, kann sehr verschieden sein. Die italienische Staatsdruckerei in Rom liefert noch heute Abzüge von Piranesis Stichen.

Die Arbeit des Grabstichels im Kupferstich übernehmen bei der Radierung Säuren, die das Metall zersetzen. Diese Ätzkunst wird mit Hilfe chemischer Mittel gemeistert und erfordert höchste Versiertheit. »Die Platte wird mit dem Ätzgrunde, einer Mischung von Wachs, Harz, Asphalt und Mastix, die von der Säure nicht angegriffen wird, in dünner Schicht überzogen und dann mit Ruß geschwärzt. Mit Nadeln von verschiedener Stärke werden nun die Linien der Zeichnung so in diese Schicht eingeritzt, daß das Kupfer bloßgelegt und die Linie durch die dann über die Platte gegossene Säure bis zur gewünschten Tiefe aufgefressen wird. Der Künstler kann also mit der Radiernadel wie auf Papier zeichnen, das Bild retuschieren und bei genauer Kenntnis der späteren Wirkung der Linien im Abdrucke sich in voller künstlerischer Freiheit bewegen« (P. Kristeller, Berlin 1922).

Die Radierung ist dem Kupferstich darin überlegen, daß sie malerische Werte hervorrufen kann, welche der des wirklichen Gemäldes nahekommen. Die Dämmerung, das Schummrige, das Stoffliche etwa von Seidenstoffen und Brokaten sind hier leichter wiederzugeben als im Stich.

Die Anfänge

Die Anfänge der Stadtvedute sind dort verborgen, wo niemand sie vermutet: in der Theaterkulisse der Hochrenaissance. Was die Bühnenentwürfe Peruzzis uns zeigen, was in Palladios Teatro Olimpico in Vicenza steht, was durch Serlio im Holzschnitt verbreitet wurde, sind Teile eines Stadtbildes. Durch drei enge Straßen kommen die Schauspieler aus dem Hintergrund auf die Vorderbühne. Die mittlere Gasse leitet senkrecht in die Tiefe, die beiden seitlichen werden symmetrisch und diagonal so geführt, daß sich die Mittelachsen der drei Straßen in einem Fluchtpunkt treffen, der im Zuschauerraum liegt. Die Häuser, welche die Gasse bilden, sind nach übermäßig starken perspektivischen Verkürzungen komponiert: Ihre Fassaden nehmen in Höhe und Tiefe allzu rasch ab. In einem Brief des Grafen Baldassare Castiglione, Verfasser des »Cortigiano«, an den Grafen Lodovico Canossa von 1513 wird über die erste Aufführung der »Calandria« des Kardinals Bibiena berichtet. Es heißt dort: »Die Bühne stellt eine sehr schöne Stadt dar mit Straßen, Palästen, Kirchen und Türmen. Es waren wirklich Straßen, und alles in Relief, aber noch unterstützt von vortrefflicher Malerei und einer wohlverstandenen Perspektive.« Anscheinend waren hier einige feststehende Dekorationen teilweise in Stuck gearbeitet. Als Raffael im März 1519 für die Aufführung der »Suppositi« des Ariost das Bühnenbild entwarf, müssen nach einem Bericht an den Herzog von Ferrara die Dekorationen eine einheitliche perspektivische Darstellung der Stadt Ferrara gezeigt haben.

Es dauerte freilich noch Jahrzehnte, bis die Stadtvedute aus der Phantasmagorie der Theaterwelt herausgeführt und zum Zeugnis der gebauten Wirklichkeit wurde. Zwei Faktoren trafen zusammen, um das zu bewirken: Ein großer Künstler – der größte seines Jahrhunderts – mußte einen Schauplatz von weltgeschichtlicher Bedeutung so umformen und neu schaffen, daß jeder Kunstfreund das neue Gebilde vor Augen zu haben wünschte.

Als Michelangelo 1564 fast neunzigjährig starb, waren alle seine architektonischen Projekte noch unvollendet. Auf dem Kapitolinischen Hügel war noch nichts geschehen, wenn man von der großen doppelläufigen Freitreppe vor dem Senatorenpalast absieht. Die Verlegung des dreistufigen platzgliedernden Ovalrings erfolgte kurz vor dem Tode des Meisters (1561–1564). Der rechte Bau, der Konservatorenpalast mit seinem Arkadenportikus, präsentierte sich noch als ein echtes Quattrocento-Gebäude. Erst ein Jahr vor dem Tode des »Divino« wurden die Fundamente für die Palastfassade gelegt, im Todesjahr die beiden ersten Joche der Fassade hochgeführt. Der Senatorenpalast in der Tiefe des Platzes war noch ein mittelalterliches Kastell mit starken Ecktürmen. Die linke Flanke des Platzes war leer, man schaute zu dem Querhaus von Sa. Maria

DISEGNO DELA BENEDITIONE DEL PONTEFICE NELA PIAZA DE SANTO PIETRO

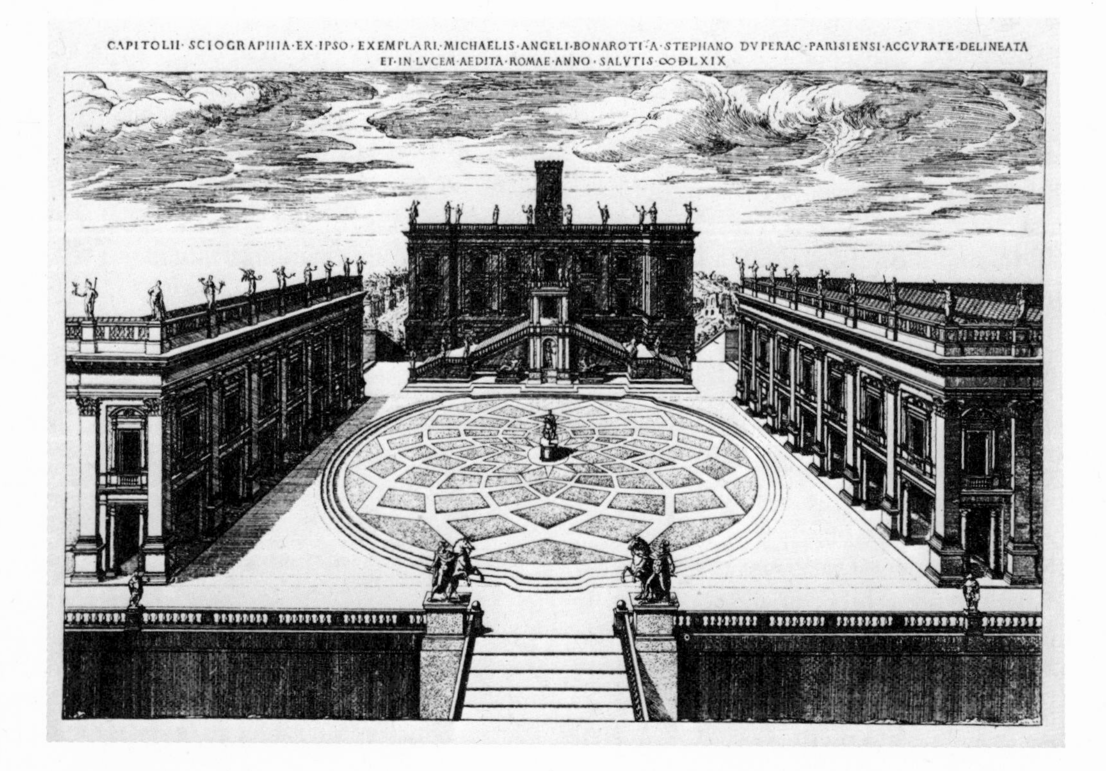
CAPITOLII · SCIOGRAPHIA · EX · IPSO · EXEMPLARI · MICHAELIS · ANGELI · BONAROTI · A · STEPHANO DVPERAC · PARISIENSI · ACCVRATE · DELINEATA
ET · IN · LVCEM · AEDITA · ROMAE · ANNO · SALVTIS · ∞DLXIX

in Aracoeli hinauf. Der Palazzo Nuovo (das heutige Kapitolinische Museum), das Gegenstück zum Konservatorenpalast, wurde sogar erst 1644 bis 1654 erbaut.

Noch schlimmer sah es auf dem Petersplatz aus. Die Pilger, die damals Rom besuchten, mußten mit der Überzeugung heimkehren, daß aus dieser trostlosen Steinwüste niemals eine neue Hauptkirche der Christenheit erstehen könne. Der Zentralbau stand noch ohne Kuppel. Bei Michelangelos Tod war man gerade am Kranzgesims des Tambours angelangt. Diesen Zustand hält ein Stich von Ambrosius Bram nach einer Vorlage von Claudio Duchetti fest (entstanden bald nach 1564). Ganz im dunkeln tappte man bei des Meisters Plänen für die Fassade des Zentralbaus. Es lag also nahe, daß man sich die gewaltigen Torsi von Platz und Kirche vor Augen zu stellen wünschte, wie Michelangelo sie geplant hatte. Daran waren Architekten und Kunstkenner, Geistliche der päpstlichen Bauverwaltung, Reisende und Pilger in gleicher Weise interessiert. Der französische Stecher Etienne Dupérac (1525 in Paris geboren, ab 1559 in Rom lebend) fertigte zwei inschriftlich 1568 und 1569 datierte Kupferstiche des Kapitolsplatzes aus der Vogelschau an, die sich streng an Michelangelos Entwürfe hielten. Sie waren derzeit noch eine Fata morgana, es sollte fast achtzig Jahre dauern, bis der Platz samt seinen Palastfassaden so verwirklicht war. Aber es sind die ältesten Veduten eines Stadtplatzes, und sie gehören an den Anfang unserer Betrachtung. Auch von St. Peter fertigte Dupérac Grundriß, Schnitt und Außenansicht nach Michelangelos Entwurf (1569), also lang ehe das barocke Langhaus vor den Zentralbau der Renaissance gesetzt wurde. Leider befindet sich unter Dupéracs Stichen keine Ansicht der Fassade. Hier also war der Wunsch, eine bildliche Vorstellung von Michelangelos Plänen zu erhalten, der Anlaß für eine ganze Reihe von gemalten und gestochenen Veduten der Peterskirche vom Petersplatz aus. Wir bilden einen Stich des Brüsselers Nicolaus van Alst von etwa 1595 ab, der auf der Rekonstruktion der Kirchenfassade durch Domenico Fontana 1589 fußt. Die Entstehung der Stadtvedute haben diese Jahre zwischen Michelangelos Tod (1564) und dem Bau von Madernas Langhaus (1608) sehr gefördert. Die Platzvedute war damit zu einer festen Gattung geworden.

Die Freskomalerei freilich eilte dem Kupferstich weit voraus: Als Sixtus V. in den fünf Jahren seines kurzen Pontifikats (1585–1590) die neue Vatikanische Bibliothek mit Wandbildern von römischen Straßenzügen, Plätzen und Monumenten schmückte, mündeten diese topographischen Ansichten in einer riesigen Gesamtschau der Stadt, von der Piazza del Popolo bis zum Lateran reichend, mit Sa. Maria Maggiore als Zentrum, von wo aus das neue Straßensystem sich entwickelte.

In der Graphik hingegen ist der Schritt vom Platzbild zum ersten ausgreifenden Stadt-Prospekt nicht in Italien erfolgt. Er ist vielmehr die entwicklungsgeschichtliche Leistung des großen graphischen Genies aus dem ersten Drittel des 17. Jahrhunderts, des Lothringers Jacques Callot (1592/93–1635, geboren und gestorben in Nancy). Unter seinen mehr als 1500 Kupferstichen befinden sich Aufnahmen von Straßen und Plätzen in Florenz und Nancy, vor allem aber zwei Veduten von Paris, vom Seine-Ufer her aufgebaut. Natürlich wurde auch er in Italien ausgebildet. Von drei Fluchtversuchen des ganz jungen Bürschchens ins gelobte Land gelang erst der dritte. 1609 arbeitete Callot bei römischen Stechern, wechselte aber rasch nach Florenz über, wo er Anschluß an die für den Hof arbeitenden Künstler fand. 1614 wurde er in das Atelier des Hofarchitekten und Ingenieurs Giulio Parigi aufgenommen, und mit diesem zusammen inszenierte Callot Theateraufführungen und Festaufzüge. Der Sinn für Bühnenraum und theatralische Wirkung blieb ihm bis in seine Spätzeit erhalten. Das Blatt mit dem Schloßpark von Nancy und die Aufnahme der Carrière lassen nicht übersehen, daß ihr Stecher von der Theaterdekoration herkam. Wie hundert Jahre früher zur Zeit von Peruzzi und Serlio treffen wir hier abermals auf eine enge Verbindung von Bühnenkulisse und Stadtvedute. Nach einer noch etwas zaghaften und schwachen Radierung vom Campo in Siena (um 1617) gewinnen seine Blätter auch in Florenz zunächst noch nicht die souveräne Sicherheit. Es gibt vier radierte Entwürfe zu einem Hoffest in Florenz anläßlich des Karnevals von 1615 auf der Piazza Sa. Croce in Gegenwart des Großherzogs Cosimo II., eine Guerra d'Amore, zu der Parigi die Festwagen entwarf. Hier werden die ovalen Tribünen der Zuschauer von dem festen Rechteck der Florentiner Piazza umschlossen. Aber schon 1619 macht sich der Künstler von solchen starren Mustern frei. Eine Wasserschlacht zweier streitenden Korporationen (Weber und Färber) auf dem Arno zwischen Ponte Trinità und Ponte delle Grazie wird behandelt, als ob es sich um die Malerei auf einem Fächer handele (1619). Die starren Horizontallinien der beiden Arnoufer, die sich mit den zwei Brücken über den Fluß zum festen Rechteck verbinden, werden locker und leicht durch das Oval des aufgeschlagenen Fächers. Dessen Rollwerk-Rahmungen sind mit Figurinen besetzt, die sich demnach außerhalb des Bildes befinden und sich doch jeden Augenblick mit der Zuschauermenge auf dem südlichen Arnoufer vermischen könnten. Zweifellos ist das der schönste Rahmen, der je eine barocke Stadtansicht umzog. Vor diesem Fächerrand wirkt die zarte Silhouette der nördlichen Stadthälfte wie hingetupft.

In den Jahren 1629/30 weilte Callot nach Aufforderung von König Ludwig XIII. in Frankreich, um Bilder von der Belagerung von La Rochelle und der Insel Ré aufzunehmen. Ohne Auftrag entstanden damals die beiden Stadtansichten von Paris. Die eine ist relativ einfach konstruiert (Abb. 95). Die beiden Flußufer laufen aufeinander zu und müßten sich schließlich für das Auge des Betrachters vereinigen, würden die Höhen von St. Cloud, welche die Tiefe abschließen, das nicht verhindern. Das rechte Ufer ist besetzt vom Hôtel Bourbon, dem Louvre, den beiden Rundtürmen de la Prévosté aus der Zeit Karls V. und

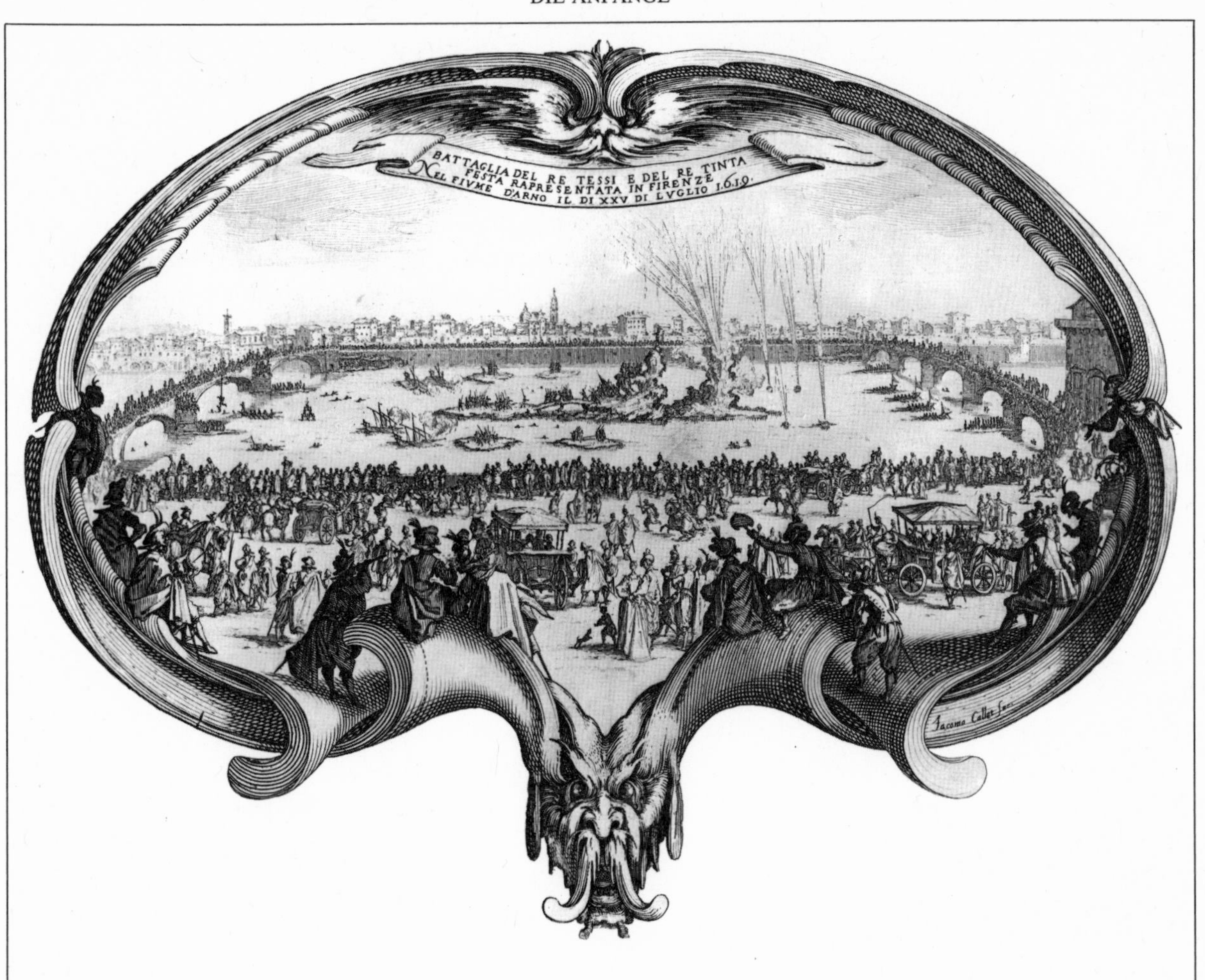

schließlich von den Tuilerien. Auf der linken Seite ist der Blick entlang dem Ufer versperrt durch die Tour de Nesle, die Porte de Nesle und das Dach des Hôtel de Nevers – Baulichkeiten, die alle heute nicht mehr existieren. Bei so stark besetzten Ufern darf der Fluß nicht leer bleiben: Hier findet unter Beteiligung der Barken des Königs ein Festspiel statt, dem viele Neugierige aus Booten zuschauen.

Viel komplizierter ist das andere Blatt mit dem Blick flußaufwärts aufgebaut (Abb. 96). Das rechte Drittel ist ganz in Nahsicht gehalten; alle Details, Staffagen und Architekturen sind liebevoll festgehalten, fast überbetont. Die Tour de Nesle bildet den Drehpunkt. Die linken zwei Drittel des Stichs geben eine Fernansicht des Pont Neuf, der damals noch nicht lange stand (1606 erbaut), mit dem Reiterstandbild Heinrichs IV. in der Mitte der Brücke. Dahinter lösen sich die Türme von Notre Dame, von St. Germain und von St. Jacques vom Horizont. Aus feinsten und kleinsten Strichen aufgebaut, verschwimmt diese Ansicht zum Fernbild in Luft und Licht. Beide Blätter gehören zusammen, der Käufer soll sich an der Tour de Nesle orientieren können, wo er steht und wie sein Blick sich hier wenden muß, Seine aufwärts und Seine abwärts. Mit den hier entfalteten Kompositionsprinzipien stand Callot um 1630 in Europa noch ganz allein. Auch wußte niemand die Radiernadel so zu handhaben: die Behendigkeit der wimmelnden Staffage, der schwere, im Schatten liegende Mauerverband der Paläste und Häuser, welche die seitlichen Ränder der Komposition festmachen sollen, das Flimmern der in die Ferne gerückten Architekturen, die wie hingehaucht erscheinen.

Schon kurz vor der Pariser Reise muß das Blatt mit der »Carrière« von Nancy entstanden sein, jenem langgestreckten Platz, der heute noch das Rückgrat der einzigartigen Stadtraumfolge von Stanislas Leszynski bildet (Abb. 1). Der Stich unterscheidet sich von der Seine-Ansicht flußabwärts eigentlich nur dadurch, daß hier noch alles »guckkastenartig« starr konstruiert ist. Alle Linien laufen auf einen festen Fluchtpunkt zu, der in einem Fenster des die Tiefe abschließenden herzoglichen Palais liegt. Von derselben Strenge der Linearkomposition ist »Le Parterre«, eine Darstellung des Schloßgartens von Nancy mit einem Ballspiel vor Herzog Karl IV. und der Herzogin Nicole 1625 auf der Rampe des Vordergrundes (Abb. 2). Alle Linien der Komposition treffen sich in der Laterne des überkuppelten, rückwärtigen Gartenportals in der Mitte. Das Abstreifen dieser geometrischen Konstruktion, der Schritt zu der freien Komposition der Seine-Bilder, bedeutet einen großen, folgenreichen Wendepunkt in der Entwicklung der Stadtansicht.

Italien

ROM

Wir beginnen unseren Rundgang durch Europa in Italien, weil es hier die größten Kunstdenkmäler und die verlockendsten Stadtansichten gibt, festgehalten durch die bedeutendsten Vedutenstecher. Vom 16. bis zum 18. Jahrhundert war Italien das wichtigste Reiseland für die grand Tour der jungen Aristokraten. Vor allem zwei Städte waren es, die unvergleichbar erschienen: Rom als Bewahrerin der antiken Ruinenwelt und als Sitz des Papsttums, Venedig, das als ins Wasser gebaute Stadt alle Fremden entzückte. Die Anziehungskraft von Florenz blieb dagegen weit zurück; noch Goethe war bekanntlich in einem halben Tag mit der Stadt fertig. Erst das um 1800 erwachende Interesse für die Denkmäler als Zeugen der Kunstgeschichte und die Bewunderung der Romantiker für die »Primitiven«, das heißt die Maler der Frührenaissance, machten den Ort interessant. Als man ein Auge für gotische Kunst bekam, wurde auch das Stadtbild von Verona mit Scaliger-Brücke, Scaliger-Kastell und Scaliger-Gräbern nicht mehr übersehen. Im 18. Jahrhundert bildete dann Paris einen Magneten, der die Reisenden ebenso anzog, wie es Rom und Venedig schon lange zuvor getan hatten.

Freilich bleibt Italien in der Entwicklung der graphischen Stadtansicht zeitlich hinter Frankreich zurück: Vor 1650 ist auf der Halbinsel kein bedeutendes Blatt entstanden. Das ist eigentlich verwunderlich, denn besonders in Rom und Venedig als Fremdenstädten stellt man sich den Bedarf an graphischen Blättern als Reiseandenken größer vor, als er offensichtlich war.

Rom war damals eine kaum mittelgroße Stadt. Es hatte um 1570 etwa 70 000 Einwohner, seit der Mitte des 17. Jahrhunderts blieb die Bevölkerung mit etwa 130 000 Menschen fast konstant. Was bedeutete das gegen die Bewohnerzahlen von Venedig, London und Paris? Aber die Pilgerreisen nach Rom waren enorm, im Heiligen Jahr 1650 waren zu Ostern etwa 70 000 Pilger versammelt. Die Gesamtzahl der Besucher im ganzen Jahr wurde auf 700 000 geschätzt, wobei man annehmen darf, daß jeder Pilger etwa 14 Tage verweilte, um seinen religiösen Pflichten und Bedürfnissen nachzukommen. In dem größten Pilgerhospiz bei SS. Trinità dei Pellegrini wurden während dreier Tage 226 771 Männer und 81 822 Frauen beherbergt und bewirtet. Solche Zahlen machen das Fehlen einer Veduten-Graphik noch unverständlicher.

Gewiß kauften hohe Prälaten und mäzenatisch gesinnte Cavaliere keine simplen Graphiken, sondern Gemälde mit Rom-Veduten, und von Kaspar van Wittel (Gaspard Vanvitelli, geboren 1652 in Amersfoort, gestorben 1736 in Rom) bis zu Pannini (1691–1764, architektonische Prospekte erst ab 1727) und Hubert Robert (1733–1808) war dieses Feld von der Fremdenindustrie wohlbestellt. Vermögenden Kunstkennern gelang es wohl auch, ein Gemälde mit römisch-antiken Motiven von Claude Lorrain oder Nicolas Poussin zu erwerben. Von diesen Künstlern war keiner ein Römer, wie überhaupt der Beitrag der hier Geborenen zur künstlerischen Gestaltung ihrer Stadt von jeher sehr spärlich gewesen war. Ganz im Gegensatz zu Venedig, wo alle Vedutenstecher Kinder der Lagune waren, blieb in Rom die Architekturgraphik bis zum Ende des Rokoko den Fremden überlassen.

Es gab eine ganze Gattung der Ruinenmalerei, die besonders von den Vereinigungen der in Rom lebenden niederländischen Maler gepflegt wurde. Diese Künstler setzten ihre Motive auch in den Kupferstich um. Schon Etienne Dupérac, der 1559 nach Rom gekommen war, studierte 15 Jahre die Altertümer, arbeitete in der Offizin von Antoine Lafréry und ließ 1575 seine »Vestigi dell' Antichità di Roma« erscheinen, ein Buch, das den Rom-Ruinen und ihrer Rekonstruktion gewidmet war. Ein anderer Meister war Hermann van Svanevelt (geboren um 1600 in der Provinz Utrecht, gestorben 1655 in Paris), der von 1629 bis 1638 in Rom lebte und kurz vor seinem Tode 1653 »Diverses vues dedans et dehors de Rome«, eine Folge von 13 Blättern, in Paris erscheinen ließ. Des Wahlholländers Pieter Schenk (geb. 1660 in Elberfeld, gestorben vor 1721 in Amsterdam) »Roma aeterna« (bestehend aus 100 Blatt, Amsterdam 1705) muß bei Reisenden beliebt gewesen sein, weil manche seiner Blätter die Bauten nicht im Ruinenzustand zeigen, sondern nach sehr eigenwilligen Rekonstruktionen – welche aber wohl die meisten Betrachter als bare Münze nahmen. Viel bedeutender ist der Lothringer Israel Silvestre (geboren 1621 in Nancy, gestorben 1691 in Paris), der sich vor 1640, 1643/44 und 1653 in Italien aufhielt (Abb. 5). Er hatte nahe Familienbeziehungen zu Callot und ahmte dessen Technik der Vedute nach. Eine Sammlung von »Alcune Vedute di Giardini e Fontane di Roma e di Tivoli« erschien 1646. Die Folge »Antiche e moderne Vedute di Roma e Contorno« ist leider undatiert. Ohne sein Wirken würden wir kaum eine Ansicht des Glockenturms von Bernini auf der Fassade von St. Peter besitzen.

Erst in der zweiten Hälfte des 17. Jahrhunderts zog die Stadt in Giovanni Battista Falda, der 1678 starb, einen bedeutenden Vedutenstecher an. Am bekanntesten sind seine Blätter von den Gärten und Brunnen in und um Rom (Giardini di Roma 1670, Fontane di Roma 1675, Fontane di Ville), die in mehreren Auflagen erschienen und große Verbreitung fanden. Seine umfangreichste Publikation ist eine in mehreren Folgen und unter wechselnden Titeln erschienene Arbeit »Il nuovo Teatro delle Fabriche ed Edificii di Roma moderna«, wozu Falda die Illustrierung der Bautätigkeit unter Alexander VII. und Clemens IX. selbst beigesteuert hat (Abb. 6, 7, 8, 9, 10, 13, 19). Die Hefte vier und fünf mit den Pontifikaten seit Innozenz XII. sind erst nach seinem Tode entstanden.

Schon dem Format nach sind diese kleinen Blätter von den Stichen des bedeutenden französischen Kupferstechers Jacques Callot und seines Schülers Israel Silvestre (1621–1691) beeinflußt. Doch wagte Falda nicht das Spiel mit Licht und Schatten, die Sonne funkelt nicht auf seinen Bauten, und die Luft flimmert nicht. Eine gewisse Trockenheit liegt über seinen Blättern, auch schreckte er vor einer kühnen Aufteilung der Raumbühne zurück. Der Prospekt wurde vielmehr möglichst flächig und frontal ausgebreitet. Wo dies sich nicht bewirken ließ, reihte Falda seine Bauten entlang einer sorgfältig konstruierten Diagonale auf.

Der Architekturstecher Giuseppe Vasi, geboren 1710 in Corleone in Sizilien, kam 1736 nach Rom, wo er 1782 starb. Wie Piranesi war er ursprünglich Architekt, mußte aber zum Vedutenstecher überwechseln, um existieren zu können. Er lebte lange Zeit mit seiner großen Familie in den Erdgeschoßräumen der Cancelleria. Sein Ansehen beruht heute darauf, daß er als erster Lehrer des Piranesi in Rom gilt, und weiterhin, daß er der Schöpfer einer aus zwölf Blättern bestehenden großen Romvedute war, aufgenommen vom Janiculus aus (1765). Sein Hauptwerk indessen sind die »Magnificenze di Roma antica e moderna«, an denen er 14 Jahre lang arbeitete (1747–1761) (Abb. 11, 12). Das Werk war in zehn Bücher mit insgesamt 200

Tafeln gegliedert, welche die Tore, wichtige Plätze, Basiliken und frühchristliche Kirchen, Brücken, Pfarrkirchen, Konvente, Männer- und Frauenklöster, Kollegiengebäude, Hospitäler und schließlich die suburbanen Villen vor dem Betrachter ausbreiteten. Man findet hier viele Motive, die andere Stecher nicht gebracht haben, und muß dafür dankbar sein. Als Künstler steht Vasi aber nicht hoch über dem Durchschnitt, besonders seine allzu schematisch angelegten Schattenpartien bringen oft etwas Monotones in seine Stiche. Vasi legt die Wände von Kirchen und Palästen unter schematische Vertikalschraffuren; Horizontalschraffuren vermeidet er prinzipiell; kreuzförmige Schraffuren verwendet er allenfalls für Geländeerhöhungen im Vordergrund seiner Stiche. Durch diesen eintönigen Umgang mit der Radiernadel bleibt Vasi den individuellen Leistungen etwas schuldig. Der Palazzo Farnese ist für ihn ein Palast wie andere auch, von der Löwenpranke Michelangelos hat Vasi nichts gesehen. Vor allem aber weiß der Künstler nicht mit Licht und Schatten umzugehen. Es ist zu wenig Sonne in seinen Blättern, denen sich dadurch etwas Freudloses mitteilt.

Alle bisher genannten Stecher sind durch das Lebenswerk des Piranesi beiseite geschoben worden oder in Vergessenheit geraten. Sein Schaffen trägt alle Züge des Genialen. Er entwickelte sich erstaunlich rasch und doch mit einer gewissen Stetigkeit, technische Schwierigkeiten seines Handwerks überwand er schnell. Mit 28 Jahren war er ein Virtuose mit der Radiernadel, und seine ungeheure Vielseitigkeit erregte bereits das Staunen der Zeitgenossen: Außenbau und Innenraum, Ruinen und eben errichtete Gebäude, freie Plätze und Straßenzeilen, reale Parkveduten und visionäre Traumlandschaften – alle diese Motive meisterte er oder schaffte sie erst als Gattung. 150 Jahre vor der Erfindung der Flugaufnahme hat er antike Ruinen in Luftbildern seiner Phantasie festgehalten. Dazu war Piranesi praktisch tätiger Architekt (der Erbauer der Malteserkirche auf dem Aventin, von Sa. Maddalena del Priorato und von Palästen in der Stadt), Bühnenbildner, Archäologe und gelehrter Antiquar, der heute den Abflußkanal des Albaner Sees untersuchte, morgen das Nymphäum des Nero rekonstruierte, vor allem aber ein Mann, der gegenüber der neu aufkommenden Griechenlandbegeisterung seiner französischen und britischen Freunde die Originalität und Weltgeltung der römischen Architektur aufrechtzuerhalten als seine Aufgabe verstand.

Dabei hatte alles bescheiden, ja timide angefangen, die ersten Stiche nach 1741 sind unverbindliche Zeugnisse des jungen venezianischen Vedutisten, gegen Ende seines Lebens aber sagte Piranesi: »Ich muß neue Ideen hervorbringen, und ich glaube, wollte man mir den Plan eines neuen Universums auftragen, ich wäre Narr genug, ihn zu entwerfen.« Ein solches Vertrauen auf die schöpferische Unversiegbarkeit der eigenen Phantasie spricht aus allen 137 Blättern seiner »Vedute di Roma.«

Piranesi war Venezianer, 1720 in Mogliano bei Mestre auf der Terra ferma, hart am Ufer der Lagune, geboren. Vom Vater, einem Steinmetzen, frühzeitig zum Architekten bestimmt, lernte er den Beruf bei einem Oheim, wurde in der Theorie der Perspektive unterwiesen, arbeitete aber auch mit den beiden Bühnenbildnern Valeriani. Vielleicht war es für die Entwicklung des Jungen noch wichtiger, daß ihm ein Bruder, der Karthäusermönch war, aus antiken Schriftstellern vorlas. 1740 ging er als Zeichner im Gefolge des venezianischen Botschafters bei dem neuen Papst Benedikt XIV. nach Rom. Er mußte dort schnell einsehen, was schon Giuseppe Vasi hatte bitter erfahren müssen: In Rom war bei schlaffer, zögernder Bautätigkeit kein Platz für praktische Architekten; wie Vasi wandte sich Piranesi daher dem Architekturstich zu. Er trat 1741 in die Werkstatt des trockenen Vasi ein, lernte bei ihm die technischen Grundlagen des Radierverfahrens und die Herstellung von Veduten, aber der Lehrer bemerkte bald: »In Ihnen, mein Freund, steckt zu viel von einem Maler, als daß Sie jemals Stecher werden könnten.«

1744 kehrte Piranesi nach Venedig zurück, da die Mission seines Botschafters erfüllt war, der junge Stecher aber ohne den Rückhalt eines Amtes sich finanziell in Rom nicht zu behaupten getraute. Aber schon 1745 war er wieder in der Ewigen Stadt, die er fortan bis zu seinem

Tode 1778 nur noch zu Studienreisen verließ. Die Möglichkeit der Rückkehr verschaffte ihm eine Agententätigkeit für den venezianischen Kupferstichhändler Giuseppe Wagner. Bald darauf aber trat er in Geschäftsbeziehungen zu dem in Rom lebenden französischen Verleger Jean Bouchard, der ihm offensichtlich finanziell den Übergang zum großen Plattenformat ermöglichte. 1745 und 1748 erschienen die letzten Veduten kleinen Maßstabs, bei Bouchard aber kamen die »Carceri« heraus (Erscheinungsjahr nicht sicher, um 1750, 14 Tafeln), vor allem aber begann 1751 bei Bouchard das eigentliche Lebenswerk Piranesis zu erscheinen, das ihm schnell europäischen Ruhm eintrug, die »Vedute di Roma« (zunächst unter dem Titel »Magnificenze di Roma«). Sie entstanden in ständigem Wachstum, aber mit großen Pausen dazwischen, von 1748 bis ins Todesjahr des Künstlers, als eine Sammlung von insgesamt 137 Blatt. Obgleich meist in Alben zusammengebunden und verkauft, sind die Blätter von sehr unterschiedlicher Größe: Das späte Vogelschaubild des Kolosseums mißt 45 mal 69,5 cm, die Kaskaden von Tivoli 47 mal 70 cm (beide 1766), während die Ansicht des Kapitols mit der Cordonata (wahrscheinlich von 1757) nur 38 mal 53,5 cm groß ist.

Die allerfrühesten kleinformatigen Radierungen, entstanden zwischen 1741 und 1745 – Außenansichten von S. Paolo fuori le Mura, von S. Stefano Rotondo (Abb. 35) oder ein Einblick in die Grotte der Egeria –, arbeiten ganz ohne Kreuzschraffuren, sie bauen die Gebäude aus engstehenden feinen und dünnen Parallelstrichen auf. Die Architekturen wirken vibrierend, von dem Blatt von S. Paolo hat man gesagt, daß es »unter einem flimmernden Hitzeschleier« liege. Die Stiche von 1748 haben diese etwas starre Technik überwunden, Hell und Dunkel sind in wundervoller Weichheit über Gebäude und Ruinen ausgebreitet – es ist klar, daß beim Wechsel zum großen Format sehr viel von der Intimität dieser samtigen kleinen Blätter verlorengehen mußte.

Bei den 137 Blättern der Vedute di Roma, die uns allein beschäftigen sollen, ist die Wahl des Standpunkts des Stechers sehr verschieden. Sie kann ganz konventionell sein – wohl mit Rücksicht auf die Käuferschicht –, aber auch so individuell und gezielt, daß das Gebäude »verfremdet« erscheint. Volle dreißig Jahre lang umkreist der Meister seine »Motive« – manche Objekte hat er dreimal dargestellt, bis er sich selbst Genüge getan hatte (zum Beispiel Cestiuspyramide, Petersplatz, Monte Cavallo, Piazza Navona usw.). Man kann beim Vergleich von frühen mit späten Blättern studieren, wie zart, licht und leicht, wie ganz von venezianischer Luft erfüllt die frühen Werke sind, während in den späten Serien die Wiedergabe des Atmosphärischen eine weit geringere Rolle spielt und die behutsame Zartheit der Architektur-Interpretation durch die Suche nach dem Monumentalen verdrängt wird (Fontana Trevi und Piazza Navona, jeweils 1751 und 1773, Petersplatz 1748 und 1775).

Die Stiche von der Peterskirche oder der Fontana Trevi in strenger Frontalität mit Betonung der Zentralperspektive erscheinen uns heute durch die Blätter mit Schrägansichten dieser Objekte weit überboten. Die Komposition der Stiche vom Forum Romanum auf einen Fluchtpunkt hin (der immer in der Durchfahrt des Titusbogens liegt) tritt dem Betrachter kaum ins Bewußtsein, so beiläufig scheint er behandelt. Doch wußte Piranesi, daß seit dem Erscheinen von Ferdinando Bibienas »Architectura Civile« von 1711 die Benutzung der Zentralperspektive zugunsten der Scena per Angolo aus der Mode gekommen war. Es handelt sich um ein System aus der Bühnenmitte wegführender Diagonalgassen, von denen man beliebig viele anordnen konnte, um die seitliche Bühnentiefe und -breite zu erschließen. Noch in einer Vorzeichnung aus seinem Todesjahr für den Stich der Villa Pamphili hat Piranesi dieses Verfahren genau angewendet.

Eines der Hauptbestreben Piranesis bestand darin, seine Gebäude so nahe wie möglich an den vorderen Bildrand vorzuziehen. Dabei werden Architekturen wirkungsvoll überschnitten, bei der Fassade von S. Paolo fuori le Mura ist der Giebel der frühchristlichen Basilika am oberen Bildrand gekappt. In einem ganz frühen Blatt wird die Christusfigur über der Balustrade der Lateranskirche respektlos so überschnitten, daß nur der Unterkörper übrigbleibt. Die Spitzen von Obelisken, die Scheitel der Bogen von Aquädukten zu unterdrücken, ist ein Kunstgriff des Stechers. Er erreicht dadurch, daß seine römischen Bauten oft wie Lokomotiven aus dem Bild heraus auf uns zuzufahren scheinen. Hier ist also ein Kunstgriff des modernen Kinos um 150 Jahre vorweggenommen. Die berühmtesten Beispiele dafür sind die späte Aufnahme der Maxentius-Basilika von 1774 und die Ansicht der Milvischen Brücke (Abb. 22). Die venezianische Ausbildung als Perspektivmaler kam Piranesi sehr zustatten, als es ihn reizte, römische Ruinen aus der Vogelschau darzustellen, wie sie nie ein menschliches Auge erblickt hatte (Kolosseum, Caracalla-Thermen). Zwei Vorzeichnungen in der Staatlichen Kunstbibliothek Berlin belegen, wie genau der Zeichner die perspektivische Rekonstruktion des Ovals vom Kolosseum Zelle für Zelle, Bogen für Bogen aufbaute, ehe er sie auf die Platte übertrug.

In anderen Fällen war es Piranesi gleichgültig, ob das Auge des Betrachters wirklich mit einem Blick alles umfassen könne, was der Stich wiedergibt. Die Innenansicht der Basilika von S. Paolo fuori gewährt einen Einblick in die Seitenschiffe, den es in dieser Weite wohl niemals gab. Die Obergadenwand der nördlichen Mittelschiffsarkade hat der junge Künstler aufgeschnitten, um die Sicht auf die Abseiten und ihr Belichtungssystem zu ermöglichen (Abb. 32).

Je älter der Künstler wird, desto mehr steigert sich auf seinen Blättern der Kontrast von Licht und Schatten ins Phantastische, ja ins Mystische. Ohne diesen Kontrast war er natürlich von Anfang an nicht ausgekommen, um seine Bauten dreidimensional hervortreten zu lassen. Aber als sich der Künstler in den späten sechziger Jahren den Ruinen der Villa Adriana zuwendet, je häufiger er also Gelegenheit hat, Grotten, antike Kasematten, riesige Korridore mit schräg einfallendem Oberlicht, unterirdische Säle und Gewölbe darzustellen, desto mehr benutzt er die Zufälligkeit und Verwirrung der Lichtführung zur Erzeugung einer magischen Belichtung (Abb. 36).

Es ist sehr reizvoll zu beobachten, wie die beiden Stilmittel sich verschränken. Die Linearkomposition strebt zum Fluchtpunkt in die

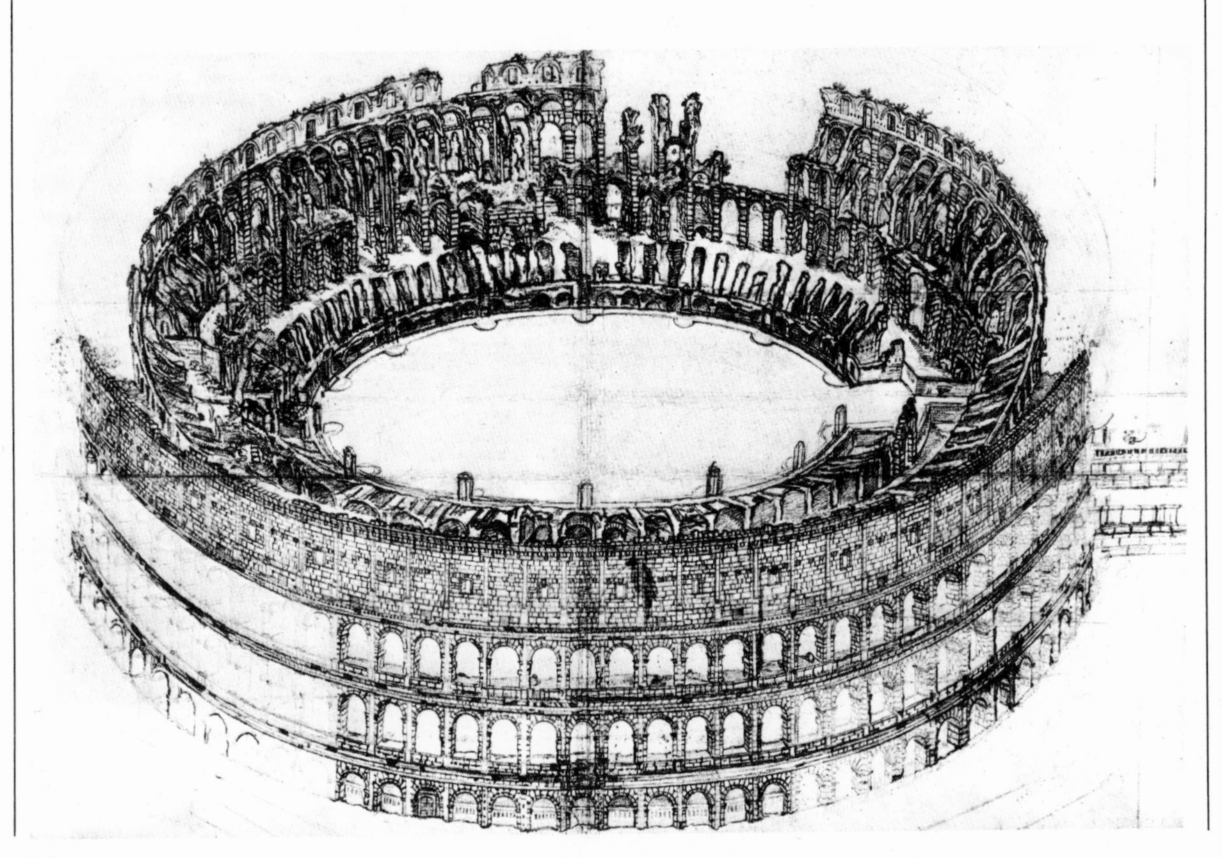

Tiefe, aber breite Licht- oder Schattenbänder, in der Horizontalen entwickelt, versuchen, diesen Tiefenzug aufzuhalten oder wenigstens zu verlangsamen. Horizontale Schattenbänder liegen über den Fußböden der frühchristlichen Basiliken, springen an den Palästen am Corso oder am Palazzo Farnese die Fassaden hinauf, überziehen die riesigen Inschrifttafeln der Porta Maggiore (Abb. 27) oder zerschneiden die ruinösen Gewölbe der Villa Adriana. Freilich kommt es selten vor, daß kompakte Schattenfelder von tiefster Schwärze fast ohne Übergänge und Abstufungen das Feld beherrschen (Nerva-Forum, Abb. 24). Um billige Effekte erzielen zu wollen, ist Piranesi zu groß. Das frühe Blatt vom Monte Cavallo, wo die Dioskuren von den Strahlen der untergehenden Sonne theatralisch hinterfangen werden, bildet eine seltene Ausnahme.

Gegen Ende des ersten Drittels seiner römischen Tätigkeit hat Piranesi erklärt, was ihn zu seinem Tun trieb: »Als ich sah, daß diese Reste der antiken Bauwerke Roms, die großenteils in Gärten und Feldern verstreut sind, von Tag zu Tag abnehmen – teils durch die Witterung zerstört, teils aber auch durch die Habgier der Besitzer, die sie mit barbarischer Unverfrorenheit heimlich ausgraben, um die Fragmente als Baumaterial zu verkaufen –, da nahm ich mir vor, sie im Druck festzuhalten »(Le Antichità Romane, 1756, Bd. I, Prefazione agli studiosi). Wenig später schon schrieb er an einen englischen Auftraggeber: »Ich glaube, ein Werk vollendet zu haben, das noch späteren Generationen etwas zu geben hat und das so lange bestehen wird, wie Menschen Sinn und Interesse für das haben, was in unserem Jahrhundert von den Ruinen der berühmtesten Stadt des Universums übriggeblieben war« (1757 an Lord Charlemont).

Eigentlich ist Piranesi nur in Venedig, nicht aber in Rom Lehrern begegnet. Für die kubische Gewalt der Moles oder für die Schwerkraft des zyklopischen Mauerverbandes, für die Wucht des gespannten Bogens und die drükkende Last des Tonnengewölbes konnte der junge Venezianer in der Lagune, in einer Stadt, wo es keine antiken Reste gab, kein Verständnis gewinnen. Kein wegweisender Meister war es, sondern es waren die Steine, Mauern und Gewölbe der Ewigen Stadt, die Piranesi zum Römer erzogen haben.

Dafür gibt es einen Gegenbeweis: Die wenigen Landschaften (besonders die Wasserfälle von Tivoli, 1766) sind ganz unrömisch und bleiben venezianische Veduten. Schließlich die Staffage auf den Stichen: »Dagegen war Piranesi vom Sinn für Schönheit und Anmut der menschlichen Gestalt in einem für den Italiener bis dahin seltenen Grade verlassen. In dem Gestrüpp, das seine Ruinen unzugänglich macht und in dem Menschen wie Mücken in den Maschen eines Spinnengewebes festzuhängen scheinen, gewahrt man Gestalten in schwarzen Lumpen, mit verrenkten oder fehlenden Gliedmaßen, rachitisch verkrümmten Knochen, insektenhaften Armen und Fingern in heftigen Bewegungen« (Carl Justi). Es sind die letzten Abkömmlinge aus Callots Geschlecht.

VENEDIG

In den barocken Jahrhunderten besaß Italien eigentlich zwei Hauptstädte: Rom und Venedig. Sie verhalten sich zueinander wie Gegenpole, sie könnten nicht verschiedener sein. Zwar waren die Bevölkerungszahlen nahezu gleich. Nachdem die Pest-Epidemie von 1630/31 die Einwohnerzahl von Venedig von 150 000 auf etwa 100 000 reduziert hatte, blieben in beiden Städten die Bevölkerungszahlen konstant und etwa auf gleicher Höhe. Für Venedig ergaben die Volkszählungen 1764 bis 1766 141 656 und 1790 137 603 Personen. Der gewaltige Unterschied bestand freilich darin, daß Rom über keinen Landbesitz verfügte, während Venedig auf der Terra ferma um die Mitte des 16. Jahrhunderts eineinhalb Millionen Untertanen besaß, 1770 gar über zwei Millionen.

Ihre Stellung als europäische Großmächte hatten beide Städte im 16. Jahrhundert verloren: Venedig konnte zwar den Krieg der Liga von Cambrai, in dem ganz Europa sich gegen die Serenissima verbündete, ehrenvoll und ohne Landeinbuße überstehen (1509), aber es war durch diesen Krieg doch zu einer zweitrangigen Seemacht geworden. Im Ausbau der Kriegsflotte vermochte Venedig mit dem türkischen und dem spanischen Reich nicht mehr Schritt zu halten. Ende des 16. Jahrhunderts war auch die politische Stellung des Papsttums erschüttert. Nach dem Tode von Sixtus V. (1590) fragte niemand in Europa mehr nach der päpstlichen Politik.

Rom war eine fromme Stadt in päpstlicher Verwaltung, Venedig aber eine Freistatt für politische und Glaubensflüchtlinge. Hier tagten keine Ketzergerichte und brannten keine Scheiterhaufen. Man lebte leichter in der Lagune. In der Zeit des Rokoko ging man hier drei Viertel des Jahres unter der Maske. Während des Karnevals war Venedig im 18. Jahrhundert der Treffpunkt des europäischen Adels. Obwohl Venedig eine Fremdenstadt war wie Rom, kam hier die Gattung der Vedute noch später, erst im 18. Jahrhundert, auf.

In keiner anderen Stadt war das Verhältnis zwischen Malern und Stechern so eng wie in Venedig. Um die Feste anläßlich der Dogenkrönung von 1763 der Nachwelt zu überliefern, fertigte Canaletto zwölf große, bis ins einzelne durchgearbeitete aquarellierte Zeichnungen an. Nach diesen brachte Giovanni Battista Brustolon zwölf repräsentative Kupferstiche mit den Dogenfesten auf den Markt, und diese wiederum dienten Guardi als Vorlage für die Folge von zwölf seiner bekanntesten Gemälde. Eine ganze Anzahl von Malern war selbst Stecher. Michele Marieschis malerisches Werk hatte er selbst in einer Serie von 21 Radierungen unter dem Titel »Magnificentiores selectioresque urbis Venetiarum prospectus« herausgebracht (Abb. 40, 50). Von diesen zeichnete und radierte er 16 Platten nach seinen eigenen Bildern, fünf andere fügte er noch hinzu. Canaletto aber war nicht der Interpret seiner Gemälde im Schwarzweiß des Stichs – seine »Vedute – Altre prese dai luoghi – Altre ideate«, dreißig Radierungen, zwischen 1740 und 1743 entstanden, haben mit den Vorwürfen seiner Gemälde nichts zu tun, sind vielmehr freie Schöpfungen und bedeuten den Höhepunkt der Graphik des 18. Jahrhunderts neben den Veduten Piranesis.

Die Reihe der Vedutisten in der Lagune beginnt mit Luca Carlevaris (1663–1730), der, in Udine geboren, schon 1679 in Venedig nachweisbar ist. Zwischen 1685 und 1690 hat er sich in Rom aufgehalten, wo ihm die Vedutenmalerei des Holländers Gaspard van Wittel großen Eindruck machte, eines Künstlers, den er in Venedig wieder traf, wo Wittel sich 1694 mehrere Monate aufhielt, um die ersten venezianischen Veduten zu malen und zu zeichnen. Nach solchen »vedute ideate« stand auch der Sinn des jungen Carlevaris. 1703 erschien sein grundlegendes Stichwerk »Fabriche e vedute di Venetia disegnate poste in prospettiva e intagliate«, bestehend aus 104 Blättern (Abb. 41–44). Das Vedutenwerk war dem Dogen Luigi Mocenigo gewidmet, auf der Dedikationstafel spricht der Künstler es aus, daß seine Stiche eine Verbindung von Kunst und Mathematik bedeuten sollten, »unite l'azione dell'Intelletto con l'esercitio delle Matematiche, cioè Aritmetica, Geometria, Prospettiva ed Architettura Civile«. Das Werk erlebte drei Auflagen und einen Nachdruck. Carlevaris hatte den Ehrgeiz, ein wirkliches Bild seiner Stadt zu geben und an nichts vorbeizusehen. Daher bildete er relativ viele gotische Paläste ab, nicht nur solche, die am Canale Grande liegen. Begreiflicherweise begegnen wir aber auch all jenen Motiven, die größere Stecher später berühmt gemacht haben: Dogenpalast und Arsenal, Piazzetta und S. Giorgio Maggiore. Von der flimmernden Luft, die über den Gebäuden des Canaletto liegt, von dem makellosen ausgesparten Weiß, das seit der »Torre di Malghera« den Zauber dieser Radierungen ausmacht, wußte Carlevaris noch wenig. Sein Strich ist kräftig, zuweilen derb, seine Kontraste von Schwarz und Weiß sind ohne abstufende Übergänge, die Behandlung des Wassers oder der im Schatten liegenden Hauswände bleibt oft schematisch. Vor allem aber fehlt ihm jener Schuß Phantasie, der die Stiche mancher seiner Nachfolger zu großen Kunstwerken erhebt.

Die venezianische Vedute hätte wohl niemals ihren hohen Rang erreicht, wenn sie den Spuren Carlevaris' gefolgt wäre. Statt dessen wählte sie den Umweg über die Gattung des Capriccio – das war die Tat von Marco Ricci (geboren 1676 in Belluno, gestorben 1730 in Venedig), einem Neffen des bedeutenden Malers Sebastiano Ricci. Das Capriccio ist eine neue Bildgattung, ein Begriff, der aus dem Musikleben am Florentiner Hof um 1620 in die bildende Kunst übernommen wurde. 1617 gab Jacques Callot eine Folge von Capricci heraus. Capriccio bedeutete im 16. Jahrhundert eine »idea fantastica«, im 17. Jahrhundert eine »voglia bizarra«, in jedem Fall aber ein »operare di propria invenzione senza esempio«. Nur über den Umweg des Capriccios fand Marco Ricci den Mut, zwei neue Themenkreise in die venezianische Malerei einzuführen: das Schneebild und den Seesturm. Seine gemalten Seebilder sind keine Marinen im holländischen Sinne, sondern abstrakte oder ornamentale Capricci. Es ist merkwürdig, daß das Meer bis um oder nach 1700 für die venezianischen Maler und Stecher nicht darstellungswürdig war, weder die Wasser der Lagune noch die See draußen vor den Lidi. Wie anderes, hatten die Holländer schon das ganze 17. Jahrhundert hindurch ihr Haupt-Lebenselement wie selbstverständlich in den Bereich ihrer Kunst übernommen.

Bis zum Jahre 1946 kannte man nur die 20 Radierungen, die posthum, noch in Riccis Todesjahr 1730, unter dem Titel »Acqueforti appartenenti alla serie intitolata ›Varia Marci Ricci Pictoris prestantissimi Experimenta‹« in Venedig erschienen. Inzwischen hat sich die Zahl der Blätter auf 33 erhöht. Es handelt sich um reine Landschaften, aus denen die Idylle und das Capriccio unversehens, wie zufällig, erwachsen. Erreicht der Künstler in den reinen Landschaften eine große Bildtiefe, so sind die Capricci streng bildparallel und streifenförmig aufgebaut. Eine Vedute, die reale Gebäude von Venedig festhält, hat Ricci nie radiert.

Michele Marieschi starb jung (1710–1743). Er war lange in Deutschland, kehrte aber 1735 nach Venedig zurück. Als Sohn eines Theatermalers wurde er früh in der Kunst der Szenographie unterrichtet, was man seinen Gemälden wie seinen Stichen anmerkt (Abb. 40, 50). Er ist aber kein Nachahmer von Canaletto, sondern eher ein Vorläufer. Das Erscheinen von dessen Vedutenwerk wird Marieschi kaum noch erlebt haben. Seine Stiche greifen räumlich weiter aus als die von Carlevaris, umfassen größere Teile des Canale Grande, der Campi und Campielli. Das wurde möglich durch die Benutzung einer »camera ottica« mit Weitwinkelobjektiv, die ein sehr viel breiteres Blickfeld erschloß, als es das menschliche Auge je vermochte. Wenn Marieschi auch jung gestorben ist, er muß bekannt und seine Stiche müssen begehrt gewesen sein, da wir wissen, daß in seinem Atelier die Vorlagen des Meisters sogleich kopiert wurden. Seine Vedute vom Hof des Dogenpalasts hat etwas Monumentales (Abb. 50). Mit Licht und Schatten spielt er souveräner als seine Vorgänger – die schummrigen Halbschatten erlauben es, aus Straßenzeilen einzelne Gebäude herauszuheben oder ganze Hofseiten zurücktreten zu lassen. Man hat die silbrig-kühle Tonigkeit gepriesen, welche die parallelen Kreuzschraffuren seiner Hintergründe bewirken. Man wüßte gern, ob der makellose Elfenbeinton, der auf den Hausfassaden der Piazzetta dei Leoncini liegt, schon von Canaletto beeinflußt ist.

Die Kenntnis von Leben und Wirken des Antonio Canale, schon früh Canaletto genannt, verschafft uns eine Übersicht über die Geltung der venezianischen Vedute in ganz Europa während des Rokoko, zugleich aber einen Einblick in die Werkstatt des bedeutendsten Vedutenmalers und -stechers des venezianischen Settecento mit ihrem Großbetrieb. Wir sehen, wie durch Canalettos Verleger Scharen von Stechern dirigiert werden, wie es andererseits auch sozusagen ein Kämmerlein gibt, in dem der schöpferische Meister allein sitzt und radiert, was ihm Freude macht, womit ihn niemand beauftragt.

1697 in Venedig geboren, starb der größte venezianische Vedutist 1768 in seiner Vaterstadt. Auch er war der Sohn eines Theatermalers. 1719 oder kurz vorher ging er zusammen mit seinem Vater nach Rom. 1720 in die Lagune zurückgekehrt, eröffnete er sein Atelier. Er hatte von Anfang an großen Erfolg. Der englische Konsul in Venedig Joseph Smith »besaß um 1730 allein sechs San-Marco-Veduten von Canaletto und vierzehn Ansichten des Canale Grande. Der Herzog von Bedford hatte sich inzwischen vierundzwanzig Veduten von Canaletto gesichert, während weitere zwanzig Eingang in die Sammlung Harvey fanden und siebzehn in den Besitz des Earl of Carlisle übergingen« (Teresio Pignati). Keines dieser Gemälde hat Canaletto selbst in den Stich übersetzt. Vielmehr erschien 1736 ein Stichwerk, das unter dem Titel »Prospectus Magni Canalis Venetiarum« 14 Ansichten des Canale Grande umfaßte nach Bildern des Canaletto aus dem Besitz des Konsuls Smith. Schon 1742 war eine zweite Auflage notwendig, diesmal von 38 Blättern, beide Ausgaben von Antonio Visentini gestochen. Auch bei den späteren Auflagen wurden die malerischen Vorlagen dem Besitz von Smith entnommen oder gehörten in die großen Vedutenserien, die Canaletto in den dreißiger Jahren für englische Sammler gemalt hatte.

Über die Zusammenarbeit mit Visentini durfte Canaletto hoch zufrieden sein. Er übersetzte die Leinwandbilder seines Meisters nicht in linienbestimmte Graphik, sondern es gelang ihm, von Luft, Licht, Sonne, Wasserspiegel und Wolkenbildung Canalettos so viel einzufangen, daß die notwendig linearen Kompositionswerte seiner Radierungen soweit wie möglich überspielt wurden (Abb. 45, 46, 47, 48, 49, 53, 56).

Für die nächste Vedutenfolge Canalettos, »Prospetti sei di altrettanti Templi di Venezia« – Ansichten von sechs venezianischen Kirchenfassaden –, wurde ein anderer Partner gewählt, der vom Bodensee stammende Giuseppe Wagner. Dieser war in England gereist und hatte in Frankreich eine Stichtechnik erlernt, welche die Vorzüge von Kupferstich und Radierung vereinigte. »Die Kombination von kräftigem, scharfen Stich des Kupferstichs mit der weichen, fließenden Linie der geätzten Radierung erlaubt eine kontrastreichere Oberflächenstruktur und eine größere Nuancierung von Hell-Dunkel-Werten« (H. Bideau) (Abb. 55). Zwei der sechs Blätter überließ Wagner seinem Schüler Fabio Berardi. Dieser Zyklus ist deshalb sehr merkwürdig, weil die architektonischen Details mit der größten Genauigkeit aufgenommen wurden, dann aber durch eine der Realität nicht mehr entsprechende Umgebung den Charakter von Capricci erhielten. Romanische Campanili und römische Gewölbebauten drängen sich an die palladianischen Fassaden heran; Bauten, die auf dem trockenen Land stehen, werden vom Meer umspült – halb Wirklichkeit, halb Traumland.

Spät, kaum fünf Jahre vor Canalettos Tod, sehen wir ihn in Verbindung mit einem dritten Stecher, Giovanni Battista Brustolon (1712–1796), ebenfalls einem Schüler von Wagner. Im Jahre 1763 war die Dogenkrönung von Alvise IV. Mocenigo mit besonderer Pracht und einer großen Folge von Festen gefeiert worden. 1766 warb der Druckgraphikhändler Lodovico Furnaletto für die Subskription einer Stichfolge, die dann in Raten erschien (nur das versprochene Titelblatt blieb aus), die »Solennità Dogali«, welche die Schilderung der einmaligen Ereignisse von 1763 mit sich alljährlich wiederholenden Dogen-Zeremonien zu einer Folge von zwölf Stichen verband (Abb. 51, 52, 54). Die Vorlagen des alten Canaletto sind annähernd von der Größe der Stiche, welche der Stecher dann kopieren sollte. Es sind lavierte Federzeichnungen, vollständig ausgearbeitet und von einem dicken Rand umschlossen wie Druckgraphiken, für die man sie im 19. Jahrhundert zunächst hielt (vier davon befinden sich in London im British Museum).

In jeder dieser drei Folgen tritt uns Canaletto nur indirekt und stets als ein anderer entgegen. Wir sehen ihn bisher mit den Augen seiner graphischen Interpreten. Es wird also Zeit, daß wir nach seiner eigenhändigen Tätigkeit als Radierer fragen. Seine 34 »Vedute altre prese dai luoghi – altre ideate« sind dem eben (1744) zum englischen Konsul in Venedig ernannten Joseph Smith gewidmet. Eines der Stadtbilder ist mit der Jahreszahl 1741 fest datiert, die Folge ist vermutlich zwischen 1740 und 1743 entstanden, auf jeden Fall vor der ersten englischen Reise (1746). Unter den ersten Veduten (prese dai luoghi) befinden sich einige konventionelle Themen (Dogenpalast mit Piazzetta, Markusbibliothek, die Gefängnisse, Markt auf dem Molo), eine Ansicht von Sa. Giustina in Padua mit dem davor liegenden Prato della Valle, von großartiger Weiträumigkeit (auf einer später in zwei Hälften zertrennten, sehr großen Platte gedruckt und deshalb der Ausmaße wegen nicht abbildbar). Schöner noch sind die phantastischen Stadtansichten ohne identifizierbare Lokalität. Man glaubt, Ähnlichkeiten mit Padua zu entdecken, muß aber den Gedanken gleich wieder fallenlassen.

Höchst wirkungsvoll ist das Bild einer Stadt vor dem Gebirge mit einem Bischofsgrab unter gotischem Tabernakel im Vordergrund.

Der Preis gehört aber doch der verfremdeten Stadtansicht von Venedig, die man nach der an der Fassade links angebrachten Jahreszahl »La casa del 1741« nennt (Abb. 57). Über ein solches Blatt oder den »Porticus mit der Laterne« läßt sich ebenso schwer etwas sagen wie über die Bilder von Corot (Abb. 61). Das Licht, das bei dem Franzosen von einem makellosen Elfenbeinweiß ist, hat bei Canaletto diesen unvergeßlichen Silberton, der aus dem unbearbeiteten, ungestalten Weiß des Blattgrundes entwickelt ist, der meist als leere Hauswand erscheint. Von dort aus verteilt sich das Licht in schwächeren Helligkeitsstufen über das ganze Blatt, im Hintergrund langsam abklingend, hier die Segel eines Bootes, dort einen Säulenstumpf im Halblicht aufschimmern lassend. Das Merkwürdige ist, daß Canaletto fast nur mit Parallelschraffuren arbeitet, die einmal horizontal und das andere Mal vertikal geführt sind. Selbst die tiefsten Tonstufen, die Leibungen der Arkaden beim Haus mit der Laterne, bestehen nur aus Parallelschraffuren, die allerdings zum Teil kurvenförmig geführt sind. Der Himmel erscheint nur in Horizontalen, die die Szene abschließenden Gebirgszüge sind nur aus diagonalen Parallelschraffuren gebildet. Das könnte tot wirken, wenn nicht weiße Stellen für leichte Wölkchen ausgespart wären. So zerrieselt das Licht über alle Architekturteile, wie es am Himmel vibriert.

Ein wahres Wunderwerk ist Canaletto mit »Le Porte del Dolo« gelungen, weil hier Linearkomposition und Lichtkomposition eine unvergleichliche Einheit eingehen (Abb. 64). Durch die Pforten einer Schleuse ist der kleine Hafen vom Fluß der Brenta getrennt und mit seinen Kaimauern zum Kreis gerundet. Das in sich ruhende Gebilde liegt in tiefem Schatten, streifenförmiges Licht spielt nur auf der zangenartig ausgreifenden Mauer auf der rechten Seite. Damit ist der Übergang geschaffen von der rotierenden Umschließung des kleinen Hafens zu der großen, das Bild aufschließenden Diagonale der Häuser rechts, die nun ganz von Licht überflutet sind, einem Licht, das buchstäblich in die Tiefe abzufließen scheint.

Die Veduten der Stadt Venedig kommen naturgemäß nicht ohne die Verwendung von Diagonalkompositionen aus – die »Vedute ideate« aber sind streng bildparallel aufgebaut und rahmengerecht komponiert. Es kommt nicht auf die Tiefe oder Breite des Raumes an, sondern allein auf den Weg des Lichts. Niemals vorher oder nachher ist ein simpler vierkantiger Pfeiler zu einem solchen Spiegel wechselnden und schwebenden Lichtes geworden, wodurch allein er sich gegen die Pracht des antiken Wandbrunnens hinter ihm behaupten kann (Abb. 62).

Auch das »Höfchen« (la terrazza) ist streng bildparallel aufgebaut. Stadtveduten haben nicht das Recht, intim zu sein, hier beim Blick in einen Hinterhof stellt sich die Intimität von selbst ein (Abb. 63). Es tut nichts zur Sache, daß die Radierung die freie Kopie eines späten Gemäldes von Marco Ricci († 1730) im Londoner Buckingham Palace ist – das Bezaubernde der Graphik, die Führung des Lichts, konnte Canaletto ja von dort nicht übernehmen. Eine so strenge, in horizontale Zonen gegliederte Helligkeit kennen seine Radierungen sonst nicht.

FLORENZ

Nach dem Aussterben des Hauses Medici 1737 übernahm das Haus Habsburg-Lothringen die Toskana als Sekundogenitur. Schon unter dem Gemahl der Maria Theresia, Franz Stephan (1737–1765), erst recht aber unter beider zweitem Sohn, Pietro Leopoldo (1765–1790), wurde aus der Toskana ein Musterland, auf das ganz Europa sehnsüchtig und bewundernd schaute. Die Latifundien wurden weitgehend aufgeteilt, weitere Übereignung von Grundbesitz an die Kirche verboten. Die Kleinpächter erhielten neue, gerechtere Pachtverträge, die ihnen erlaubten, das Land später in Eigenbesitz zu überführen. Der Wirtschaftsliberalismus befreite den Getreidehandel von staatlichen Beschränkungen. Die Inquisition wurde abgeschafft, die kirchliche Buchzensur beseitigt, zahlreiche Klöster wurden aufgelöst. Lediglich die Kolonisation des Sumpflandes der Maremmen durch Kolonisten aus Lothringen mißlang größtenteils.

Gleichwohl blieb die Hauptstadt Florenz eine stille Landstadt. Bedeutende bildende Künstler gab es hier schon lange nicht mehr, und so unterblieben auch jene Eingriffe, welche die Residenz in ein barockes Stadtbild mit pompösen Straßen oder Plätzen verwandelt hätten. Die berühmten Kirchen, die in der Renaissance keine Fassade mehr erhalten hatten, blieben weiterhin im Ziegelrohbau stehen (Dom, Sa. Croce, S. Lorenzo), neue Paläste wurden kaum gebaut.

Wie es um die Mitte des 18. Jahrhunderts in Florenz und der Toskana aussah, erfahren wir aus den beiden Stichwerken des Giuseppe Zocchi in Großfolio, »Scelta di XXIV Vedute delle principali Contrade, Piazze, Chiese e Palazzi della Città di Firenze« und »Vedute delle Ville e d'altri luoghi della Toscana« (50 Blatt), beide 1744 erschienen und der jungen Königin Maria Theresia gewidmet (Abb. 65 ff.). Verlegt wurden sie von dem Kupferstichdrucker Giuseppe Allegrini in Florenz, aber die Aufnahmen Zocchis wurden von einem ganzen Heer von Stechern, Florentinern wie Bernardo Sgrilli, Römern wie Giuseppe Vasi, Venezianern wie Giuseppe Wagner und Michele Marieschi, Bolognesen wie G. Benedetti, ja auch in Augsburg und Nürnberg auf die Kupferplatte umgesetzt. Sogar ein Stich des ganz jungen Piranesi findet sich (II,17 »incise in Roma«). Zocchi selbst steuerte zwei Platten und die Figuren auf fünf anderen bei. Im ganzen waren es 22 verschiedene Stecher. Zocchi (1711 in Florenz geboren und 1767 dort gestorben) war nicht nur ein Landeskind, sondern auch in Florenz ausgebildet worden, freilich dann auch bei Joseph Wagner in Venedig in die Lehre gegangen. Doch zeigen seine Veduten venezianische Einflüsse nur in der Behandlung des Wassers, sonst blieb er selbst in seinen malerischen Effekten ein zurückhaltender Toskaner. Der Band über die Stadt Florenz erstrebte offensichtlich Vollständigkeit in den Ansichten, die den Fremden interessieren konnten. Eine Gesamtansicht der Stadt im Ring ihrer Mauern geht voraus, aufgenommen von dem Kapuzinerkloster Montughi südlich des Arno, dann folgen sämtliche Straßen, Plätze, Flußpartien, die eine beträchtliche Freude am Wasser zeigen. Die Plätze sind belebt von der Darstellung der berühmten Florentiner Volksfeste, Piazza Sa. Croce mit dem Calcio in Costume von 1738 (Abb. 68). Piazza Sa. Maria Novella mit der Corsa dei Cocchi (Wettrennen der Wagen am Johannistag), Domplatz mit der Fronleichnamsprozession (Abb. 71) und anderes.

Der Zeichner müßte kein gebürtiger Florentiner gewesen sein, wenn seine Bilder nicht nach einer streng eingehaltenen Zentralperspektive aufgebaut wären. Bildparallel erscheinende Schaufassaden sind zwar in dem Stadtband nicht häufig (Palazzo Pítti, Palazzo Corsini, Loggia dei Lanzi), aber im Toskana-Band gang und gäbe. Lieber rückte Zocchi die Hauptgebäude aus der Achse, um sie interessanter zu machen, vor allem aber, um die Tiefe des Bildraums mit dem Fluchtpunkt freilegen zu können. Auf diese Weise kann ein regelrechter »Tiefensog« entstehen (Piazza SS. Trinità, Hospital von Sa. Maria Nuova). Wird der Fluchtpunkt gegen einen seitlichen Bildrand hin verschoben, so können ganze Straßenfluchten auf die Platte gebracht werden.

Man sieht es dem Bande förmlich an, wie froh der Zeichner war, daß der Arno durch Florenz fließt. Von 24 Veduten sind sechs Arno-Ansichten. Von diesen ist nur eine eine strenge Frontalansicht vom Südufer zur Nordseite (Palazzo Corsini). Bei den übrigen durchzieht eine Uferseite als steigende Diagonale das ganze Bild, das Blatt etwa in zwei gleiche Hälften teilend. Eine Ausnahme bildet nur der kühne Aufbau der südlichen Stadtseite (Oltr'Arno) von Osten her, wo man die größte Höhe des ansteigenden Boboli-Gartens, das Fort Belvedere mit der »Palazzina«, von der Rückseite her als höchste Erhebung gewahrt (Abb. 66). Am vorderen Bildrand steht die stark befestigte Porta S. Nicolò (1870 abgerissen). Die Bildmitte beherrscht der vierstöckige Palazzo Torrigiani mit seiner Loggia, rechts davon liegt der Ponte alle Grazie, die zweitälteste Brücke der Stadt (nach dem Ponte Vecchio). An den Brükkenpfeilern kleben noch die Reklusen-Häuschen der hier eingeschlossenen Nonnen, sie wurden erst gegen Ende des 19. Jahrhunderts entfernt. Das Blatt stellt die wohl kunstvollste Komposition Zocchis dar. Die geglückte perspektivische Abstufung der Diagonale der Uferbebauung schlägt am rechten Bildrand in der Tiefe um, das Stadtbild erreicht in einer nunmehr ansteigenden Diagonale die Fortezza. Man sieht es dem Wasserspiegel des Arno an, daß Zocchi auch in Venedig gelernt hatte: Die reichen Abstufungen der Spiegelung von Brükkenbogen, Palästen, ja ganzen Uferzeilen im Wasser wären ohne die Mittel venezianischer Radierkunst kaum zu bewältigen gewesen.

Bei den innerstädtischen Veduten aber wird von Licht- und Schattenkontrasten nur mit äußerster Sparsamkeit Gebrauch gemacht. Selten werden Kirchenfassaden oder Straßenpartien durch Belichtungseffekte zerrissen. Am weitesten im Gebrauch solcher Mittel geht das Blatt mit der Kirche. SS. Trinità und der Säule Cosimos I. Manche Stiche kommen fast ganz ohne Schlagschatten aus (Palazzo Corsi und Palazzo Viviani).

So brauchte auch nirgends die vedutenmäßige Treue der Stiche um der Schattenspiele willen geopfert zu werden. Ob es sich um Wappen und Statuen an der Fassade von S. Gaetano handelt oder das ermüdende Inkrustationssystem an Seitenfassaden und Exedren des Doms (Abb. 71), alles ist mit äußerster Verläßlichkeit und antiquarischer Nüchternheit dargestellt.

Die Blätter mit den großen Platzanlagen samt den dort stattfindenden Aufzügen und Spielen sind nicht schwächer als die anderen Veduten. Nur war das Schema für solche Veduten ein für allemal von Jacques Callot festgelegt und von seinen Nachfolgern praktiziert worden, so daß Zocchi nicht von ihm abweichen mochte.

Wer ein Buch über toskanische Villen herausgibt, muß ein Landschaftsmaler oder -zeichner sein. In der Tat gibt es mehrere Stiche, wo nur auf einer fernen Hügelkuppe die Silhouette einer Villa erscheint, noch häufiger aber sind Flußlandschaften mit malerischen alten Brücken ganz ohne Villenzugabe. So gibt es mehrere Blätter von Ponte a Signa und dem Arnotal unterhalb des Artimino, die nichts als Landschaftszeichnungen sein wollen. Die Darstellung der Gebäude weicht von der im Band über die Stadt Florenz nicht ab: Entweder sind die Villen in starrer Frontalansicht abgebildet (Abb. 80) oder übereck gestellt (Abb. 79). In diesem Falle werden die sich stark verjüngenden Sockel und Traufgesimse der Gebäude als bestimmende Diagonalen in der Garten- und Parkarchitektur weitergeführt. Besonders interessant ist die Aufnahme der Villa Rospigliosi in Lamporecchio, die für Papst Clemens IX. (1667–1669) in der Nähe von Pistoia erbaut wurde (Abb. 77). Ob das Gebäude wirklich von Bernini entworfen wurde, ist unsicher. Die ausführende Kraft ist jedenfalls Mattia de' Rossi aus Berninis Atelier gewesen.

Unter welchem Gesichtspunkt die Auswahl der Villen für den Band erfolgte, ist nicht bekannt. Man hat sich gewundert, daß so bekannte Sommersitze wie La Pietra und die Villa Medici in Fiesole fehlen.

Nun gibt es für sämtliche Stiche beider Bände Vorzeichnungen in Feder und schwarzer Tinte, die Mrs. Pierpont Morgan Anfang unseres Jahrhunderts in England erworben hatte und die 1952 als Geschenk ihrer Söhne in die Morgan Library kamen. Die Blätter haben viele befremdliche Züge. Einmal verhalten sie sich zu den Stichen der beiden Bände nicht seitenverkehrt, ferner fehlen jegliche Pentimenti. Schließlich herrscht zwischen der Staffage von Zeichnungen und Stichen eine sklavische Übereinstimmung. Will man die Echtheit dieser Vorlagen nicht anzweifeln, so bleibt einem nichts als die Annahme, daß man die Vorlagen durch Pausen auf die Platte übertrug, ein im 18. Jahrhundert vorkommendes Verfahren.

TURIN

Florenz und Rom waren im 18. Jahrhundert keine blühenden Kunststädte mehr; in Venedig war der Untergang des Staatswesens vorauszusehen. Goethe urteilte 1786: »Freilich sieht es hier nach einer alten Familie aus, die sich noch rührt, obgleich die beste Zeit der Blüte und der Früchte vorüber ist.« Genua verlor im 18. Jahrhundert Korsika endgültig. Vitales und aufstrebendes politisches Leben herrschte in der zweiten Hälfte des 17. und im 18. Jahrhundert nur in Piemont. Man konnte zwar noch nicht voraussehen, daß die Einigung Italiens im 19. Jahrhundert von diesem ganz im Norden von den Karnischen Alpen umschlossenen Staat mit der ältesten Dynastie

Italiens ausgehen würde. Aber Piemont war im 18. Jahrhundert ein straff organisierter Beamten- und Militärstaat. Hatte Turin noch 1612 erst 24 410 Einwohner gehabt, so wuchs die Bevölkerung bis 1772 auf 83 175 Seelen. Vor allem aber war der politische und wirtschaftliche Aufstieg begleitet von einem solchen der Kunst. 1668 begann die Wirksamkeit Guarinis, 1714 wurde Juvara zum königlichen Architekten ernannt. Durch eine vorausschauend planende Stadtbaukunst wurde Turin zu einer der schönsten barocken Residenzen Europas. Kirchen und Paläste entstanden in der Stadt – zudem wurde die ganze Landschaft Piemont durch herrliche Kirchen und Schlösser im Rokoko-Stil zu einer gegliederten Kulturlandschaft, ähnlich dem Maintal oder der Wachau.

Offensichtlich standen aber in Turin Kupferstecher und Buchverleger noch nicht zur Verfügung. Wir haben nicht feststellen können, ob der Herzog sich nach Holland wandte, um eine Landeskunde von Piemont in Auftrag zu geben, oder ob die Firma Joan Blaeu (1596–1673) in Amsterdam erkannte, daß in Piemont eine »Marktlücke« bestand, ein echtes Bedürfnis nach großen Kupferstichwerken. Die Offizin der Blaeu war alt und berühmt im Buch- und Kartenhandel. Joan Blaeu veranstaltete eine Neuausgabe der Atlanten seines Vaters, »Atlas major et cosmographia blaeuiana«, erschienen 1650 bis 1662 in 14 Folioteilen. Nach Joan Blaeus Tod kam bei seinen »Haeredes« das »Theatrum Statutum Regiae Celsitudinis Sabaudiae Ducis« in Amsterdam, 1682, heraus. Es gibt eine Ausgabe unter dem Titel »Pedemontium florentissimum Italiae latus« aus dem gleichen Jahre, schließlich ein »Tooneel der Heerschappyen van den Hertog van Savoye. Eerste Deel Piemont. En in het zelve de Stad Turins«, 1693, in holländischer Sprache, Herzog Karl Emanuel II. gewidmet.

Diese üppig ausgestatteten Foliowerke tragen nur zuweilen das »Blaeu excudit«, aber kaum je einen Stecher-Vermerk. Die Stiche sind unterschiedlich, die aus der Stadt Turin zum Teil glanzvoll (Abb. 81, 86, 87), die der Landschlösser Chieri, Rivoli, Racconigi, Carmagnola und anderer wirken manchmal unbeholfener. Ein Schnitt wie der durch die Capella del Sindone am Dom von Turin von Guarini gehört zu den großartigsten Architekturstichen der Zeit. Im ganzen sind diese Blaeuschen Stichwerke unschätzbar: Ohne sie wüßten wir nicht, wie es um die Wende vom 17. zum 18. Jahrhundert in einer der großartigsten Barockstädte Europas ausgesehen hat.

Frankreich, Niederlande und England

Ab Mitte des 17. Jahrhunderts bis um 1770, als England Frankreich den Rang ablief, war die europäische Kultur von Frankreich bestimmt. Alle Welt dachte, sprach und las französisch, weil dies die Muttersprache der großen Schriftsteller der Aufklärung, von Voltaire und Montesquieu bis zu Diderot und Helvetius, war. Französische Baukunst, Plastik und Malerei wurden in allen Ländern nachgeahmt, wo man französische Verse schmiedete. Besonders war es Versailles mit seinen Nebenschlössern Marly, dem Grand und dem Petit Trianon samt anderen Maisons de plaisance auf dem Lande, waren es die Pariser Adelshôtels und die Stadtbaukunst von Paris, Bordeaux, Nancy, die Schule in ganz Europa machten.

Die Verbreitung dieser Kunst geschah zunächst auf eine allein Frankreich eigene Weise: Durch zwei Jahrhunderte hindurch publizierten die bedeutenden Architekten ihre Werke in Folianten. Das begann mit Jean Androuet du Cerceau (»Les trois livres d'architecture«, Paris 1559, 1561, 1582) und ging über Perraults »Architecture générale de Vitruve reduite en abrège« (Amsterdam 1681) bis zu Germain Boffrands »Œuvres d'Architecture« von 1753 und endete mit den vielen Architektur-Lehrbüchern für den allgemeinen Gebrauch von der Familie Blondel (Jacques François Blondel, »Architecture française«, 1752, 54, 56).

Die Reihe der eigentlichen Architekturstecher, die Einzelblätter lieferten, beginnt mit Israel Silvestre, der uns schon in Rom begegnet ist und der vor 1640, 1643/44 und 1653 in Italien weilte. Er war Lothringer (geboren in Nancy 1621 – gestorben in Paris 1691) und stand mit Callot in entfernteren Familienbeziehungen (Abb. 97, 98). Daß er ein Schüler dieses Meisters war, sieht man am besten an den Staffagen seiner Stiche. »Das radierte Werk des Israel Silvestre, das mehr als tausend Blatt umfaßt, stellt eine für die Topographie Frankreichs und Italiens während der zweiten Hälfte des 17. Jahrhunderts äußerst aufschlußreiche Urkunde dar. Es gibt nur wenige Plätze, Denkmäler oder Schlösser von Wichtigkeit in den beiden Ländern, die Silvestre nicht zeichnerisch aufgenommen hätte. Unter seinen Hauptarbeiten figurieren . . . Szenen aus den Plaisirs de l'Isle enchantée oder die Feste und Belustigungen des Königs in Versailles« (Roger Armand Weigert).

Um seinen Aufträgen nachkommen zu können, hat Silvestre viele Mitarbeiter herangezogen: Perelle, Stefano della Bella, Jean le Pautre, Jean Marot und Noblet – wobei dem Hugenotten Marot, weil er vor allem Architekt war, die Gebäudedarstellung, Stefano della Bella die Staffage zufiel.

Allen anderen Stechern voraus war Silvestre in der Wiedergabe der freien Natur. Den Blick dafür, wie das Palais Luxembourg in die besonnten Baumwipfel eingebettet ist, besaß sonst niemand (Abb. 97). Am großartigsten zeigt sich diese Begabung aber in der Folge der Stiche von Vaux-le-Vicomte (zwölf Ansichten und ein Plan, um 1659) (Abb. 145–149). Niemand vermochte die Broderien im Parterre von Vaux so durchsichtig, locker und anmutig zu stechen wie Silvestre, niemand den steigenden Strahl der sich kreuzenden Fontänen in Versailles so zerbrechlich in die Höhe zu treiben wie er.

An künstlerischer Fruchtbarkeit kann sich nur die Familie Perelle in der zweiten Hälfte des 17. Jahrhunderts mit Silvestre messen. Der französischen Forschung ist es bisher nicht gelungen, den Anteil der einzelnen Familienmitglieder klar abzugrenzen. Der Vater Gabriel (1603–1677) war auf jeden Fall der Führende. Sein Sohn Adam (1640–1695) signierte seine Blätter zuweilen mit diesem Vornamen (Abb. 121, 129), zuweilen aber nur mit »Perelle« (Abb. 123, 127, 138). Ein anderer Sohn Nicolas (geboren 1631) kann ganz vernachlässigt werden. Den frühesten Sammelband der Perelle gab wahrscheinlich Nicolas de Poilly (1626–1696) heraus, eine Folge von Ansichten der königlichen Schlösser in Versailles. Zusammen mit seinen Söhnen publizierte Gabriel einen »Recueil des Vues de Monuments de Paris« in drei Bänden mit 415 Stichen, außerdem eine Kollektion französischer Paläste (»Vues des Belles Maisons de France«, Paris, bei Jean Mariette, o. J.) und einen Band »Vues de Rome«. Obgleich alle drei Perelles vor Ende des 17. Jahrhunderts starben, waren ihre Veduten so beliebt, daß der Buchhändler Jean Mariette mehr als ein halbes Jahrhundert später Auswahlen der begehrtesten Blätter herausgab: 1753 »Les Délices de Paris« in 210 Stichen, 1766 »Les Délices de France« in 222 Blättern. Es ist verständlich, daß die rasche Wandlung des französischen Geschmacks an diesen Blättern vorüberging, ohne ihre Beliebtheit zu beeinträchtigen: Die Raumaufteilung ist fast bei jedem Blatt vorzüglich, Licht und Schattenverteilung unterstützen die Komposition. Es gibt keine »gepfuschten Partien«, hingegen herrscht ein wirkliches Interesse am architektonischen Detail. Mit solchen Stichen konnten nur die Blätter von Jacques Rigaud (um 1681–nach 1753) sich messen.

Im Jahre 1727 gab der Stecher und Buchverleger Jean Mariette (1660–1742) eine »Architecture Françoise« heraus, zunächst in vier Bänden, denen ein fünfter in größerem Format 1738 folgte. Band IV ist von Marot gestochen. Da er 1679 starb, stellt dieses Buch den ältesten Teil der Sammlung dar. Es beginnt mit gotischen Kirchen (die ehemalige Kirche St. Sulpice, St. Severin), geht über das Hôtel de Liancourt aus der Zeit Ludwigs XIV. bis zum frühen Rokoko des Hôtel de Toulouse. Überreichlich ist die Innendekoration mit Tafeln bedacht (Hôtel de Soubise mit elf Tafeln, Hôtel de Toulouse mit sechs Tafeln im II. Band). Es ist eine Sammlung von bewährten alten Stichen, die sich mit modernen Blättern verbinden.

Hat die französische Graphik auch keinen Vedutenstecher im Range von Canaletto, Bellotto oder Piranesi hervorgebracht, so gelang es ihr dennoch in fast vollkommener Weise, das Stadtbild von Paris für die Nachwelt festzuhalten. Überblickt man diese Stiche von Callot bis zur Französischen Revolution, so könnte man den Eindruck gewinnen, das gesamte politische und kulturelle Leben der Königsstadt habe sich allein entlang den Uferstraßen der Seine und auf deren Inseln und Brücken entfaltet. Die Stecher lassen uns ganz vergessen, daß auch auf beiden Seiten entfernt vom Flußlauf bedeutende Bauten standen. Jedenfalls bildete die Seine ein sicheres, seine Wirkung nie verfehlendes Kompositionsprinzip: Mit den beiden in der Ferne sich optisch fast vereinigenden Uferlinien wurde die Tiefe mühelos erreicht. Ferner bot der Kontrast von fließendem Wasser und steinernen Großbauten eine erwünschte Abwechslung. Dabei wendete allein das Collège des Quatre Nations seine Fassade dem Fluß zu (Abb. 120), alle anderen Palais und öffentlichen Bauten wie der Louvre (Abb. 111) oder die Tuilerien (Abb. 108) boten sich dem Stecher nur in Seitenansicht dar. Gleichwohl summierten sich diese Flußansichten fast zu einer steinernen Geschichte Frankreichs, welche die Vedutisten zu nutzen verstanden.

Auch den riesigen Dimensionen von Versailles, den nicht endenwollenden Fluchten des Hauptschlosses wie den großen Achsen des Parks, zeigten sich die Stecher gewachsen, ohne der Intimität der beiden Trianons oder von Marly etwas schuldig zu bleiben.

Das ganze Land, besonders aber die Isle-de-France, war mit herrlichen Schlössern überzogen, von denen viele während der Französischen Revolution zerstört oder doch soweit verwüstet wurden, daß man im frühen 19. Jahrhundert die Ruinen abreißen mußte. Von den ganz großen Anlagen ist Vaux-le-Vicomte erhalten geblieben (Abb. 145–149), aber Richelieu, wo der Kardinal anstelle des bescheidenen Schlosses seiner Väter eine riesige Residenz, axial zugeordnet einer ebenfalls von ihm gegründeten Stadt, erbaut hatte, vollständig zerstört worden (Abb. 150, 151). Wir wüßten nichts von Richelieus Anlage, hätte man sie nicht im Stich bewahrt, könnten uns auch keine Vorstellung von den Landschlössern Raincy (Abb. 153) und Clagny, von Meudon (Abb. 152) und Liancourt (Abb. 154) bilden, wären die Vedutisten weniger eifrig gewesen.

Seit der Erfindung der Schwarzen Kunst ist Holland ein Land der Drucker gewesen und geblieben. Bei Betrachtung der Ansichten von Piemont stellten wir bereits fest, daß die Firma Johannes Blaeu in Amsterdam den Markt für Landkarten und Stiche auch in Italien beherrschte.

Die Firma hatte es zu hohem Ruf schon unter dem alten Wilhelm Janszoon Blaeu aus Alkmaar (1571–1638) gebracht: Unter dessen Sohn Joan (1596–1673) erreichte der Verlag seine größte Ausdehnung. 1649 war ein »Tooneel (= Bühne) der Steden van s'Konings Nederlanden« fertig geworden, der Stiche der flandrischen Städte, Brüssel, Antwerpen, Lüttich (Abb. 157, 159, 164) und anderen, enthielt, und im gleichen Jahre auch ein Band über die Vereinigten Provinzen (Abb. 156, 158, 160, 161). Die Bände sind von verschiedener künstlerischer Qualität, je nach den Vorlagen, welche die Verleger erwerben oder eigens anfertigen lassen konnten. Am höchsten stehen die Vogelschau-Ansichten ganzer Städte sowie die Einzelaufnahmen von Rathäusern, Schlössern und ähnlichem in dem Band von 1649 über »S'Konings Nederlanden«. Etwas nüchtern sind die Außen- und Innenansichten der Amsterdamer Kirchen ausgefallen.

Die Söhne Joans, Pieter und Joan, führten in der dritten Generation das Unternehmen zunächst eifrig weiter, die drei Folio- und Prunkpublikationen über Piemont und Turin erschienen erst 1682 und 1693. Aber 1696 stellte der Verlag seine Tätigkeit ein. Indessen war das Ansehen des Namens Blaeu so groß und der Schatz des hinterlassenen Stichmaterials so reich, daß mit Erlaubnis der Behörden noch 1724 bei Rutgert Christoffel Alberts im Haag ein vierbändiges »Groot Stedebook van Geheel Italie« (I. Band Lombardei, II. Band Kirchenstaat, III. Band Neapel und Sizilien, IV. Band Rome ancienne et moderne), erscheinen konnte, eines der schönsten und am reichsten illustrierten Werke zur italischen Landeskunde.

1682 war aber nicht nur ein fruchtbares Druckerjahr für die Blaeus. Im gleichen Jahr erschien bei den Erben von Salomon Johannes Janssonius van Waesberg ein »Tooneel des Vermaarste Koop – Steden en Handelplaatsen« mit Stichen von London, Windsor, Genua, Madrid und dem Escorial in zwei Bänden. Die Ansichten aus hoher Vogelschau von Großstädten wie Nürnberg, Regensburg oder Erfurt werden dem Stadtorganismus als solchem jedoch noch wenig gerecht. Kleine Städtchen wie Langenschwalbach, die Reichsstadt Biberach oder das Kloster Weingarten wurden besser bewältigt. Die Vorlagen für die deutschen Städte lassen sich zum Teil identifizieren, so ist der Stich von Bamberg eine Kopie des Planes, den Petrus Zweidler 1602 herausbrachte, den Holländern vermittelt durch Braun und Hogenbergs »Civitates orbis terrarum«.

Während die holländischen Drucker und Stecher sich aus kommerziellen Gründen für die Topographie von halb Europa interessierten, vollzogen sich im eigenen Lande Entwicklungen, die zur künstlerischen Darstellung heimischer Bauten drängten. Schon unter dem großen Statthalter Friedrich Heinrich von Oranien († 1647) war der Anschluß an die Neuerungen des französischen Schloßbaus überraschend früh gefunden worden, unter dem König-Statthalter Wilhelm III. († 1702) trat die Nachahmung der Gartenbaukunst von Le Nôtre hinzu. Von diesen Schlössern und Parks existiert fast nichts mehr, sie leben vor allem in Kupferstich-Veduten weiter. Mögen diese Ansichten von Heemstede oder Zeist

(Abb. 167, 168) Wunschbilder, ein Ausdruck des Stilgefühls einer Zeit sein, welche »eine feine lustige pleine« einer mit Hügeln und Bergen belebten Landschaft vorzog – in jedem Falle vermochten die holländischen Stecher solchen endlos der Tiefe zustrebenden Alleen gerecht zu werden, ja dem Beschauer Fernweh zu vermitteln.

Die Niederlande bildeten praktisch seit 1596 keinen einheitlichen Staat mehr, und auch künstlerisch folgte Flandern, das katholische Rubens-Land, anderen Gesetzen als das so viel nüchternere Holland. In der Gegenüberstellung des Rubens-Hauses in Antwerpen, vom Künstler selbst entworfen, und dem Mauritshuis im Haag tritt der Unterschied der fürstlichen Wohnkultur beider Länder zutage.

Das führende englische Stichwerk ist das »Nouveau Théâtre de la Grande Bretagne ou Description Exacte des Palais de la Reine et des Maisons les plus considérables des Seigneurs et des Gentilshommes de la Grande Bretagne« mit 80 Tafeln. Als Erscheinungsort und -jahr war angegeben »A Londres. 1708«. Verfasser und Stecher erscheinen nicht auf dem Titelblatt. Verleger ist David Mortier auf dem Strand. Alle 80 Tafeln sind von Leonard Knyff gezeichnet und von Jan Kip gestochen. Das Werk war ein großer buchhändlerischer Erfolg: 1715 erschien eine zweibändige Ausgabe, 1715, 1717 und 1728 eine dreibändige, später schließlich eine fünfbändige. Die Ausgaben variieren erheblich in den Tafeln, was damit zusammenhängen mag, daß Knyff 1717 seinen Anteil bereits verkauft hatte. Schon Leonard Knyffs älterer Bruder Jacob, der 1681 gestorben war, hatte Ansichten von Häusern und Gärten aus der Vogelperspektive gemalt. Demnach ist es nicht verwunderlich, daß das »Nouveau Théâtre« diese Darstellungsweise zum Prinzip erhebt: Alle 80 Tafeln sind Bilder aus der Vogelschau.

Knyff muß seit 1697 an der Arbeit gewesen sein, wie ein früher, datierter Stich bezeugt. Sicher kannte er die Ansichten der Pariser Schlösser und Palais von Perelle, die in Sammelbänden wie »Recueil des vues de monuments de Paris« vorlagen. Am nächsten kommt dem englischen Werk Eric Dahlbergs »Suecia antiqua et hodierna«, die aber erst 1715 erschien, und es bleibt doch sehr fraglich, ob Knyff Einsicht in die Vorarbeiten für das große schwedische Sammelwerk nehmen konnte. Eher könnten Einflüsse auf Knyff von Abraham Slezers »Scotia illustrata« von 1695 ausgegangen sein, einem zwar in Holland gestochenen Werk, das aber auf dem Kontinent so gut wie unbekannt blieb und es heute noch ist.

Die Auswahl der in ihr Werk aufzunehmenden Schlösser und Herrensitze überließen die beiden Künstler ihren Kunden, denn es war ein Unternehmen, das geschäftlich florieren sollte. Im »Post Boy« vom 31. Mai 1701 wurde folgende Anzeige eingerückt: »Mr. Knyff hat auf dem Wege der Subskription Zeichnungen und Gemälde von hundert Adels- und Herrensitzen begonnen, von denen sechzig vollendet sind, die Subskription wird fortgesetzt. Hiermit werden alle Lords und Gentlemen, die an eine Beteiligung denken, eingeladen, zum Firmensitz an der Ecke des Old Palace Yard zu kommen oder dorthin zu schicken. Der Vertrag sieht vor, daß hundert Subskribenten zehn Pfund bezahlen und daß jeder Subskribent von jeder Auflage zwei Drucke erhält.«

Da das Werk 1708 aber mit nur 80 Tafeln erschien, so erfüllten sich die Erwartungen der Unternehmer nicht ganz. Ein festes Programm hatten Knyff und Kip ohnehin nicht aufstellen können – das schlossen die Werbungen um Subskribenten aus. Man hat berechnet, daß Knyff im Zeitraum von ungefähr acht Jahren achtzig Landsitze vermessen und gezeichnet hat, also durchschnittlich zehn im Jahr. Die großen Londoner Bauten, St. James Palace (Abb. 169, 170), Somerset House, der Tower, Lambeth Palace (bis auf den heutigen Tag die Residenz des Primas, des Erzbischofs von Canterbury), draußen vor der Stadt die königlichen Schlösser Windsor (Abb. 171, 172) und Hampton Court (Abb. 173) waren naturgemäß unabdingbare Bestandteile eines solchen Werkes. Im übrigen ist es das England aus der Zeit König Wilhelms von Oranien (1688–1702), das England des Spätbarock, das uns hier entgegentritt. Umgeben von riesigen Parks mit schier endlosen Alleen und Wasserachsen, repräsentieren sich die Sitze der Lords, ehe die Hand des großen Zerstörers Capability

Brown diese Parks fünfzig Jahre später in »Englische Gärten« verwandelte.

Das Werk war ein riesiger Erfolg – die Auflagen jagten sich. Gleichwohl waren manche Ansichten schon gleich nach dem Erscheinen der Publikation veraltet. Wanstead House in Essex war die letzte große Vermessungsaufgabe von Knyff nach 1707. Kaum hatte er den herrlichen Park aufgenommen, da ließ Richard Child 1714 oder 1715 den alten elisabethanischen Landsitz abreißen und durch Colin Campbell das neue, große Schloß errichten, den ersten ausgedehnten Landsitz in palladianischem Stil. Nach nur sechs Jahren also entsprachen die Tafeln von Knyff und Kip schon nicht mehr der Wirklichkeit. Burlington House in Piccadilly – ein weiteres Beispiel – erhielt schon ab 1715 ein neues Gesicht durch Umbau, den Colin Campbell im Auftrag des dritten Lord Burlington (1694–1753) nach dessen Großjährigkeitserklärung durchführte. Auch Chiswick House in Middlesex ist auf der Tafel im »Nouveau Théâtre« ein Landsitz wie Dutzende andere, aber nur acht Jahre später wurden nach Zeugnis von Pope und Colin Campbell die Gartenanlagen begonnen, die, zusammen mit der palladianischen Villa, einer Schöpfung von Lord Burlington selbst (unter Mithilfe von William Kent), den Landsitz zu einer europäischen Berühmtheit machen sollten.

Kurzum, das Knyffsche Stichwerk leitet uns bis an die Schwelle des 18. Jahrhunderts – des großen Jahrhunderts der englischen Architektur.

Aber es führt uns nicht mehr hinein. Kip starb 1719, Knyff folgte ihm 1720, und so weiß ihr Werk nichts von den Bauten einer so großen, ungeselligen, ja gewalttätigen Natur wie Sir John Vanbrugh und nichts vom Neopalladianismus und seinen Architekten von Colin Campbell bis Robert Adam.

Das Nouveau Théâtre fand keine Fortführung, jedenfalls nicht für Liebhaber und Freunde der Architektur aus den Kreisen der Lords und Gentlemen, wohl aber für den engen Kreis der Fachleute, die Architekten. Seit 1715 gab der führende Baumeister der jungen palladianischen Bewegung, Colin Campbell, seinen »Vitruvius Britannicus« heraus, Groß-Folio-Bände, die, herrlich gedruckt, in unregelmäßigen Abständen die wichtigsten Neubauten in England bekanntmachten (II, 1717; III, 1725 – fortgeführt von den Architekten Woolfe und Gandon; IV, 1767; V, 1771). Aber es war doch mehr ein Journal für Fachleute als für Liebhaber.

Das alte Deutschland

Es gab kein zweites Land in Europa mit einer so bunten politischen Landkarte wie das Deutsche Reich vor 1803. Die Kaiserstadt Wien lag an der äußersten Peripherie im Südosten. Ferner gab es zwei Könige, den von Preußen in Berlin, den von Polen in Dresden, dazu eine Fülle von Kurfürsten und Bischöfen, Herzögen, Fürsten, reichsunmittelbaren Äbten und Äbtissinnen, freien Reichsstädten, darunter sehr großen und volkreichen Städten wie Nürnberg oder Frankfurt am Main, mittleren wie Nördlingen, Schwäbisch Hall oder Rothenburg, ganz kleinen wie Wetzlar oder Weißenburg am Sand. Sie alle vereinigten ihre Stimmen im Reichstag von Regensburg.

Daß die kleineren Reichsstände keine Stichwerke in Auftrag gaben, versteht sich von selbst. Was hätte die evangelische Äbtissin von Quedlinburg, Herrin über einen romanischen Dom und eine Stadt von Fachwerkhäusern, damit tun sollen? Umfangreiche Stichwerk-Folgen entstanden nur für die großen Höfe, vor allem natürlich für den Kaiserhof und die Königs- und Kurfürsten-Residenzen.

Das große deutsche Druckerzentrum war und blieb Augsburg. Auch die Wiener (Johann Bernhard Fischer von Erlach) und Berliner, der Mainzer Kurfürst, erst recht natürlich die Nachbarn in München ließen in Augsburg stechen. Der Dresdner Hof stand mit Pierre Fouquet Vater und Sohn in Amsterdam in Geschäftsverbindung.

WIEN

Nachdem die Türken 1683 vor Wien geschlagen und tief nach Ungarn zurückgedrängt worden waren, atmete ganz Mitteleuropa auf. Um das befreite Wien enstand der Gürtel der Gartenpaläste, die »Vienna gloriosa«. Die sternförmigen Bastionen der Festung, wie das 300 Klafter tiefe Wiesengelände, das man für die Schußfreiheit der Batterien brauchte, durften natürlich nicht angetastet werden. Aber jenseits dieser Zonen wuchsen nun Landhäuser und Lustschlösser eines internationalen Adels empor, dem das reiche Bürgertum nachstrebte. Schon um 1720 waren es 200 solcher Landsitze, um 1730 bis 1740 sogar 400 adelige und gegen 1000 bürgerliche Gärten. Im Innern der Stadt entstand eine Fülle von Kirchen und Palais, öffentlichen Bauten des Hofes und der Stadtverwaltung. Österreich wurde das Glück zuteil, für die Lösung der Aufgaben in seiner großen Stunde geniale Künstler zur Verfügung zu haben. Johann Bernhard Fischer von Erlach und Lukas von Hildebrandt waren die Schöpfer der neuen Kaiserstadt. Betrug die Bevölkerung Wiens am Ende des Mittelalters noch 50 000 bis 60 000 Einwohner, so hatte sie sich um 1700 auf 100 000 verdoppelt und war bis 1800 auf 231 000 angewachsen.

Es waren nicht nur gleichgültige Zeichner und Stecher, deren Blätter das Bild von dem neuen Wien in Deutschland verbreiteten, an ihrer Spitze stand der größte österreichische Architekt selbst.

Im Jahre 1721 erschien in Wien der »Entwurf einer historischen Architektur« von Fischer von Erlach (1656–1723). Es war nicht mehr und nicht weniger als die erste Weltgeschichte der Baukunst, die selbstverständlich mit den sieben Weltwundern des Altertums begann (Salomonischer Tempel, Hängende Gärten der Semiramis usw.), und sie reichte im 4. Buch bis zu »Einigen Gebäuden von des Autoris Erfindung und Zeichnung«. Ein solches Vorgehen, im eigenen Schaffen Endpunkt und Krönung der historischen Entwicklung zu sehen, mag naiv erscheinen. Aber Fischer war nicht der erste Künstler, der sich so sah. Als um 1450 der Florentiner Bronzegießer Lorenzo Ghiberti die erste Kunstgeschichte der Toskana (von Florenz und Siena) schrieb, klang der Traktat aus in einer breiten Schilderung des Lebens und Wirkens vom Schriftsteller selbst. Durch 62 eigenhändige Vorzeichnungen für die entsprechenden Stiche der »Historischen Architektur«, die mit anderen Blättern Fischers in der Universitätsbibliothek von Zagreb liegen, wissen wir, daß Fischer ein hervorragender und sicherer Vedutenzeichner war. Zudem verfügte er über die finanziellen Mittel, für die meisten Blätter seines Buches einen so vorzüglichen und vielbeschäftigten Stecher wie Johann Adam Delsenbach heranziehen zu können.

Dieses 4. Buch besteht aus 21 Tafeln mit Grundrissen, Schnitten, Ansichten ausgeführter Bauten von Kirchen und Palästen und Entwürfen für Lustgarten-Gebäude, gedacht für ein südliches Sonnenland, wo das bekrönende Belvedere keines Daches bedarf (Abb. 217, 229). Kaum weniger phantastisch wirkt der Entwurf für Schönbrunn I, das Schloß in Hanglage darstellend, durch Terrassen zur Ebene hinabsteigend (Abb. 177). Der Käufer eines solchen Bandes besaß Stiche fast aller berühmten Fischerschen Stadtpaläste: Palais Prinz Eugen in der Himmelpfortgasse (Abb. 204) und Palais Trautson (Abb. 209), Palais Clam-Gallas in Prag (Abb. 342), dazu den Entwurf für den kaiserlichen Marstall, der ganz offensichtlich mit den königlichen Marställen in Versailles konkurrieren sollte. Dieses 4. Buch der »Historischen Architektur« hat wenig vom Charakter eines Vedutenwerkes, schon deshalb nicht, weil es ja tatsächlich auch sechs Risse und Schnitte enthält. Die Bauten werden – mit Ausnahme des Palais Trautson – niemals übereck gezeigt, es sind immer orthogonal ausgerichtete Prospekte, meist ohne jede Andeutung von Licht und Schatten, sozusagen neutral belichtet wie Risse. Die Architekturen sind in keine Umgebung einbezogen, die Ansicht der Kollegienkirche mit ihren Platzfronten bedeutet eine Ausnahme (Abb. 228). Man sieht es den Blättern des 4. Buches an, wie erleichtert der Künstler war, hier auf die vielen Landschaftsstaffagen verzichten zu können, die er hinter seinen antiken oder chinesischen Bauten anzubringen für nötig hielt.

Johann Bernhard Fischer von Erlach hatte einen Sohn, der kein Genie wie der Vater, aber gleichwohl ein bedeutender Architekt war. Er teilte in reduziertem Maße die historischen Interessen des Vaters. Joseph Emanuel (1735 in den Freiherrnstand erhoben) begann nicht als Architekt, sondern als Vedutenzeichner. Für das 4. Buch der »Historischen Architektur« steuerte der Achtzehnjährige die Vorzeichnungen für zwei Blätter des Palais Trautson bei, das damals gerade im Bau war. Der berühmte Architekt veranlaßte seinen Sohn zur Zusammenstellung eines graphischen Werkes: »Prospekte und Abriße einiger Gebäude von Wien, daselbst gezeichnet von J. E. F. v. E.«.

Die Sammlung war 1713 vollendet, erschien aber erst 1715. Es waren 25 Tafeln, gestochen von Johann Adam Delsenbach. Schon 1719 wurde eine zweite Auflage nötig, die bei Pfeffel in Augsburg herauskam. Sie besteht aus einem Titelkupfer und 28 Tafeln. Tafel 6, 17 und 20 steuerte der ältere Fischer bei. (Die Tafeln 9 und 15 sind anonym und sehr schwach.) Nur zeitgenössische Barockbauten sind wiedergegeben, die Ausnahme bildet nur ein Stich des Neugebäudes (Abb. 176), weil man dies fälschlicherweise für die Reste des türkischen Hauptquartiers aus den Tagen der Belagerung von 1529 hielt. Fischer der Jüngere war ein sehr gewandter Zeichner: Das Menschengewimmel des Hohen Marktes oder des Grabens (Abb. 181–183) verstand er ebenso vorzüglich darzustellen wie die Gartenanlagen in der Rossau

(Abb. 213, 214) oder beim Schwarzenberg-Palais. Die Gebäudedarstellung ist der Auffassung des Vaters verpflichtet.

Diese Sammlung sollte fortgesetzt werden, »wovon mit der Zeit das abgehende nachfolgen soll«, aber es kam nicht mehr dazu – zu rasch vollzog sich der berufliche Aufstieg Joseph Emanuels. Schon Anfang 1714 ging er mit einem Reisestipendium Kaiser Karls VI. nach Rom. Ab 1722 setzte dann Salomon Kleiner in größerem Rahmen das Ansichtenwerk fort.

Mit ihm betrat der meistgesuchte und erfolgreichste deutsche Ansichten-»Reihser« die Bühne: Kleiner, 1703 in Augsburg geboren, in der Stadt also, wo die meisten Tafelwerke mit Kupferstichen verlegt wurden, hat aber fast sein ganzes Leben in Wien verbracht, nachweislich seit 1721, wo er 1761 starb. Zweifellos kam er im Auftrag des großen Augsburger Kunstverlegers Johann Andreas Pfeffel an die Donau, um dort Kirchen und Klöster, Straßen und Plätze für dessen Folge von Wiener Veduten aufzunehmen. Außerdem wachten nicht nur die beiden Fischer freundlich über den Anfängen des jungen Vedutisten, auch der Reichsvizekanzler Friedrich Carl von Schönborn, für den Kleiner in dessen Sommersitz Göllersdorf gezeichnet hatte, empfahl ihn seinem Oheim, dem Kurfürsten und Erzbischof von Mainz, Lothar Franz von Schönborn. Dieser suchte einen tüchtigen Vedutisten, der ihm seine eben erbauten mittelrheinischen und fränkischen Schlösser aufnahm. Kleiner nahm den Auftrag an, wirkte von 1725 bis 1727 in Mainz und am Mittelrhein und kehrte dann nach Wien zurück, das er bis zu seinem Tode nicht mehr verließ.

Hier hat Kleiner sein eigentliches Lebenswerk in Gestalt von vier Vedutenbänden herausgebracht, die mit dem dritten Bande ihren schlagkräftigen Titel fanden: »Das florierende Wien«. Jeder Band besteht außer Titelblatt und Titelbild aus 33 Blättern Veduten. Die Erscheinungsjahre liegen zwischen 1724 und 1737. Der erste Band von 1724 enthält Kirchen und Klöster, vom Stephansdom bis zu Fischers Karlskirche (1724) (Abb. 185). Außer dem Stephansdom treten aber, dem Geschmack der Zeit entsprechend, die gotischen Kirchen ganz zurück, sie sind auf drei beschränkt. Im zweiten Band finden sich nach der Ansicht der Hofburg viele Plätze und Paläste (1725) (Abb. 186, 203, 204, 207, 219), im dritten Band Dreifaltigkeitssäule, plastische Denkmäler unter hohen Tabernakeln auf öffentlichen Plätzen, Spitäler (Abb. 220), Reichshofkanzlei (Abb. 180), kaiserliche Hofbibliothek (Abb. 187) und eine große Anzahl neu erbauter Paläste (1733). Der vierte Band schließlich bringt Nachträge: die Peterskirche (Abb. 189), die kaiserliche Reitschule, das Zeughaus, zwei Esterhazy-Palais, das Gartenpalais Schönborn in der Alsergasse (Abb. 215), das Belvedere (Abb. 194), das Palais Liechtenstein in der Rossau (1691) – keineswegs Bauten, die alle aus dem letzten Jahrzehnt stammen.

Die Staffage auf den Straßen und Plätzen richtet sich naturgemäß nach der Bedeutung der architektonischen Bühne. Vor dem Bischofspalais zieht ein Trauerkondukt mit einem Toten aus den obersten Ständen vorbei, der Burghof ist erfüllt von militärischem Leben, über den Graben zieht eine Prozession, deren Weg durch paradierende Truppen abgesperrt ist, der Platz am Hof wird durch viele Leiterwagen und einen Heuwagen als Umschlagplatz ländlicher Waren charakterisiert. Die großen Plätze wie der Neumarkt oder der Hohe Markt sind von Menschengewimmel erfüllt.

Die Originalgröße der Blätter beträgt ohne Rand durchgehend 22,5 cm Höhe mal 33,5 cm Breite. Da Kleiner ein reiner Zeichner war, ist die große Mehrzahl der Blätter von seinem Augsburger Lehrer Corvinus in den Stich übertragen worden. Daneben waren unter anderen die Augsburger Carl Remshard, ferner G. D. Heumann tätig.

Offensichtlich kam es Kleiner darauf an, die Bauten im neuesten und endgültigen Zustand abzubilden. Eines der frühesten Blätter der ersten Lieferung war die Peterskirche, die damals noch im Backstein-Rohbau und ohne die Hauben ihrer Fassadentürme stand (Abb. 188). Erst in Blatt 1 des IV. Buches konnte die 1730 bis 1733 vollendete Kirche präsentiert werden (Abb. 189). Ferner kam es Kleiner natürlich darauf an, in seinen vier Lieferungen Vollständigkeit in der Abbildung aller bedeutenden Bauten zu erreichen. Die auffälligste Lücke erklärt sich daraus, daß Kleiner zwischen 1731 und 1740 das Wiener Belvedere als »Wunderwürdiges Kriegs- und Siegeslager deß unvergleichlichen Heldens unserer Zeiten ... Eugenii Francisci« im Außen- und Innenbau samt allen Gartenanlagen publizierte (Abb. 192–200). Daß die Wiener Gärten des Hochadels ganz fehlen, hat den gleichen Grund. Der Augarten, der Althansche (Abb. 218), der Harrachsche, der Schwarzenbergsche (Abb. 212), der Liechtensteinsche in der Rossau (Abb. 213) wurden für einen eigenen Band Kleiners aufgespart, der unter dem Titel »Viererley Vorstellung ... folgender Lustgärten und Prospecten, so außer ... Wien zu finden« in 33 Blatt nach 1737 bei Pfeffel in Augsburg erschien.

Salomon Kleiner war ein sehr genauer Zeichner. Fehler oder Willkürlichkeiten sind in seinen Aufnahmen kaum nachzuweisen. Er beherrschte die Perspektive, vermied Licht- und Schattenkontraste um der Deutlichkeit der abgebildeten Fassaden willen. Strenge Frontalansichten zog er Übereckstellungen oder langgestreckten Diagonalen vor. Auf Repoussoirs oder von den Seiten vorstoßende Kulissen verzichtete er ganz: kurzum, ein Künstler, der nirgends aneckte, weil er nicht viel wagte. Es fehlt der geniale Funke, und an Canaletto oder Bellotto darf man bei Betrachtung seines Lebenswerks nicht denken.

Gegen Ende des Jahrhunderts, in der Zopfzeit, als Wien längst nicht mehr die Stadt der großen Architekten, sondern schon der Vorort der großen Musiker war, kam es in Wien zu einer merkwürdigen Nachblüte der Vedute. Es sind die kolorierten Kupferstiche des Hauses Artaria, einer Mailänder Händlerfamilie, die sich 1768 in Wien niedergelassen hatte und dabei »ein sehr großes und ansehenswürdiges Sortiment der schönsten französischen und englischen Kupferstiche von den berühmtesten sowohl modern – als Antiquenmeistern auf sich gebracht«. 1785 erschien eine »Sammlung von 36 Aussichten der Residenzstadt Wien von ihren Vorstädten und einigen umliegenden Örtern. Gezeichnet und gestochen von Carl Schütz, Mitglied der K. K. Academie der bildenden Künste und v. Johann Ziegler«. Es handelt sich um »Umriß-Radierungen«, bei denen die Kupferplatten lediglich die Konturen alles Dargestellten festlegen, während Schattierung und Kolorierung nach den originalen Vorlagen (Aquarellen) von Hand erfolgten. »Deshalb liegt die Annahme nahe, daß das Kolorieren dieser Umriß-Radierungen allgemein von Frauen oder begabten Kindern zu billigem Preis vorgenommen worden ist« (Chr. M. Nebehay). Es ist demnach kein Wunder, daß die Kolorierung solcher Blätter mit dem wandelnden Farbgeschmack der Jahrzehnte um 1800 stark von den älteren Stichen abwich. Die ersten 36 Blätter, die ab 1779 in kurzen Abständen nacheinander erschienen, halten sich streng an ihre Vorlagen und weisen am Himmel noch nicht Abend- und Morgenstimmungen auf. Das hier abgebildete Blatt vom Michaelerplatz in Wien zeigt links die Michaelerkirche, in der Mitte die Spanische Hofreitschule von Fischer von Erlach und rechts das alte, 1888 abgerissene Burgtheater (kolorierter Stich von Carl Schütz, 1783). Erst recht wandelt sich die Kostümierung der Staffage, die von der Mode des Rokoko zu der des Klassizismus übergeht. Um 1820 ist die Blütezeit der Artaria-Stiche vorbei, abgesehen von ein paar Nachzüglern.

Der Bearbeiter dieser Stiche, Dr. Ignaz Schwarz, kennt 57 Blätter, die er katalogisierte. Von den Originalaquarellen zu diesen Stichen vermochte er 37 nachzuweisen, die sich heute überwiegend in öffentlichen Sammlungen befinden. Die Blätter haben das Format 37,5 mal 52 cm. Das verwendete Papier stammt meist aus Holland. Der Erfolg der ersten Auflage war so groß, daß der Verlag bald von der kanonischen Zahl von 36 Stichen für seine Sammelbände abwich, die besonders von reichen Engländern auf der grand Tour gekauft wurden. Die umfangreichsten Bände, die man heute kennt, enthalten 82 Blatt.

Bei soviel verschiedenen Händen und verschiedenen Altersstufen bei der Herstellung der Kolorierung ist es kein Wunder, daß die Blätter farbig sehr verschieden ausfallen. Das kräftige sommerliche Grün der Bäume im Prater oder in Schönbrunn kann sich in anderen Exemplaren derselben Stiche in ein herbstliches tiefes Braun oder Grünbraun verwandeln. Auch die Blätter vom Reichskanzlei-Trakt der Hofburg, der Hofbibliothek oder dem Kohl-

markt können in gedämpftes, mildes Herbstlicht getaucht sein, in anderen Exemplaren aber eher hart und nüchtern in der Kolorierung herauskommen. Großes Interesse wird den Vorstädten entgegengebracht: Blick vom Glacis gegen die Alsergasse, die Wiedener Hauptstraße, die Landstraßer Hauptstraße, Leopoldstadt, Ober Sankt Veit. Man sieht es den Blättern an, daß die Künstler mit solchen Motiven ihre liebe Not hatten. Um eine Vorstadt in größtmöglicher Breite in die Komposition einzufangen, mußten die Gebäude tief in den Mittelgrund gerückt werden, und gegenüber dem so entstandenen, viel zu großen Vordergrund erwies man sich als hilflos, wenn man dort nicht das Militär exerzieren lassen konnte. Hingegen sind die Ansichten aus dem Stadtkern, von den Gärten und Landhäusern meist von einem ergiebigen Standpunkt aus aufgenommen (Peterskirche, Stock-im-Eisen-Platz, Kaunitz-Palais).

Kaum ein Stadtbild nördlich der Alpen aus der Barockzeit ist so vollständig im Stich bewahrt wie das von Wien. Nur Paris und Dresden besitzen eine ähnlich reiche Überlieferung in der Vedutengraphik. Die Geschichtsträchtigkeit, die jeden Besucher überfällt, der von der Augustinerbastei über den Josephsplatz zum Michaelerplatz geht, dann in die Burg einbiegt und im Hof des Reichskanzleitrakts verhält, spiegelt sich schon in den Veduten des 18. Jahrhunderts wider. Gewiß besaßen die Stecher der Barockzeit keinen Sinn für die mittelalterliche Stadt. Da aber viele Kirchen dieser Epoche im Barock erneuert wurden (Peterskirche, Abb. 189; Schottenkirche; Kirche am Hof, Abb. 184), vor allem aber, weil alle mittelalterlichen Plätze von barocken Fassaden umstellt wurden (Graben, Abb. 182; Neuer Markt, Abb. 183; Platz am Hof), blieb der einheitliche Charakter des Stadtbilds gleichwohl gewahrt. In der Kaiserstadt stellt sich das Haus Habsburg dar, dem im ersten Drittel des 18. Jahrhunderts in der Bautätigkeit des Prinzen Eugen von Savoyen fast ein Konkurrent erwuchs, dazu kommen die Palais eines internationalen Adels in der Stadt und seine Landhäuser in einem Reichtum und einer Vollständigkeit, deren sich keine zweite deutsche Stadt rühmen kann.

SALZBURG

Neben Wien war Salzburg, das große Erzbistum am Rande der Alpen, das Einfallstor für die frühbarocke Kunst aus Italien. Der künstlerisch veranlagte Erzbischof Wolf Dietrich von Raitenau hat bis zu seiner Entmachtung 1612 seine Residenz aus einer spätgotischen winkligen und engen Stadt in eine weiträumige Anlage mit regelmäßigen Straßen und Plätzen zu verwandeln gesucht. Bei seiner Absetzung war der neue Dom noch nicht begonnen, aber die ungewöhnlich großen Plätze, die ihn auf drei Seiten einschließen, waren bereits abgesteckt (Abb. 222, 223). Als der Stadtregulierung der Domfriedhof zum Opfer fiel, errichtete Raitenau einen großen Gottesacker auf dem anderen Ufer der Salzach nach dem Muster der Campi Santi italienischer Städte, umzogen von einer Loggia von 84 Arkaden, die sich gegen das Innere öffnen. Raitenaus Vetter und Nachfolger, Mark Sittich Graf Hohenems, ließ den Dom erbauen, vor allem aber schuf er das Lustschloß Hellbrunn vor der Stadt, einen bescheidenen Bau, der von dem geringen Prunksinn der deutschen Fürsten an der Schwelle des Dreißigjährigen Krieges zeugt (Abb. 230, 231). Während der bösen Kriegswirren war alle Bautätigkeit darauf gerichtet, Salzburg zu einer uneinnehmbaren Festung zu machen, und in der Tat wurde die Stadt von allen kriegerischen Ereignissen verschont. Zwar blieb Salzburg bis 1803 ein selbständiger Staat innerhalb des alten Reichsverbandes, aber etwa ab 1680 war die Stadt eine künstlerische Enklave von Wien. Der Erzbischof Johann Ernst Graf Thun (1687–1709) ließ Johann Bernhard Fischer von Erlach hier nicht weniger als vier Kirchen erbauen (Abb. 227, 228). Johann Lukas von Hildebrandt gestaltete Schloß Mirabell völlig um Abb. 232, 233).

Einen Zeichner oder Stecher, der fähig gewesen wäre, die Schönheit der Architektur, eingebettet in die Reize der Voralpenlandschaft, ebenbürtig zu schildern, hat Salzburg leider nicht gefunden. Denn der Oberaufseher aller salzburgischen Gärten, Franz Anton Danreiter (1695–1760), der in vier Serien »Salzburger Prospekte« herausgab – Lustschloß Mirabell, Schloß Hellbrunn, die Salzburger Kirchen, Festung Hohensalzburg – war kein wirklich schöpferischer Künstler. Ein Erscheinungsjahr tragen seine Folgen nicht, doch läßt sich dies auf die Spanne zwischen 1726 und 1738 einkreisen. Die Umsetzung der topographisch sehr genauen Vorlagen in den Stich geschah in Augsburg durch die bekannten Stecher August Corvinus und Karl Remshard. Da Vorzeichnungen für andere Gebäude erhalten geblieben sind, etwa für das Schloß Leopoldskron aus dem Jahre 1740, so darf man annehmen, daß ursprünglich weitere Serien des Künstlers mit Salzburger Ansichten geplant waren.

Das Blatt mit der Seitenansicht der Kollegienkirche beweist, daß Danreiter den Blick für das rechte Erfassen großer Architekturen kaum besaß (Abb. 227). Hölzern und trocken sind seine Wiedergaben der Berghänge um die Stadt. Innenansichten der Salzburger Bauten hat der Gartenarchitekt nicht geliefert. Zum Glück räumte Fischer von Erlach in seiner »Historischen Architektur« den eigenen Bauten in Salzburg ein paar Tafeln ein (Abb. 228, 229).

MÜNCHEN

Als mit Herzog Maximilian I. (1597–1651) der bedeutendste Regent des Hauses Wittelsbach den Thron bestieg und Bayern aus einem Mittelstaat zu einer katholischen Großmacht zu führen suchte, hatte die Stadt München an diesem Aufstieg Anteil. Zumal seitdem es gelungen war, 1623 die Kurwürde von der pfälzischen auf die bayerische Linie des Hauses Wittelsbach zu übertragen, wurde München für die Zeit der Glaubenswirren neben Rom, Madrid und Wien zu einem Vorort der katholischen Welt. Hatte die Stadt um 1500 nur etwa 13 000 Einwohner gezählt, so war sie bis zum Beginn des Dreißigjährigen Krieges auf 22 000 Seelen gestiegen. Das Wachstum stockte dann, nicht zuletzt wegen des dichten Kranzes der Maximilianischen Festungswerke, welcher die Stadt einschloß. Um 1760, am Ende des Rokoko, besaß München knapp 30 000 Bewohner.

Schon Maximilians Vater hatte, um Platz für die »Wilhelminische Neufeste«, die spätere

Maxburg, zu schaffen, vor 1596 54 Bürgerhäuser abreißen lassen. 1600 bis 1618 erbaute Maximilian die Residenz, das großartigste Zeugnis seines Macht- und Herrscherwillens, für lange Zeit das weitläufigste Schloß in Deutschland, sichtlich mit der Kaiserburg in Wien oder dem Louvre in Paris in Wettbewerb tretend (Abb. 234). Drei Generationen bayerischer Herrscher hatten damit zu tun, den Bau und seine Innenausstattung zu vollenden. Mit der Gattin des Kurfürsten Ferdinand Maria (1651–1679), Adelaide von Savoyen, kam ein Strom italienischer Künstler ins Land: Architekten, Stukkateure, Maler, Sänger und Schauspieler. 1651 bis 1657 entstand am Salvatorplatz das erste italienische Opernhaus, die Theatinerkirche wurde errichtet, ein rein italienischer Bau auf deutschem Boden. Draußen vor den Toren entstand mit der Keimzelle von Nymphenburg das erste der Schlösser, die München dann in rascher Folge umgaben, die Schlößchen im Nymphenburger Park, Schleißheim, Lustheim, Fürstenried, alles beflügelt von dem Baueifer des Türkensiegers Max Emanuel.

Die nach München berufenen ausländischen Künstler waren überall in Deutschland begehrt: Caspar Zuccali baute zwei Kirchen in Salzburg (Abb. 224, 225). Unter Kurfürst Clemens August von Köln (1723–1761) stand die rheinische Kirchenprovinz unter Münchner Einfluß: Cuvilliés errichtete Schloß Falkenlust bei Brühl, in dem protestantischen Hessen Wilhelmstal bei Kassel, wo er auch das Hoftheater entwarf. München war längst die deutsche Kunststadt, ehe König Ludwig I. den bayerischen Thron bestieg.

Am Anfang der oberbayerischen Vedutenkunst steht Michael Wenings »Historico-Topographica Descriptio, das ist die Beschreibung des Kurfürsten- und Herzogtums Ober- und Niederbayern, Teil 1, Rentamt München«, München 1701 (insgesamt vier Teile, 1701 bis 1726). Die Texte des ersten Teils wurden von dem Münchner Jesuitenpater Ferdinand Schönwetter redigiert. Der Zweck dieses Werkes war topographisch-statistisch, der Kunstwert der Stiche stand nicht sehr hoch, dafür waren Zeichner und Stecher zu nüchtern veranlagt. Nicht nur Dutzende von Schlössern, Burgen, Klöstern, Dörfern und Weilern sind uns in dem Zustand erhalten, in dem sie sich an der Schwelle des großen Jahrhunderts von Spätbarock und Rokoko befanden, am meisten geglückt erscheinen uns die Überblicke aus der Vogelschau von großen Baukomplexen wie der Stich der Maximilianischen Residenz von Westen (Abb. 234, 241), vor allem aber von Straßen und Plätzen (Abb. 235) oder Gartenanlagen (Abb. 236).

Nur etwa vier Jahre vor dem Erscheinen der ersten Lieferung von Wenings Werk gab der Augsburger Verleger und Kupferstecher Johann Stridbeck der Jüngere ein Tafelwerk heraus: »Theatrum der Vornehmsten Kirchen Clöster Pallaest und Gebeude in Chur F. Residentz Stadt München«, Augsburg o. J. (wohl 1697). Es besteht aus einem Titelkupfer und 13 Tafeln im Querformat, Größe 16,2 mal 22,4 cm. Stridbeck zeichnete und stach die ganze Folge selbst. »Ad vivum delineavit fecit et excudit«, lautet die Bildumschrift. Außenansichten der drei Hauptkirchen (Frauen-, Augustiner- und Peterskirche) stehen voran, es folgen der Rindermarkt (Abb. 240) und Gassenansichten, in denen besonders schöne Adelspalais stehen (zwei Stiche der Prannerstraße, einer der Schwabinger Gasse) (Abb. 242). Der Verlag von Stridbeck war eigentlich ein Spezialverlag für Geographie und Kartographie.

Fassaden, Höfe und Gartenanlagen der Münchner Residenz lernen wir im ersten Viertel des 18. Jahrhunderts aus den Stichen von Matthias Diesel kennen. Dieser war ein Gärtnergeselle, der im Herbst 1706 vom Kurfürsten Max Emanuel von München nach Versailles geschickt wurde, um die neueste französische Gartenbaukunst, besonders die des André Le Nôtre (1613–1700), zu studieren. Aber anscheinend hat sich das nicht recht ausgezahlt: Als Garteningenieur war Diesel offensichtlich niemals schöpferisch tätig, er gehörte wohl zum Stabe des Hofbauamts als Techniker. Bekannt wurde er erst als Zeichner und Herausgeber eines Stichwerks: »Erlustierende Augenweide in Vorstellung herrlicher Gärten und Lustgebäuden«, das in drei Lieferungen (ohne Datum) bei Jeremias Wolff in Augsburg erschien. Wir können aber feststellen, daß die zweite Fortsetzung, das heißt die dritte Lieferung, um 1725 herauskam, »vorstellend die Weltberühmte Churfürstliche Residenz in München, als auch vornehmlich die herrliche Pallatia und Gärten so Ihro Churfürstliche Durchlaucht in Bayern Maximilian Emanuel zu Dero unsterblichem Ruhm erbauen lassen«. Gestochen wurden die meisten Blätter von Johann August Corvinus, einige auch von Carl Remshard.

Man sieht es den Blättern an, daß Ernst und Monumentalität der Maximilianischen Trakte des Schlosses dem Zeichner Eindruck gemacht haben, aber sein Geschmack zog ihn mehr zur Kunst der eigenen Zeit. Er wird die Maximilianischen Teile der Residenz wohl als schwerfällig, zu wenig gegliedert, zu arm an Ornament empfunden haben. Schon die Stiche mit der Darstellung des Grottenhofes in der Residenz (Abb. 238) verraten eine viel stärkere innere Beteiligung des Künstlers. Architektonisches Ethos gehörte nicht zu den Werten, welche die Profanbauten des 18. Jahrhunderts so rein vertraten wie im Jahrhundert des Dreißigjährigen Krieges. Die in einzelne Pavillons aufgelöste Kette der Schloßfront von Nymphenburg, der steigende und fallende Kontur der Dächer anstelle der langen, ungebrochenen Firste der Münchner Residenz (Abb. 244, 245) boten freilich dem Graphiker Möglichkeiten zur freieren Entfaltung. Von der riesigen, überdehnten Schloßfront von Schleißheim berichtet der Begleittext: »Die Länge dieses prächtigen Gebäudes ist um viele Klafter größer als der Palast der Tuilerien zu Paris.« Auf dem Blatt mit dem Blick über einen Teil der Schwaige und das alte Schloß auf das neue Schloß kann man schön beobachten, wie der Stecher den Bautrakt des alten Schlosses des Kurfürsten Maximilian von 1626 und das neue Schloß Max Emanuels aus dem Anfang des 18. Jahrhunderts graphisch in Kontrast zu setzen gewußt hat (Abb. 243). Der Kompaktheit des Mauerverbandes aus der Zeit des Dreißigjährigen Krieges ist die lichtgesättigte, von Ornament überzogene Fassade des Schlosses von 169 m Breite und 39 Fensterachsen mit der von außen her langsam ansteigenden Höhe der Dachfirste gegenübergestellt.

Besonders wertvoll aber ist der Stich von Lustheim, einem Schlößchen, das in der Mittelachse der Gesamtanlage den Park gegen Osten abschließen sollte (Abb. 246). Das Gartenkasino wurde zwar 1684 bis 1689 von Enrico Zuccali errichtet (heute Münchner Porzellan-Museum), aber zu dem riesigen Hemizyklus, der das Schlößchen umgreifen sollte, ist es wegen des Spanischen Erbfolgekrieges nicht mehr gekommen. Dieses Rondell sollte in seinem Mittelstück eine eingeschossige Kolonnade erhalten und nach Westen durch zweieinhalbgeschossige Pavillons abschließen. Die halbkreisförmigen Verbindungstrakte zwischen Kolonnade und Pavillons wirken etwas monoton. Wir besitzen außer diesem Stich keine Vorstellung von den Lustheimer Plänen, die gewiß von der Orangerie im Park von Zorgvliet bei s'Gravenhage angeregt wurden. Bauzeichnungen Zuccalis zeigen nur Architekturdetails. Besonders reizvoll sind Diesels Stiche von der Pagodenburg und der Badenburg im Nymphenburger Schloßpark.

Es ist enttäuschend, daß wir von dem führenden Münchner Künstler aus der Zeit des Rokoko, von François Cuvilliés dem Älteren, zwar ornamentale Stichfolgen, aber keine Aufnahmen des Stadtbildes besitzen. Als Bernardo Bellotto sich 1761 in München aufhielt, malte er zwei Ansichten des Nymphenburger Schlosses und eine Stadtvedute, von der Ostseite, von Haidhausen, gesehen, aber auch er machte keine Veduten für den Stich. 1766 hat dann Franz Xaver Jungwirth die Stadtansicht Bellottos in Kupferstich umgesetzt, ein Blatt, das bei der sonstigen Armut an Münchner Stadtveduten aus dieser Zeit immer wieder reproduziert wurde.

Das ist der Grund dafür, daß wir von der Folge der schönsten Adelspaläste (Palais Holnstein, Älteres und Jüngeres Preysing-Palais, Palais Piosasque de Non und anderen) keine zeitgenössischen Ansichten im Stich besitzen.

Noch schmerzlicher ist es, daß auch die »Reichen Zimmer« der Münchner Residenz, von vielen Besuchern für die schönsten Rokoko-Räume Europas gehalten, im 18. Jahrhundert keine Wiedergabe im Stich fanden, ebensowenig wie das Innere des Asam-Kirche oder von St. Anna auf dem Lehel. Das Interesse an der bayerischen Rokoko-Kultur erlosch überraschend schnell.

AUGSBURG

Mit besonderen Erwartungen darf man die Darstellung des Stadtbildes von Augsburg betrachten. Die Stadt war die Metropole für den Druck von illustrierten Büchern in ganz Deutschland: Geographische, kartographische und topographische Atlanten und Augsburger Bilderbibeln gingen durch ganz Europa. Vor allem Werke mit Stadtansichten wurden hier verlegt: Wien, Berlin, Mainz, Fürsten wie private Auftraggeber ließen hier drucken. Die Augsburger Stecher setzten die »gerissenen« (= zeichnerischen) Vorlagen von Salomon Kleiner und anderen Vedutenzeichnern in den Stich um: Wenn Johann August Corvinus und Carl Remshard ihre Nadel schon für Veduten von Salzburg bis Berlin in Bewegung setzten – wieviel mehr mußten sie für Bilder von der Stätte ihrer Wirksamkeit tätig sein!

In der Tat werden hochgespannte Erwartungen nicht enttäuscht! Schon sehr früh gab es hier vorzügliche, umfassende Stadtansichten aus der Vogelschau (Jörg Seld 1521, Hans Rogel 1563, Wolfgang Kilian 1626). Sie beweisen, daß Augsburg keine erst in der Barockzeit gebildete Stadtanlage ist. Im Grunde liegen die Gesetze der Augsburger Stadtentwicklung fest, seitdem in der ottonischen Zeit um 1000 der Dom im Norden und das Reichsstift St. Ulrich im Süden die Pole bildeten, um die das städtische Leben sich entfaltete. Sie wurden durch eine fast schnurgerade Straße verbunden, die als mittlere Längsachse die Stadt durchläuft, welche etwa in der Hälfte am Perlach durch das weltliche Zentrum mit dem Rathaus unterbrochen wird. Um 1500 war Augsburg der Vorort des deutschen Humanismus. Kaiser Max, der oft hier residierte, schenkte der Stadt seine Gunst so sehr, daß man ihn scherzhaft den »Bürgermeister von Augsburg« nannte. Das Wirken des bedeutendsten Baumeisters aus dem Frühbarock, Elias Holl (1573–1646), gab den öffentlichen Bauten ihr Gepräge (Abb. 252, 254). Zu Beginn des Dreißigjährigen Krieges hatte Augsburg etwa 48 000 Einwohner. Durch seine stolze Vergangenheit in der Renaissance herrschten im Stadtbild größere Proportionen als anderswo. Die Maximilianstraße war vom 16. bis zum Anfang des 19. Jahrhunderts zwar keineswegs so platzartig breit, wie es heute den Anschein hat (Abb. 251), aber immerhin waren die Verhältnisse so, daß das Stadtbild die Besetzung mit den herrlichen Brunnen von Hubert Gerhard (Augustusbrunnen) (Abb. 252) und von Adrian de Vries (Merkurbrunnen und Herkulesbrunnen) (Abb. 251), alle drei aus dem letzten Jahrzehnt des 16. Jahrhunderts, sozusagen zwangsläufig nach sich zog. Dem Auge des Vedutenstechers kam aber nicht nur (wie auch in Salzburg) die Weite der Renaissanceplätze zustatten; der ganz unregelmäßige Wechsel der Häuserfronten zwischen Giebelstellung und Traufstellung (Abb. 250, 251) gab die erwünschte Belebung der Straßenzeile. Dazu kam der Reichtum der Fassadenmalerei, in der wohl keine andere Barockstadt Augsburg übertraf (Abb. 249, 250). Nicht nur die Fassaden der Bürgerhäuser, auch die Türme der Stadttore (Kreuztor, Frauentor) waren bis zur Spitze bemalt.

Die künstlerisch hervorragenden Stichserien setzen schon unmittelbar nach der Mitte des 17. Jahrhunderts ein. Zahlreiche Mitglieder der Familie Kilian stachen vor allem Porträts, Thesenblätter und religiöse Szenen, aber der Stammvater, Wolfgang Kilian (1581–1662), gab auch schöne Darstellungen der Brunnen auf der Maximilianstraße heraus. 1678 erschien von Simon Grimm eine Folge von 24 Blättern »der vornehmsten Gebäude, Brunnen und Tore von Augsburg«, besonders schätzbar wegen der genauen Wiedergabe der Fassadenmalereien an Türmen und Patrizierhäusern (Abb. 250). Der Verlag von Johann Stridbeck Vater (1640–1716) und Sohn (1665–1714) gab hydrographische, chronologische, genealogische und historische Kartenabrisse heraus, dazu eine Art Kriegs-Bulletin »Curioses Staats und Kriegstheatrum« sowohl für den Nordischen Krieg wie für den Spanischen Erbfolgekrieg. Stridbecks Serien von Stadtveduten sind künstlerisch nicht sehr hochstehend. Außer der Folge von München liegen »Schwedische Schlösser«, ein Heft über Schweizer Städte und Einzelblätter vor. Die beiden rührigen Verleger fanden natürlich schnell heraus, daß es von den Schweizer Stadtrepubliken wenig brauchbare Ansichten gab. Um 1700 erschien bei Johann Stridbeck junior das »Theatrum der Vornehmsten Staedte und Oerter in der Schweitz« mit 20 Tafeln im Querformat. Der Band kann aber nicht sehr verbreitet gewesen sein, da er sehr selten ist. Nicht einmal in Augsburg findet sich ein Exemplar.

Viel höher einzuschätzen ist die Stecherkunst von Corvinus und Remshard, welche die Stützen der Augsburger Vedutenreproduktion des 18. Jahrhunderts bildeten. Sie setzten aber durchaus nicht nur die Zeichnungen fremder Künstler wie die von Salomon Kleiner in den Stich um, gerade Veduten der Augsburger Gebäude tragen den Vermerk: »Carolus Remshard ad vivum delineavit et sculpsit«.

Die Augsburger Stiche sind für uns von größtem Wert, weil sie unsere moderne Vorstellung von der »gähnenden Weite« der Maximilianstraße zu korrigieren vermögen. Diese nämlich war bis zum Anfang des 19. Jahrhunderts in zwei Gassen geteilt, weil mitten auf der Straße zwischen St. Ulrich und dem Weinmarkt axial aufgereiht der Salzstadl, der Weinstadl und das Siegelhaus einander folgten (Abb. 251). Durch den Abbruch dieses letzteren Gebäudes verlor der Weinmarkt völlig den Charakter des abgeschlossenen Platzes, worunter besonders der Herkulesbrunnen des Adrian de Vries schwer zu leiden hat. Er gehört vor die Folie naher zeitgenössischer Fassaden, aber niemals in den Sog einer langen Straßenflucht mit nachbarockem, nur historistisch zu verstehendem Point de vue.

Im ganzen verstehen die Stiche des 17. Jahrhunderts von dem Augsburg des Elias Holl sehr viel mehr einzufangen als die des 18. Jahrhunderts. Sie zeigen so gar nichts von der Eleganz des Spätbarock und des Rokoko. Eine Gegenüberstellung zweier Blätter des Perlachplatzes, eines aus der Mitte des 17. Jahrhunderts von Philipp Kilian (Abb. 252), das andere aus dem Jahre 1711 von Heinrich Jonas Ostertag (Abb. 254), zeigen, daß das Jahrhundert des großen Krieges auf die Wiedergabe von plastischem Volumen, Pesanz des Mauerverbandes und auf das gedrängte Beieinander von kubischen Formen viel mehr bedacht war als das 18. Jahrhundert, das die Auflockerung des Platzbildes durch eine fliehende Perspektive, durch Licht, Luft, Sonne und durch den Vertikaldrang aller Bauglieder erstrebte.

Über den 1704 begonnenen Residenzbau in Ludwigsburg bei Stuttgart, der sich rasch zu einer der ausgedehntesten Schloßanlagen der Barockzeit in ganz Deutschland entwickelte, sind wir durch die leitenden Architekten gut unterrichtet. Zunächst erschienen um 1709 bis 1711 bei Jeremias Wolff in Augsburg die »Vues et Parties Principales de Louis-Bourg« von dem ersten Baumeister Johann Friedrich Nette (1672–1714), der übrigens auch ein Stichwerk mit »Adligen Land- und Lusthäusern« herausgab. Sein Nachfolger Donato Giuseppe Frisoni verlegte bei der Haeredes von Jeremias Wolff »Vues de la Residence Ducale de Louisburg«, deren Vorwort vom Dezember 1727 datiert ist (Abb. 256–258).

DIE »SCHÖNBORN'SCHEN LANDE«: WÜRZBURG, FRANKEN UND DER MITTELRHEIN

Für die Süddeutschen des 18. Jahrhunderts waren die »Schönborn'schen Lande« ein fester geographischer Begriff. Sie verstanden darunter kein weltliches Territorium, dessen Herrschaft vom Vater auf den Sohn vererbbar war, vielmehr eine Anzahl von benachbarten geistlichen Fürstentümern, die alle von Bischöfen aus dem gräflichen Hause Schönborn regiert wurden. Dieser »Staatenbund« reichte geographisch vom Bodensee den Rheingraben hinab bis Trier und besaß eine feste Mittelachse in den beiden Mainbistümern Bamberg und Würzburg. In Bamberg haben von 1693 bis 1746 Mitglieder des Hauses Schönborn ununterbrochen den Bischofsthron innegehabt, in Würzburg mit Unterbrechungen von 1642 bis 1746. (Eine größere Pause bestand nur von 1673 bis 1719.) Sie besaßen in Franken nicht nur das Nutzrecht über den Besitz ihrer Hochstifte, sondern waren hier auch als Landedelleute begütert. Gaibach zum Beispiel war ein Familiengut, und Lothar Franz von Schönborn schuf hier Gartenanlagen, lange bevor er auch nur Domherr wurde (Abb. 274). Auch das riesige Schloß Weißenstein ob Pommersfelden (südwestlich von Bamberg) war Schönbornscher Privatbesitz (Abb. 269 ff.). Es wurde aus dem Präsent von hunderttausend Talern errichtet, die der Mainzer Kurfürst Lothar Franz von Schönborn vom Kaiserhof in Wien 1711 erhielt in Anerkennung seiner geschickten Leitung der Verhandlungen, die zur Wahl Kaiser Karls VI. führten. Seehof vor den Toren von Bamberg (Abb. 275, 276) oder Veitshöchheim vor Würzburg aber waren Besitz ihrer Hochstifte, und auch die Würzburger Residenz, zwar von einem Schönborn begonnen, war und blieb bischöfliche Residenz.

Familienhaupt und souveräner Regent über diesen Kreis von Kardinälen, Bischöfen und Domherren seines Hauses war der Kurfürst von Mainz, Lothar Franz von Schönborn (1695–1729). Da die kaiserliche Residenz weit im Südosten an der ungarischen Grenze lag, kam Mainz als dem Sitz des ersten Kurfürsten, des Kurerzkanzlers des Reiches, besondere Bedeutung zu. Ort der Reichsverwaltung war aber zunächst nicht Mainz, sondern die nächstwichtige Stadt des Hochstifts, Aschaffenburg. Der gotische Bau, »die alt herrlich Reichskanzlei«, war durch den Markgrafen Albrecht Alcibiades von Brandenburg-Kulmbach 1552 zerstört worden. Erst 1606 ging man an den Neubau, der 1614 geweiht und 1616 bezogen wurde (Abb. 277). Der Baumeister, der Straßburger Georg Riedinger, beschrieb selbst sein Werk in einer großen Kupferstich-Publikation: »Architectur des Mainzischen Churfürstlichen neuen Schlossbawes St. Johannispurg« (1616). Diese Stiche bilden übrigens auch die einzige Quelle für die Kenntnis der alten, sehr reichen Innenausmalung der Räume, die später durch eine Louis-Seize-Einrichtung verdrängt wurde. Der regelmäßig-quadratische Schloßbau hat eine äußere Seitenlänge von 85 m, eine innere von 52 m und vier Ecktürme. Das ist ein Schloßtyp, wie er in der Renaissance und noch um 1600 in Frankreich und Deutschland gang und gäbe war, aber in diesen Ausmaßen und dieser Solidität kaum noch einmal vorkommt. Der Erbauer selbst nannte in der Einleitung zu seiner Publikation sein Werk »heroisch«, wie schon Elias Holl sein Augsburger Rathaus bezeichnete.

Unter den Kurfürsten des 18. Jahrhunderts in Mainz ist Lothar Franz von Schönborn die imponierendste Persönlichkeit. Wie alle Schönborn-Bischöfe vom »Bauwurmb« befallen, regierte er in viele Bauplanungen am Mittelrhein und in Franken hinein, hatte seine eigenen Bauideen beim Treppenhaus von Pommersfelden (Abb. 271) oder bei der Mainzer Favorita (Abb. 278), die er sich von praktischen Architekten nicht umstoßen ließ. Selbstbewußt und ruhmsüchtig, wie er war, lag ihm daran, seine Bauten sofort im Kupferstich festgehalten und verbreitet zu sehen. So kam durch Vermittlung seines Neffen, des Reichsvizekanzlers Friedrich Carl von Schönborn, der damals noch ziemlich unbekannte Salomon Kleiner für zwei Jahre an den Mainzer Hof. Der Kurfürst schickte ihn nach Franken. Wir können ihm dafür nicht dankbar genug sein. Lothar Franz war nicht nur ein großer Bauherr, sondern auch ein Gartennarr. Von diesen Parks wüßten wir aber nichts, hätte ihr Schöpfer sie nicht zu seinen Lebzeiten stechen lassen. Die Mainzische Favorita – Bauten wie Gärten – ist von den französischen Revolutionsheeren 1795 dem Erdboden gleichgemacht worden, weil die geflüchteten Pariser Aristokraten hier ihre Feste gefeiert hatten. Die Schloßgärten von Pommersfelden, Gaibach und Seehof existieren ebenfalls nicht mehr (Abb. 274–276). Die peinlich genauen Gartenaufnahmen Kleiners erlauben uns, im Geiste in den Anlagen spazierenzugehen. Am meisten wird man bedauern, daß die prachtvolle Entfaltung der Gartenfolge unmittelbar an den Ufern des Rheins vor Mainz, die sogenannte Favorita, zerstört ist. Die Idee, hier eine Nachahmung von Ludwigs XIV. Retiro in Marly zu schaffen, war an sich wenig originell, aber die Durchführung durch den Mainzer Kurfürsten übertraf das Vorbild (Abb. 278). Zum einen ließ er den Uferhang terrassieren, so daß sich die Anlage von der Höhe des Geländes zum Flußufer hinab entfalten konnte – zum andern staffelte er die Kavaliershäuser von der zentralen Maison de plaisance in der Mittelachse nach außen.

Am wertvollsten aber sind die zahlreichen Stiche vom Innern des Familienschlosses Pommersfelden. Die Gemäldegalerie, deren kostbarste Bilder heute in alle Winde zerstreut sind, den großen Festsaal (Abb. 272), dessen Wände ganz mit Gemälden ausgestattet waren, sehen wir im ursprünglichen Zustand, den heute nur noch Treppenhaus (Abb. 271) und Sala Terrena aufweisen.

Der Tod des Mainzer Kurfürsten hatte zur Folge, daß Reichsvizekanzler Friedrich Carl von Schönborn seine Wiener Stellung aufgab, um die Throne der beiden Mainbistümer zu besteigen. Damit verlor Mainz endgültig seine Stellung als künstlerischer Mittelpunkt der Schönborn'schen Lande zugunsten von Würzburg. Im Grunde war schon seit Inangriffnahme des Würzburger Residenzbaus 1720 diese Stadt zu einer führenden Kunststadt Süddeutschlands und speziell zum Einfallstor für alle Wiener Kunstströmungen geworden. Seitdem freilich nach dem Ende des großen Krieges die Stadt ab 1656 von einer bastionären Befestigungsanlage eng umschlossen worden war, blieb zu großzügiger Stadterweiterung kein Platz. Das zeigt deutlich ein Thesenblatt von eineinhalb Meter Höhe, mit dem ein fränkischer Adliger 1723 zu einer akademischen Disputation einlud (Würzburg, Mainfränkisches Museum, Abb. 263). Das untere Drittel dieses Prospekts füllt ein Bild der Stadt aus der Vogelschau, von Norden gesehen. Verfertiger ist der »Universitäts-Kupferstecher« Joseph Salver, die topographischen und perspektivischen Grundlagen für den Stich soll Johann Balthasar Neumann geliefert haben. Nun ist an dem Blatt manches Zukunftsmusik – die Residenz, die als vollendeter Baukomplex mit vier Binnenhöfen steht, war ja kaum erst begonnen, auch der geschlossen erscheinende Stern der Bastionen und Redouten war noch keineswegs so vollständig, wie er hier gern erscheinen möchte. Innerhalb einer solchen Zernierung mußten die Einwohner eng zusammenrücken, und im 18. Jahrhundert stagnierte der Bevölkerungszuwachs (1621 9782 Einwohner, 1703 13 883, 1758 13 985, allerdings letzteres ohne Adel, Geistlichkeit und Militär). Erst Johann Balthasar Neumann legte die großen Promenaden um den spätmittelalterlichen Bering an.

Als ein Jahrzehnt nach dem Tode des Kurfürsten Lothar Franz und der Thronbesteigung von Friedrich Carl von Schönborn Salomon Kleiner seine schon 1725 gezeichneten Aufnahmen von Würzburg 1740 bei Pfeffel in Augsburg erscheinen ließ (»Magnificia Residentia Würzburgum, Die Residenz-Stadt Würzburg«, 11 Blatt), führte das Stichwerk alle großen Schönborn-Bauten von der Fassade des Neumünsters (Abb. 267) bis zur Schönborn-Kapelle am Dom vor (Abb. 266). Es zeigt aber die Residenz nicht im endgültigen Zustand, da noch ein einheitliches, überlang gezogenes Satteldach die Mittelrisalite von Ehrenhof und Gartenfront verbindet (Abb. 264), während beide schließlich sehr zu ihrem Vorteil eigene Pavillon-Bekrönungen erhielten.

Schon zwei Jahre vor der Würzburg-Folge war in Augsburg auch die Serie von Kleiners »Francofurtum ad Moenum Floridum ... Das florierende Franckfurth am Mayn« (gestochen ebenfalls schon 1725) mit acht Blättern herausgekommen. Die Würzburger Folge wird auf Anregung oder Befehl des Bischofs Friedrich Carl von Schönborn veröffentlicht worden sein, der Stiche seiner Residenzstadt besitzen oder verschenken wollte – hinter der Frankfurt-Serie stand das große Interesse der Deutschen an der Wahl- und Krönungsstadt ihrer Kaiser. Von den beiden Nachbarstädten war Mainz die Residenz des vornehmsten Kurfürsten des Reiches, Frankfurt aber eine freie Reichsstadt, republikanisch regiert. So katholisch wie Mainz, so protestantisch war Frankfurt, aber beide Städte waren verbunden durch ihr besonders enges Verhältnis zum Kaiserhof in Wien, durch ihre unbedingte Reichstreue.

Gemessen an den Blättern von fürstlichen Schlössern und Residenzstädten, die Kleiner schuf, nehmen sich die Platz- und Hausfronten auf den Stichen von Frankfurt anders aus. Die Stadt war eine reine Handelsstadt, die damals etwa 25 000 Einwohner zählte. Das Rathaus, der Römer, war fast der einzige weltliche Repräsentationsbau (Abb. 284). Bis zur Zerstörung der Altstadt im März 1944 war diese eine Stadt der Fachwerkbauten (Abb. 288). Die schönsten Beispiele entstanden etwa 1600 bis 1620. Freilich verputzte man im 18. Jahrhundert viele von ihnen oder deckte das Oberteil der Fassade wenigstens mit Schieferplatten ab. Solche schmalbrüstigen und steilen Bürgerhäuser bilden Parzellen, die ihre Selbständigkeit eigensinnig wahren und sich nur sehr ungern zu breiten Platz- und Straßenfronten im Sinne des Barock zusammenschließen (Abb. 290). Der schwäbische Stammescharakter der freien Reichsstadt Augsburg mit der häufigen

Traufstellung ihrer Dächer zur Fassade machte es den Stechern leichter, die Straßenbilder zu vereinheitlichen. Zudem waren im 18. Jahrhundert Fassadenmalereien in Frankfurt offenbar schon seltener als in Augsburg. Es bedurfte der ganzen Wahrheitsliebe und Nüchternheit von Kleiner, ein solches in seinen Augen gewiß altfränkisches Stadtbild mit dem schnellen, im Grunde noch gotischen Rhythmus seiner Parzellen zeichnerisch zu bewältigen.

Auch Kassel war die Hauptstadt einer protestantischen, vorwiegend kalvinistischen Landgrafschaft. Weit über die Verhältnisse des kleinen Staates hinaus wuchs das achteckige Felsenschloß des Herkules auf der heutigen Wilhelmshöhe mit seinen gewaltigen Kaskadenanlagen hinaus (Abb. 292, 293). Sein Erbauer, der Italiener Giovanni Guerniero, ließ nach seinen Entwürfen von dem sehr versierten römischen Stecher Alessandro Specchi die Tafeln eines Buches anfertigen: »Delineatio Montis A Metropoli Hasso – Cassellana uno circiter Milliari Distantis qui olim Winter-Casten ... dicebatur«, Kassel 1706. Auf dem Stich selbst aber wird der Berg »mons Ventorum« genannt.

Die ganze Anlage, die sich vom Felsenschloß auf der Höhe bis hinab zu der Stelle erstreckt, wo heute das frühklassizistische Schloß vom Ende des 18. Jahrhunderts (1786) steht, ist ein reiner Idealplan, zu dessen Verwirklichung der Landgraf von Hessen die finanziellen Mittel nicht besaß. Ausgeführt wurde nur das oberste Drittel der den Karlsberg herabführenden Achse vom Felsenschloß bis zu den beiden hohen Pylonen am Ende der Kaskaden, also am oberen Rande des sternförmigen Platzes mit dem Tempietto.

Der ganze Berg ist dicht bewaldet, solche Alleen den Hang hinauf und hinab zu roden und zu pflanzen, war ein Architektentraum und kein Entwurf. Da das Felsenschloß auf Guernieros Plan noch nicht mit einer Statue des Herkules Farnese über einer Pyramide gekrönt ist, kann dieser Gedanke des oberen Abschlusses erst nach 1706 gefaßt worden sein.

Die Hugenottenstadt Kassel unten in der Ebene bekam erst Luft, als nach dem Ende des Siebenjährigen Krieges die Mauern der Befestigung fielen, die man als wertlos erkannt hatte. So entstand Platz für den riesigen Friedrichsplatz (Abb. 295) und die schönen Adelspaläste und Bürgerhäuser der Königstraße (Abb. 294).

DER NIEDERRHEIN

War Lothar Franz von Schönborn der typische Barockfürst, so verkörperte Kurfürst Clemens August (1713–1761), der letzte der vier Wittelsbacher auf dem Kölner erzbischöflichen Stuhl, den Kavalier des Rokoko.

Die Stichfolge von den Schlössern in seinen vielen Territorien ist allerdings nicht im Auftrag des Kurfürsten entstanden. Er war zu sehr Jäger, um das Bedürfnis zu empfinden, als Bauherr seinen Ruhm der Nachwelt zu überliefern. Das Stichwerk des Johann Martin Metz war vielmehr ein privates Unternehmen. Metz, ein Landeskind aus Bonn (1717–1797), wird in den kurkölnischen Hofkalendern unter den Hofkünstlern als »Früchtenmaler« aufgeführt. Blumenstücke und Früchtestilleben von ihm sind als Staffeleibilder wie als Supraporten in den rheinischen Schlössern zu sehen. Metz war selbst kein Kupferstecher. Zu fünf von den 21 Kupferstichen seines Stichwerks im Format von durchschnittlich 34 mal 54 cm haben sich die Vorzeichnungen von Metz für den Stecher erhalten. »Sie sind... mit Pinsel und Feder in Schwarz bis Hellgrau und mit Feder in Braun auf weißem Papier ausgeführt« (W. Hansmann). Der Augsburger Kupferstecher Nikolaus Mettely setzte diese Pinsel- und Federzeichnungen dann in den Kupferstich um. Er brachte als Schüler Salomon Kleiners bereits eine große Erfahrung mit. Zu des letzteren Stichwerk über das Belvedere des Prinzen Eugen in Wien hat Mettely mehrere Blätter beigesteuert. Nur ein einziges Blatt der Metzschen Folge wurde nicht von Mettely gestochen, sondern von dem Kölner Kupferstecher und Stempelschneider Peter Wyon (Schloß Poppelsdorf). Mit dem Tode von Clemens August 1761 schien Metz das Interesse an dem Unternehmen verloren zu haben.

Nach allem was wir über Beruf, Begabung und Neigung von Metz wissen, wird niemand erwarten, in ihm einen echten Architekturliebhaber und Vedutenmaler kennenzulernen. Er war vor allem eine dekorative Begabung, und das Rahmenwerk seiner Blätter interessierte ihn am meisten (Abb. 281, 282). Dieses Ornament konnte nicht unstatisch und verwegen genug sein. Mit Recht haben die Verfasser der Neuausgabe des Kupferstichwerkes ihm den Untertitel »Veduten-Capricci« gegeben. Bei der Darstellung von Jagdschlössern war es leicht, den Rahmen mit Jagdtrophäen zu verzieren. Manchmal war das Interesse am ornamentalen Rahmen so groß, daß die architektonische Anlage, die er umspannt, dabei zu kurz kam. Niemand kann sich aufgrund des Stichs eine Vorstellung von dem Zauber der Anordnung der Bauten in Clemenswerth machen, des Jagdschlosses mitten im Walde, das acht Kavaliershäuser kreisförmig umstehen. Entwicklungsgeschichtlich gesehen, ist die Ansicht der Residenz des Hochmeisters des Deutschen Ordens in Mergentheim am fortschrittlichsten, weil dem Künstler hier ein neugotischer Rahmen mit Wimpergen und Kreuzblumen allein angemessen erschien, eine Dekoration, wie sie damals allenfalls in England möglich war.

Die Aufgabe, die sich Metz mit seinem Stichwerk gestellt hatte, wurde dadurch erschwert, daß Kurfürst Clemens August fünf geistliche Fürstensitze innehatte: Köln, Münster, Hildesheim, Paderborn und Osnabrück, und daß Residenzen und Schlösser dort zum Teil sehr veraltet waren und Metz zudem diese Bauten meist gar nicht kannte. Schloß Sassenberg, die Burg in Werl, das Amtshaus in Wiedenbrück besaßen für den Betrachter um 1760 keine architektonische Bedeutung mehr.

Anders steht es mit den nicht mehr vorhandenen Bauten: Auch abgesehen von den Verlusten durch den Zweiten Weltkrieg (Clemenshof in Bonn, Weinbergschlößchen Vinea Domini), besitzen wir dank Metz eine Vorstellung von den abgetragenen kleinen Bauten im Brühler Park (Indianisches Haus, Schneckenhaus) und dem riesigen Jagdschloß Herzogsfreude bei Röttgen.

Als die Engländer um 1780 den Rhein als lohnendes Reiseziel entdeckt hatten, wofür die

1787 von John Gardner gezeichneten berühmten Rheinansichten das beste Zeugnis sind, begriff der Verlag Artaria in Wien sofort die Situation und gab ein Album heraus: »Fünfzig malerische Ansichten des Rhein-Stromes von Speyer bis Düsseldorf, nach der Natur gezeichnet«, Wien 1798. Die Künstler waren die gleichen wie bei der Folge der Artaria-Blätter von Wien: Lorenz Janscha für die gemalten Vorlagen, Johann Ziegler für den Kupferstich. Nur Carl Schütz fehlte.

Es ist ein erstaunlich rascher Wandel des Zeitklimas, der sich offenbart, wenn man die 36 frühesten Artaria-Stiche von Wien mit dem nur 13 Jahre jüngeren Album der Rheinansichten von 1798 vergleicht. Das Rheinalbum gehört bereits völlig der Romantik an. Zwar sind ein paar Bauten aus dem Rokoko und dem Louis Seize aufgenommen: Brühl, Poppelsdorf, das kurfürstliche Schloß von Robert de Cotte, die Redoute in Godesberg, aber die laufen nur nebenher. Der Strom und seine romantischen Ruinen beherrschen das Feld – das barocke Jahrhundert ist zu Ende.

BERLIN

Mit der Krönung des Kurfürsten Friedrich von Brandenburg zum König von Preußen 1701 in Königsberg wurde Berlin zu einer königlichen Residenz, der einzigen in Deutschland neben Dresden. Die Einwohnerzahl stieg innerhalb von 25 Jahren, vor allem durch die Einwanderung der noch vom Großen Kurfürsten ins Land gerufenen französischen Hugenotten, von 18 000 auf 56 000 Einwohner im Jahre 1710. Die neue Königswürde bedeutete einen völlig Richtungswechsel für die preußische Kunstpolitik. Unter dem Großen Kurfürsten hatte man nicht aufwendig und ganz unter dem Einfluß der niederländischen calvinistischen Glaubensgenossen gebaut (und auch Bilder niederländischer Maler gesammelt), wie die Stadtschlösser in Potsdam, Oranienburg oder Köpenick. Unter dem neuen König entstand nun an der Spree ein riesiges Schloß als königliche Residenz und Sitz der Staatsverwaltung, ein gewaltiger Würfel um einen Binnenhof, ganz im italienischen Palaststil (in der Nachfolge Berninis). Von den großen Planungen aus der Zeit des Baubeginns ist vor allem die des Hugenotten Jean Baptiste Broebes erhalten (Abb. 298). Der große Prospekt von Schloß und Stadt Berlin aus der Vogelschau ist zwar schon an der Jahreswende von 1702 auf 1703 entstanden, aber erst 1733 publiziert worden in »Vues des Palais et Maisons de Plaisance de S. M. le Roy de Prusse«, 47 Blätter in der Mehrzahl nie ausgeführter Projekte, Augsburg 1733. Dieser Entwurf für die »Place Royale de Berlin« zeigt eine Art norddeutsch-protestantischen Escorial. Ausgeführt wurde nur der rechte Flügelbau an der Spree, das Schlütersche Stadtschloß. Niemals erhielt es ein wirkliches Gegenüber an der anderen Seite des Platzes in Gestalt des Marstalls, der mit seinen zweieinhalb Geschossen eher wie ein Palais in Versailles wirkt. Der Dom als Mittelpunkt auf der Rückseite des Platzes, dessen zentrierende Hauptkuppel von vier Nebenkuppeln begleitet werden sollte, hätte den Platz der mittelalterlichen Bettelordenskirche der Dominikaner eingenommen, die hier wirklich stand. Er sollte von den Trakten eines dreigeschossigen Invalidenhauses umgeben werden. Jenseits der Schloßanlage dehnt sich in die Bildtiefe die Stadt Berlin aus, in der linken Hälfte die neue Dorotheenstadt, rechts das Zeughaus und die Anfänge der »Linden«. Der Münzturm, der nach dem ersten Entwurf Schlüters dargestellt ist, mußte 1706 wegen Baufälligkeit wieder abgetragen werden. Der Gesamtentwurf der Schloßanlage kann unmöglich das Werk von Broebes allein sein. Schlüter, dem als Bildhauer an der Entfaltung solcher großen axialen Anlagen wenig lag, scheidet als entwerfender Meister wohl ganz aus. Vielleicht ist hier im wesentlichen das Gedankengut von Nicodemus Tessin dem Jüngeren verarbeitet, dem Erbauer des etwa gleichzeitigen Stockholmer Schlosses, der damals öfter in Berlin weilte.

Auch der Architekt und Kupferstecher Paul Decker der Ältere aus Nürnberg (1677–1713) wurde von dem künstlerischen Leben Berlins angezogen. 1699 bis 1705 wirkte er hier als Mitarbeiter Schlüters, besonders bei der Innendekoration der Räume des Schlosses (Abb. 299–301). Bekannt wurde er aber als Theoretiker durch seine Schrift »Fürstliche Baumeister oder Architectura civilis«, die in drei Teilen in Augsburg 1711 und 1716 erschien. Sie hat einen großen Einfluß auf die praktische Baukunst der beiden fränkischen Markgrafschaften ausgeübt. Aber ohne Verbindung mit dem Berlin des ersten Jahrzehnts des 18. Jahrhunderts wäre der »Fürstliche Baumeister« wohl kaum zustande gekommen.

Während der Regierungszeit Friedrich Wilhelms I. (1713–1740) schwiegen die Musen, gebaut wurde nur das Allernotwendigste nach praktischen Gesichtspunkten. Erst unter Friedrich dem Großen kam es zur Kunstblüte des friderizianischen Rokoko, welche die Stadt zur Gegenspielerin des katholischen München werden ließ. Das Friedrichsforum und das Opernhaus (Abb. 304) wurden errichtet, in Charlottenburg der Anbau mit der Grünen Galerie, in Potsdam das erneuerte Stadtschloß, Sanssouci (Abb. 307, 308)und das Neue Palais (Abb. 309, 310) – ohne daß der König sich veranlaßt gesehen hätte, einen seiner Bauten in einem Stichwerk bekannt zu machen. Gewiß waren Sanssouci oder der Trakt im Charlottenburger Schloß Friedrichs private Welt, in die er niemandem Einblick gewähren wollte. Aber wie Friedrich keine Maler um sich versammelte, die ihn als Schlachtensieger von Leuthen oder Zorndorf darstellen sollten, so hat er auch in seinen großen, weitläufigen Schlössern darauf verzichtet, am Plafond der Säle im Siegeswagen durch einen mit Allegorien bevölkerten Himmel zu fahren. Was der Prinz Eugen von Savoyen im Unteren Belvedere in Wien, was Max Emanuel als Türkensieger in riesigen Schlachtenbildern in Schleißheim an Selbstdarstellung ihres Kriegsruhms anordneten, war nicht nach dem Geschmack Friedrichs des Großen. So wie er den Kult seiner Person unterband, wünschte er nicht, als großer Bauherr in Kupferstichwerken gefeiert zu werden. So sind uns denn die Bauten Friedrichs nur in »Knechtsgestalt« im Kupferstich überliefert. Denn was die Stecher Johann David Schleuen (Abb. 308–310) oder Andreas Ludwig Krüger (Abb. 307) in Potsdam und Sanssouci stachen, ging über ein dürftiges Mittelmaß nicht hinaus. Das wurde erst anders, als Johann Rosenberg seine »Ansichten von Berlin 1773–1785« in Folgen erscheinen ließ. Im Vorbericht, der den ersten Blättern beigegeben wurde, heißt es: »Die erste Lieferung enthält 20 große Blätter, welche der in diesem Fache anerkannt geschickte Maler Herr Johann Rosenberg ... in Canalettos Manier von verschiedenen Gegenden dieser Residenzstadt gezeichnet und gestochen hat.« Mehr als 21 Blatt sind allerdings nie erschienen.

Johann Georg Rosenberg (1739–1808) war ein Berliner, der zunächst bei Rode und bei Giuseppe Galli Bibiena gelernt hatte und in Holland und Paris weitergebildet worden war, wo er 1765 Aufnahme in die Académie Royale fand. Er führte dann ein Reiseleben als Theatermaler, bis er nach seiner Rückkehr nach Berlin, kurz vor 1773, als Architekturmaler und Architekturstecher endlich seßhaft wurde. So ist schließlich doch noch in den letzten zwölf Regierungsjahren des großen Königs seine Residenz in höchst würdiger Weise im Stich dargestellt worden. Es sind große Blätter (50×70 cm), die ganze Straßenzüge und Plätze geschlossen ins Bild bringen. Es handelt sich endlich wieder um Bildkompositionen, wovon ja Schleuen und Krüger nichts gewußt hatten. Wenn es in der Ankündigung Rosenbergs hieß, die Stiche würden »in Canalettos Manier« sein, so wird nicht zuviel versprochen. In der Tat sieht man auf dem Blatt mit der Lindenallee – die von Straßenfluchten seitlich noch nicht gefaßt wird – die Art der Schraffierung der Hausfassaden vorn wie die Wiedergabe der Staffage den Einfluß des Venezianers widerspiegeln. Natürlich besitzt Rosenberg nicht das Geheimnis des Silberlichts von Canaletto, und auf allen Blättern ist die Komposition fester in den Rahmen gesetzt als bei dem Venezianer. Darin drückt sich auch die Entstehungszeit der Veduten aus: Sie entstanden unmittelbar an der Schwelle zum Klassizismus. Daneben aber herrscht eine preußische Nüchternheit, die den Vedutisten zu einem Gesinnungsgenossen des Buchillustrators Chodowiecki macht. Die häufig auftretende Kolorierung von Rosenbergs Stichen mindert ihren Wert. Seine graphische Technik ist so bedeutend, daß sie auf eigenen Füßen stehen kann (Vorzeichnungen in der Berliner Magistratsbibliothek und im Kupferstichkabinett der Staatlichen Museen).

DRESDEN

Dresden war im 17. Jahrhundert eine Festungsstadt, ein Brückenkopf am Elbübergang mit schmalen, engen Gassen und Straßen hinter starken Wällen und Bastionen. Im 18. Jahrhundert war es die schönste, die eleganteste und die einheitlichste, wohl auch die reichste Stadt Deutschlands neben Wien. Als Kurfürst August der Starke, um König von Polen werden zu können, zum katholischen Glauben übertrat (1697), wurde Dresden eine königliche Residenz, das »Augusteische Zeitalter« begann. Die Einwohnerzahl, welche 1699 noch 21 000 betragen hatte, stieg bis 1727 auf 46 000 an. Zu den Bauten des sächsischen Adels und der Dresdner Bürgerschaft traten jetzt die Palais der polnischen Magnaten. Vor allem aber wurde eine der vielen barocken Festarchitekturen, ursprünglich für einen Fürstenbesuch in Holz errichtet, zwischen 1711 und 1732 von Matthäus Daniel Pöppelmann in Stein umgesetzt. Es ist das ohne Nachfolge gebliebene Wunderwerk des Zwingers. Wie das gleichzeitige Untere Belvedere des Prinzen Eugen von Savoyen in Wien ist der Zwinger aus einer Orangerie-Anlage ins Große gewachsen und zum Rahmen für Hoffeste und Ringelstechen, für Roßballetts und Feuerwerke geworden. Aber die hier 1719 stattgefundenen Hochzeitsfeierlichkeiten des Kurprinzen mit der Kaisertochter Maria Josepha hatten die königlichen Kassen erschöpft, und es fehlte noch die gesamte Nordseite des Zwingers, wo heute die Sempersche Gemäldegalerie steht. Während der langen Baupause, die nach der Fürstenhochzeit eintrat, muß Pöppelmann zu der Überzeugung gekommen sein, daß er zu seinen Lebzeiten nicht mit einer Vollendung des Zwingers nach seinen Plänen rechnen konnte. Infolgedessen reifte in ihm der Gedanke, ein Kupferstichwerk in Folio herauszugeben, das die vollendeten Partien des Zwingers abbilden, vor allem aber der Nachwelt eine Vorstellung von der »Architektur, die nicht gebaut wurde«, vermitteln sollte.

Von 1721 bis 1729 arbeiteten Pöppelmann und seine Stecher an dem Werk; das Vorwort in französicher Sprache ist vom 1. Mai 1729 datiert. Der Foliant besitzt ein Format von 69 mal 49 cm. Die 24 Tafeln sind aber zum Teil erheblich größer, so daß sie gefaltet werden mußten. Das Werk erschien mit einem deutschen und französischen Titel. Der knappe begleitende Text stammt von Goethes Großoheim Johann Michael von Loen, der damals als Gesandter in Dresden weilte, und ist so schwülstig wie die gesamte höfische Literatur der Zeit.

Unter sämtlichen Blättern steht: »Inventées et designées par M. D. Pöppelmann«, hierauf folgt der Name des Stechers. Das würde also bedeuten, daß Pöppelmann die Zeit gefunden hatte, alle Vorzeichnungen für sein Stichwerk selbst zu liefern. Dies wird bei der Fülle seiner dienstlichen Verpflichtungen aber kaum der Fall gewesen sein. Die Vorzeichnungen wurden vermutlich in seinem Atelier angefertigt, und seine Unterschrift auf jedem Blatt ist wohl als Firmenzeichen zu werten. Für die Umsetzung in den Kupferstich zeichnen fünf verschiedene Meister verantwortlich: Christian Albrecht Wortmann, Christian Friedrich Boetius, Lorenzo Zucchi, Pieter Schenk, Johann Georg Schmidt. Von letzterem stammen die meisten Blätter. Der Stil der fünf Stecher weicht zuweilen stark voneinander ab.

Der Band beginnt mit einem Grundriß der Gesamtanlage, der auch die geplanten Gartenanlagen zeigt, er unterrichtet uns über die vorgesehene Schließung der Nordseite gegen die Elbe durch eine große Wasserkunst als Gegenstück zum gegenüberliegenden Kronentor (Abb. 317) im Süden. Leider fehlt eine brauchbare Ansicht des kostbarsten Baugliedes, des Wallpavillons, dessen 3 m hohe Karyatiden von Permoser selbst ausgehauen wurden. Hingegen zeigt der Künstler den Grottensaal im mathematisch-physikalischen Salon, gesehen durch den Schleier von Vexierwassern, als prachtvollen, mit Atmosphäre gefüllten Innenraum, wo sich der Scagliola-Fußboden mit den Marmorstatuen Permosers und dem allegorischen Deckenfresko harmonisch verbindet. Zwischen Innenraum und Freiraum ist das Nymphenbad (Abb. 318) mit den Reihen von Nischenfiguren von Permoser einzuordnen – ein Blatt von hohem graphischem Reiz.

Mit dem Tode Augusts des Starken 1733 war die Zeit der fieberhaften Bautätigkeit zu Ende.

Der Übergang der Regierung auf seinen Sohn Friedrich August III. bezeichnet etwa auch den Wechsel vom Barock zum Rokoko. Der neue König war ein Musiker und ein Sammler. Die Dresdner Oper erlangte Weltruf, und durch pausenlose Ankäufe aus allen Ländern wurde die Gemäldegalerie zusammengebracht. 1754 zog die Sixtinische Madonna hier ein. Dieses Dresden um 1750 ist uns als Stadtorganismus in großartigeren Bildern bewahrt, als wir sie von irgendeiner anderen europäischen Stadt aus dem 18. Jahrhundert besitzen. Sie sind Bernardo Bellotto zu verdanken, der sich selbst den Beinamen Canaletto gab. 1720 in Venedig geboren, wuchs er als Schüler seines Oheims Antonio Canale, des berühmten Vedutenmalers, auf. Im Jahre 1746 erreichte ihn in Oberitalien eine Berufung an den Hof Friedrich Augusts III. als Vedutenmaler, der er im Juli 1747 folgte. Während seines ersten Dresdner Aufenthalts, der etwas über ein Jahrzehnt (bis Dezember 1758) dauerte, entfaltete Bellotto eine außergewöhnlich fruchtbare Tätigkeit. Er malte nicht nur in dieser Zeit für den König 14 Veduten von Dresden und elf Ansichten von Pirna, sondern setzte alle 14 Motive aus der Hauptstadt in sehr große Radierungen im Format 53 mal 83 cm um. Sämtliche Radierungen sind signiert und datiert, so daß sich eine Diskussion über die zeitliche Abfolge der Blätter erübrigt. Sie tragen Daten zwischen 1747 und 1758. Bei dem Bombardement Dresdens 1760 erlitt das Haus Bellottos Totalschaden, mit seiner gesamten Habe wurden auch die Platten der Radierungen zerstört. (Es gibt also keine späteren, flauen Abzüge von den Dresdner Veduten, wie man oft behauptet hat.) Zu seiner Gesamtausgabe der Dresdner Radierungen in einem Tafelband ist es nicht mehr gekommen. Es gibt kein Titelblatt, der Tod des Premierministers Brühl und Friedrich Augusts III. kurz nacheinander im Oktober 1763 beraubten Bellotto seiner beiden Mäzene, und der kurz vorher gewonnene Verleger Pierre Fouquet der Jüngere in Amsterdam trat wohl daraufhin von dem Plan zurück. Gleichwohl kam es noch zur Hinzufügung von zwei Blättern. Nachdem Bellotto Ende 1761 zu seiner Familie nach Dresden zurückgekehrt war, radierte er noch zwei Ansichten der Stadt nach dem Bombardement, 1765 die Kreuzkirche in Trümmern, die im selben Jahr als verspätete Folge des Bombardements eingestürzt war (Abb. 328), und 1766 die Ruinen der Pirnaschen Vorstadt (Abb. 327). Noch im Dezember dieses Jahres verließ Bellotto Dresden. Er verbrachte den Rest seines Lebens (er starb 1780) in Warschau; Italien hat er nicht wiedergesehen.

Als der Künstler sich im Juli 1747 in Dresden niederließ, hatte er nur eine bescheidene Tätigkeit als Radierer hinter sich: Acht Blätter mit Idealveduten aus der Zeit nach 1740 sind erhalten, es mögen nie viel mehr gewesen sein. Diese Radierungen zeigen den Neffen sowohl in der Motivwahl als auch im Radierstil in starker Abhängigkeit von dem Oheim Canale. Sie können hier ganz vernachlässigt werden.

Die großen gemalten Veduten von Dresden und die Radierungen mit ähnlichen Motiven sind etwa gleichzeitig entstanden. Die Vorstellung, die Radierungen seien nach dem Vorbild der Gemälde kopiert, erscheint so unpraktisch wie unkünstlerisch. Bellotto fertigte vielmehr Zeichnungen vor den Objekten in der Stadt an, die er als Hilfe und Stütze, als Vorbilder für Gemälde und Radierung in gleicher Weise benutzte.

Es ist erstaunlich, wieviel vom Radierstil des Oheims Canaletto beim Wechsel von dessen kleinen Formaten auf die riesigen Blätter Bellottos übergegangen ist. »Er hielt sich durchgängig an die einfache Strichradierung, die sich auf allen Teilen der Platte gleich blieb. Derselbe schöne, verstandene Strich findet sich im Vordergrunde, in der Architektur, in den Luftpartien. Nicht mehr als zwei oder drei Nadeln scheint er verwendet zu haben, um die verschiedene Stärke der Striche zu erreichen« (Moritz Stübel). Kreuzschraffuren wurden nur verwendet, um eine Zone des Repoussoirs am vorderen Bildrand bereitzustellen, für Dächer, für den Kuppelansatz der Frauenkirche, für die Schwärze glühender Ruinenlöcher. Der Himmel wurde, auch wenn er ganz rein und wolkenlos ist, schraffiert mit durch die ganze Breite des Bildes lang hinziehenden Parallellinien, die leise bewegt vibrieren (Abb. 322, 324). Im Gegensatz zu Canaletto vermochte er aber den Himmel seiner Radierungen mit Gewitter vorbereitenden Wolkenballungen zu überziehen, Gebilden, die nie über Dresden hingen, aber in der Lagune plötzlich aufziehen – wobei er abermals ganz ohne Kreuzschraffuren auskam (Rammische Gasse mit Frauenkirche) (Abb. 321). Wie der Oheim liebte er durchlichtete Schattenpartien (Abb. 323), aber nur sehr selten benützte er das makellose Weiß, das »Licht vom unerschöpften Lichte« Canales, von dem das barocke evangelische Kirchenlied singt (mit Ausnahme des letzten Dresdner Blattes mit den Ruinen der Pirnaschen Vorstadt von 1766) (Abb. 327). Bellotto war ein stärkerer Realist als sein Oheim, und deshalb ist der Kontrast von Licht und Schatten bei ihm gedämpfter. Auf den Blättern, wo die Elbe darzustellen war, nutzte er als geborener Venezianer alle graphischen Mittel in luminaristischem Sinne aus: Der fest, sicher und sehr deutlich charakterisierten katholischen Hofkirche wurde das flüchtige, zerrinnende Spiegelbild im Flusse gegenübergestellt (Abb. 315). Je breiterer Raum der Elbe in der Komposition gegönnt wird, desto sicherer und leichter lassen sich Lichtverhältnisse und Kompositionslinien der beiden kontrastierenden Uferpartien vereinigen. Die sehr hohe Böschung der Brühlschen Terrasse würde mit ihrem diagonalen Tiefenzug die ganze Radierung zerschneiden, wenn der Flußspiegel ihre nackte Realität nicht ins Ungewisse verzöge. Man kann nicht genug bewundern, wie völlig im Gleichgewicht Wasser und Land auf manchen Radierungen sind: am schönsten wohl am Zwingergraben bei der Wilsdruffschen Pforte (Blatt aus dem letzten Dresdner Jahr, 1758, Abb. 323). Welcher Fortschritt gegenüber der noch etwas schematischen Wasserschilderung auf dem Blatt von 1748 (Abb. 324)!

Wer eine Stadt von etwa 50 000 Einwohnern mehr als ein Jahrzehnt lang täglich durchschreitet und sie als Maler oder Radierer dauernd studiert – dabei immer wechselnde Standpunkte einnehmend –, dessen künstlerische Entwicklung wird sich in solchen gemalten und gezeichneten Veduten widerspiegeln. Die großen Monumente – besonders die Hauptkirchen beider Konfessionen – rücken im Laufe des Jahrzehnts immer mehr vom Bildrand gegen die Mitte. Die Frauenkirche wird dominierender, und sie gewinnt noch an Bedeutung, wenn sie nur »angeschnitten« zu sehen ist (Abb. 321). Die Wiedergabe jedes Quadersteins ist so intensiv, daß der Betrachter das Fehlende vor dem inneren Auge rasch ergänzt. Mit der Perspektive geht der Maler souverän um – sie ist von bewundernswerter Unaufdringlichkeit. Oft liegt der Fluchtpunkt auf der Fassade von unbedeutenden oder gar halb verdeckten Gebäuden (Porte d'Italie) (Abb. 322). Auf dem Marktplatz der Neustadt mit dem Reiterdenkmal Augusts des Starken bilden die schmalen Stege aus Quadersteinen zwischen der Sandfläche des Areals fast ganz nebenbei Fluchtlinien, die sich im Puncto centrico in der Tiefe der Allee treffen (Abb. 326).

Die ersten Ansichten von 1747 bis 1749 arbeiten mit starken Lichtkontrasten, um so große Breitbilder zusammenzuhalten (Abb. 315, 320). Aber dann setzt sich 1749/50 jener wunderbare Silberton durch, dem sich alle Lichtkontraste als fast nebensächlich unterwerfen – Neumarkt mit Hauptwache (Abb. 325). Auf letzterem Blatt gibt es dichte Geflechte von Kreuzschraffuren auf dem Pavimment des Platzes wie an den Hausfassaden links – aber der Silberton der rechten Bildhälfte wird durch diesen Kontrast nur gesteigert.

Der Silberton schließt aber nicht aus, daß er Raum gewährte für entzückende Licht- und Schattenspiele – so sind auf den Bastionsböschungen am Italienischen Tor Dachfirste und Schornsteine der Häuser außerhalb der Mauer wie in einem Schattenspiel oder wie von einem Silhouettenschneider lose hingeworfen (1750, Abb. 322). Wenn Chardin radiert hätte, würde er solche Schattenspiegelungen auf die Platte gebannt haben. Gegen Ende des Dresdner Aufenthalts steigerte Bellotto die Lichtkontraste an Bauten und Wolken ins Monumentale (Frauenkirche, von der Rammischen Gasse her gesehen, 1757) (Abb. 321), wurde aber in der Charakterisierung der Hausfassaden mit monotonen Strichlagen graphisch reizloser (besonders in der Zwingerhof-Ansicht von 1758).

Ganz für sich stehen die beiden Radierungen von 1765 und 1766, und zwar nicht nur deshalb, weil sie fast ein Jahrzehnt jünger sind als die Blätter des abgeschlossenen Zyklus (Abb. 327, 328). Hier verklärt das silbrige Licht nichts mehr. Die heile Welt ist durch das Bombardement von 1760 dahin. Es werden keine Schatten aufgerufen, welche die Ruinen gespenstisch erscheinen ließen. Das Licht ist hell, unerbittlich und erbarmungslos.

Man wird verstehen, daß Bellottos Phantasie vor dem Stadtbild von Dresden nach einer Schilderung in rund 35 Gemälden und 10 Radierungen erschöpft war. So malte und radierte er ab 1752 in der kleinen Stadt Pirna an der Elbe, eingeschlossen in ihre Mauern, am Fuße der Bergfestung Sonnenstein, am Eingang zum Elbsandsteingebirge. Er hatte, ehe er nach Dresden kam, in der Lombardei reine Landschaften gemalt, und er tat es später in Wien wieder. So ergriff er die Gelegenheit, die Blöcke der Elbsandstein-Formationen festzuhalten oder vom erhöhten Standpunkt aus über das Dächergewirr der kleinen Stadt innerhalb der Mauern hinwegzusehen (Abb. 329). Es sind nur sechs Radierungen aus der Pirnaer Schaffenszeit (gegenüber elf Gemälden) erhalten. Die Lichteffekte sind etwa bei der Stadtansicht vom Obertor her nicht so subtil wie auf den Dresdner Blättern, die Behandlung der im Schatten liegenden Baumwipfel im Vordergrund ist sehr schematisch.

WARSCHAU, BRESLAU, PRAG

In Polen hat Bellotto im letzten Jahrzehnt seines Lebens nur noch drei Veduten, Stadtansichten von Warschau, geliefert, die 1771, 1772 und 1774 datiert sind. Die Blätter erscheinen schwächer als die Radierungen der Dresdner Zeit, weshalb man schon früh vermutete, der Meister habe zum Stechen seiner Zeichnungen Schüler herangezogen. Diese drei Radierungen sind sehr selten, das Blatt von 1774 ist sogar ein Unikat, das dem Kupferstichkabinett der Dresdner Museen gehört. Die am Uferhang sich aufbauende Stadt wurde von Bellotto auch gemalt.

Schlesien besaß in Friedrich Bernhard Werner (1690–1778) einen außerordentlich fruchtbaren und gewissenhaften, durch ganz Europa zeichnend sich bewegenden Vedutenkünstler, der 1748 eine »Topographia Silesiae« herausgab. Sein »Accurater Abriss und Vorstellung der merckwürdigsten Prospecte . . . der Weltgepriesenen Stadt Bresslau in Nieder-Schlesien nach der Natur und Situation gezeichnet« wurde von Carl Remshard in den Stich übertragen und erschien bei dem Kupferstecher und Kunst-Verleger Martin Engelbrecht in Augsburg (Abb. 332–335).

Das »Goldene Prag« schließlich, die Hauptstadt der Krone Böhmens, hatte schon seit der Spätgotik Holzschneider und Kupferstecher angezogen, das Stadtbild zwischen Hradschin und Wyschehrad in breit gedehnten Prospekten vorzustellen, am schönsten das Schaubild, das 1606 bei Ägidius Sadeler erschien. Paläste, Straßen und Plätze aber wurden in kleineren Einzelblättern gehandelt, die bis zu den Guckkastenbildern aus der Zeit kurz vor dem Ende des 18. Jahrhunderts reichen.

Schweden, Dänemark und Rußland

Schweden und Dänemark haben das große Glück gehabt, daß die umfangreichen Stichwerke zur Landeskunde wie zur Architekturgeschichte nicht von durchschnittlichen Autoren, sondern den größten Baumeistern des Landes verfaßt wurden. Eric Dahlberg (1625–1703) starb als Feldmarschall. Obwohl später ein siegreicher Truppenführer, fand er doch vorher die Zeit, zu reisen und zu zeichnen. Nach dem Westfälischen Frieden besuchte er von 1650 bis 1653 Deutschland, 1655/56 war er in Italien. 1661 bekam Eric Dahlberg das Privileg der Regierung für die Herausgabe der »Svecia antiqua«. Zugleich erhielt der Reichshistoriograph den Auftrag, den Text zu diesem Werk zu schreiben. Schon während seiner europäischen Wanderjahre hatte Eric Dahlberg ein topographisches Werk dieser Art vorbereitet. 1664 schrieb er: »Ich will über Schweden ein Werk ausführen, welches dem gleicht, mit dem Merian Deutschland verherrlicht hat. Die Ausländer sollen sehen, wieviel Großes und Schönes es in unserem Vaterland gibt.«

Für die Herstellung der Kupferstiche gab es zunächst keine brauchbaren Kräfte in Schweden. Dahlberg reiste mit seinem Material nach Paris und konnte bald die ersten Probedrucke nach Hause schicken, wofür ihm die Regierung dankte. Mit Perelle, Jean Lepautre und Jean Marot hatte er zwar die vorzüglichsten Pariser Architekturstecher beauftragt – aber auf diese Weise schritt das Werk zu langsam voran. Endlich gelang es Dahlberg, zwei gute holländische Stecher nach Stockholm zu verpflichten, erst Willem Swidde (1690–1697) und nach dessen Tod Johannes van den Aveelen (1698–1715). Da Dahlberg aber bereits 1703 starb, brachte Aveelen das ganze Werk zum Abschluß. Weil der König im Felde war, gaben die Stände des Reiches die drei Bände heraus. Von den insgesamt 353 Blättern des Werkes haben die beiden Holländer 223 gestochen; 80 fallen auf Swidde, 143 auf Aveelen. Die Platten zur »Svecia antiqua« sind erhalten und befinden sich im Nationalmuseum in Stockholm. Auch das Skizzenmaterial ist reich überliefert. Bei weitem nicht alle Skizzen vor Ort stammen von Eric Dahlberg selbst. In manchen Fällen ist in die erste Umzeichnung eine Perspektivkonstruktion hineingelegt – hier gibt es verschiedene Perspektivmethoden, die also von unterschiedlichen Zeichnern stammen müssen.

Das Material ist so reich und dicht, daß wir den ganzen Arbeitsprozeß verfolgen können: erste Skizzen vor Ort, Umzeichnungen dieser Skizzen auf das Format der geplanten Stiche, Einfügung von Staffage, Reinzeichnungen, Probedrucke der Platten, endgültiger Druck. Dazu tritt ein reiches briefliches Material (Suecia Antiqua et Hodierna. 3 Bde. I: 144 Blatt. II: 76 Blatt. III: 126 Blatt, Holmae 1715).

Was Dahlberg für Schweden bedeutete, war Laurids Lauridsen Thurah (1706–1759) für

Dänemark. 1742 wurde er Hofbaumeister für alle königlichen Bauten in Dänemark, nach Niederlegung dieses Amtes ab 1752 noch einmal bis zu seinem Tode Generalbaumeister. Sein Werk »Den Danske Vitruvius« enthält die »Grundrisse, Aufrisse und Schnitte des Königreichs Dännemark und der königlichen Teutschen Provintzen«, zwei Teile, Kopenhagen 1746.

Der erste Teil mit 120 Tafeln enthält die öffentlichen Gebäude und Adelspalais in Kopenhagen (1746). Der zweite Teil mit 161 Tafeln zeigt die öffentlichen Gebäude im übrigen Dänemark (1749). Beide Teile haben deutsche Stecher. Der dritte Teil, für den 68 Tafeln vorliegen, ist nicht mehr erschienen.

Das ehemalige St. Petersburg ist heute eine Stadt mit vorwiegend klassizistischen Straßen und Plätzen, langen Kolonnaden und schweren Dreiecksgiebeln. Wir halten uns infolgedessen an den »Plan de la Ville de St. Petersbourg avec ses principales Vues, dessiné et gravé sous la direction de l'academie imperiale des sciences et des arts«, der mit 44 Tafeln erschien. Leiter der Edition war der Geograph des kartographischen Departements der Akademie, Truscott, der Zeichner ist der Kupferstecher Machaev. Seine Veduten sind auch sonst hochgeschätzt. Der Band erschien zum fünfzigjährigen Jubiläum der Stadtgründung (1753), stellt aber keine neue topographische Aufmessung dar, sondern legt die Aufnahme von 1737 zugrunde.

Wenn eine Kunstgattung den Höhepunkt ihrer Wirkungskraft überschritten hat, wenn es ihr gar noch vergönnt war, in einer Spätblüte große Künstler an sich zu ziehen, so darf das Absinken oder gar Erlöschen niemanden verwundern. Es sank aber nicht nur die künstlerische Qualität der Vedute, ihre Berechtigung als Schilderung der wirklichen Welt wurde radikal in Frage gestellt.

War die Vedute im 16. Jahrhundert von der Theatermalerei ausgegangen, so kehrte sie an der Schwelle der Französischen Revolution zu ihr zurück. Im Jahre 1796 stellte Hubert Robert im Salon zwei Bilder der Louvre-Galerie aus (heute Buenos Aires, Privatbesitz). Das eine ist ein Vorschlag, das Gewölbe der intakten Galerie mit Oberlicht auszustatten, das andere aber zeigt die Galerie als Ruine im tiefsten Verfall. Robert war für solche Bilder durch das Walten der Zerstörungswut wohl präpariert. »In den Jahren nach der Französischen Revolution scheint Robert als ›Porträtist‹ der durch die Säkularisation ausgelösten Zerstörungen unabkömmlich. 1789 malt er das Schleifen der Bastille, 1793 die Zerstörung der Caveaux von Saint-Denis, 1800 der Eglise de St. Jean-en-Grève, 1803 der Eglise de la Sorbonne, 1806 der Eglise des Feuillants« (H. Burda).

Die Mode, intakte Bauten in Ruinen zu verwandeln, fand bald außerhalb Frankreichs Nachfolge, so sehr entsprach sie der romantischen Gefühlswelt. In einem verschollenen Bild stellte Caspar David Friedrich den erhaltenen Meißner gotischen Dom als Ruine dar, wir besitzen auch eine Zeichnung, welche die Greifswalder Jakobikirche in einen Ruinenzustand, sozusagen als Skelett, entkleidet. Das 17. und 18. Jahrhundert hatten mit der Wirklichkeit nicht so gespielt. Es waren die Jahrhunderte voller Vernunft, der Aufklärung. Erst die Romantik wurde einer Schilderung der wirklichen Welt überdrüssig, ebenso wie in ihren literarischen Zeugnissen. Die Zeit der barocken Vedute war mit dem Ausbruch der Französischen Revolution zu Ende.

Tafelteil

1. Nancy, die Carrières (Rennbahn), um 1628/29. Stich von Jacques Callot.

2. Der Schloßpark in Nancy, 1625. Auf der Rampe des Vordergrundes findet ein Ballspiel vor Herzog Karl IV. und der Herzogin Nicole von Lothringen statt. Stich von Jacques Callot.

3. Hoffest in Florenz auf der Piazza Sa. Croce vor Großherzog Cosimo II. im Karneval 1616. Stich von Jacques Callot.

Veduta di Piazza Navona
sopra le rovine del Circo
Agonale

Vuë de l'Eglise sainct PIERRE, et du Chasteau sainct Ange

Seite 62/63:

4. Piazza Navona. Der Platz hat seinen antiken Namen (Navona = Agon) wie die römischen Platzgrenzen bis heute bewahrt. Stadion des Kaisers Domitian, 92–96 n. Chr. erbaut. Links die Kirche Sa. Agnese in Piazza Navona. Das Areal ist mit zwei Brunnen Berninis besetzt. Stich von Piranesi, 1773.

Seite 64:

5. Engelsburg, Peterskirche und Vatikan von Osten, vom Ostufer des Tiber gesehen. Entstanden zwischen 1637 und 1646, da die Fassade von S. Peter mit dem 1646 wieder abgerissenen Glockenturm Berninis versehen ist. Stich von Israel Silvestre.

6. SS. Trinità dei Monti, französische Nationalkirche am Pincio. Neubau 1585 geweiht. Im Hintergrund links die Villa Medici, 1544 errichtet, damals dem Großherzog von Toscana gehörend. Stich von Giovanni Battista Falda.

CHIESA DELLA SANTISS. TRINITÀ DE MONTI DE' PP. MINIMI FRANCESI SUL' MONTE PINCIO.
l'Architettura della Scala, e della porta è del Cau. Domen. Fontana.
1 Conuento de PP. Minimi. Gio. Batta falda dis. et fece 2 Palazzo e Giardino del' Ser. gran Duca di Toscana.
Per Gio. Iacomo Rossi in Roma alla pace cō priu. del S. Pont.

7. S. Girolamo degli Schiavoni mit der Tiberanlände. Die Fassade der Kirche wurde 1587 von Martino Lunghi d. Ä. errichtet. Rechts der Palazzo Borghese mit seiner doppelgeschossigen Gartenloggia. Stich von Giovanni Battista Falda.

8. Piazza S. Marco mit Blick auf die heutige Via del Plebiscito. Das Eckgebäude links ist der Palazzo Venezia (1455 begonnen), das rechte Eckgebäude der heutige Palazzo Buonaparte, errichtet 1660 von Mattia dei Rossi. Stich von Giovanni Battista Falda.

9. Villa des Papstes Sixtus V., die er schon als Kardinal von Domenico Fontana vor 1585 anlegen ließ (auch bekannt als Villa Montalto Peretti). Das Gebäude und der Garten sind dem Bau des römischen Hauptbahnhofs zum Opfer gefallen. Stich von Giovanni Battista Falda.

10. Villa Mondragone bei Frascati. Abschluß des Gartens durch das Teatro, um 1620 errichtet. Stich von Giovanni Battista Falda.

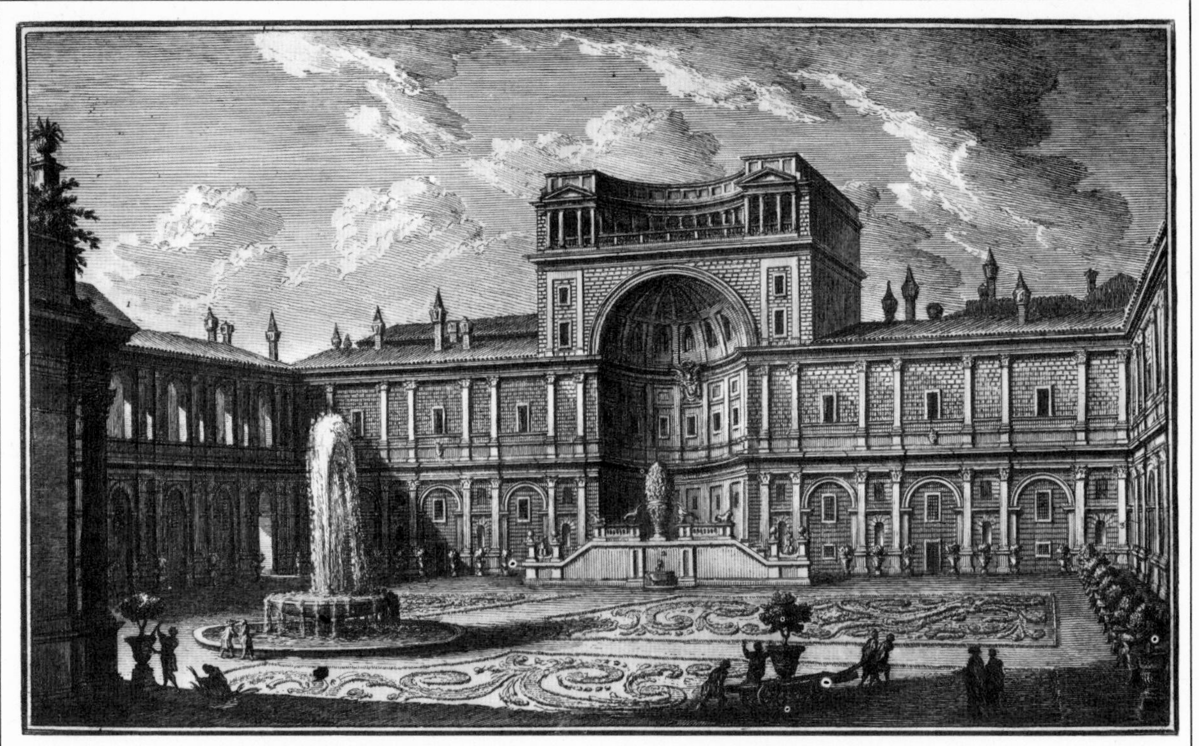

11. Cortile della Pigna mit Exedra Bramantes als Abschluß der Mittelachse der Vatikanischen Höfe. Der Nicchione, ursprünglich nur zweigeschossig, wurde 1559–1565 aufgestockt und mit der Kolonnade versehen. Stich von Giuseppe Vasi.

12. Piazza S. Eustachio. Zwischen der Kirche und dem Palazzo Cenci von Giulio Romano Durchblick auf die Sapienza, die päpstliche Universität, und die Universitätskirche S. Ivo von Borromini (1655). Stich von Giuseppe Vasi.

13. Piazza del Popolo. Erster Eindruck für den von Norden kommenden Besucher. An den Seiten des Corso die beiden Zentralkirchen Sa. Maria dei Miracoli (1678) und Sa. Maria in Monte Santo (1675). Stich von Giovanni Battista Piranesi, 1750.

14. S. Girolamo degli Schiavoni mit der architektonischen Fassung der Flußanlände (vgl. Abb. 7), 1704, zur »Ripetta« durch Alessandro Specchi. Abgerissen nach 1883. Stich von Giovanni Battista Piranesi, 1753.

15. Piazza di Spagna und Spanische Treppe, 1721–1725 von Alessandro Specchi und Francesco de Santis errichtet. Auf der Mitte des Platzes ein Jugendwerk Berninis, ein Brunnen in Gestalt eines schwimmenden Schiffes (Barcaccia). Stich von Giovanni Battista Piranesi, 1750.

16. Blick von der Piazza Venezia über die ganze Länge des Corso, vorn rechts der Palazzo Mancini, Fassade nach 1695. Der Palast wird auch Accademia di Francia genannt, weil diese hier eine große Sammlung von Gipsabgüssen unterhielt. Stich von Giovanni Battista Piranesi, 1752.

17. Fontana Trevi. Nach Neugestaltung der Palast-Rückwand unter Papst Clemens XII. durch Niccolò Salvi 1732 errichtet. Stich von Giovanni Battista Piranesi, 1773.

18. Piazza del Quirinale mit Blick in die Via XX Settembre. In der Mitte der Quirinals-Palast, errichtet ab 1574 als Sommersitz des Papstes. Im Vordergrund die antike, von hinten gesehene Gruppe der Rossebändiger, die dem Platz (Monte Cavallo) seinen Namen gab. Stich von Giovanni Battista Piranesi, 1773.

19. Tritonen-Brunnen, von Bernini 1640 auf der Mitte der Piazza Barberini errichtet. Stich von Giovanni Battista Falda.

20. Das Kapitol mit Sa. Maria in Aracoeli. Zu der Bettelordenskirche führt eine Freitreppe aus dem Mittelalter mit 124 Stufen hinauf. Den Kapitolsplatz ersteigt man mit Michelangelos »Cordonnata« von 1561. Stich von Giovanni Battista Piranesi, 1775 (irrtümlich für 1757?).

21. Das Forum Romanum vor Beginn der archäologischen Ausgrabungen. Ein Weideplatz, gesehen von den drei Säulen vom Tempel des Castor und Pollux nach Südosten. Stich von Giovanni Battista Piranesi, 1772.

22. Die Maxentius-Basilika am Rande des Forums (das sogenannte Templum Pacis), 306 begonnen, von Konstantin dem Großen 312 zu Ende geführt. Der Bau war ursprünglich dreischiffig, nur das nördliche Seitenschiff ist erhalten. Das Blatt ist ein Hauptwerk aus Piranesis Spätzeit (1774).

23. Kolosseum aus der Vogelschau (vgl. die vorbereitende Handzeichnung Seite 23). Das Flavische Amphitheater mit einem größten Längsdurchmesser von 187,77 m faßte 48 000 Sitzplätze und etwa 5000 Stehplätze. Durch schwere Erdbeben seit 441/42 n. Chr. mehrfach große Zerstörungen. Stich von Piranesi, 1776.

24. Seitliche Wand vom Abschluß des Nerva-Forums, wie der Stecher glaubte, heute als seitliche Umfassungsmauer des Augustus-Forums erkannt. Stich von Giovanni Battista Piranesi, 1757.

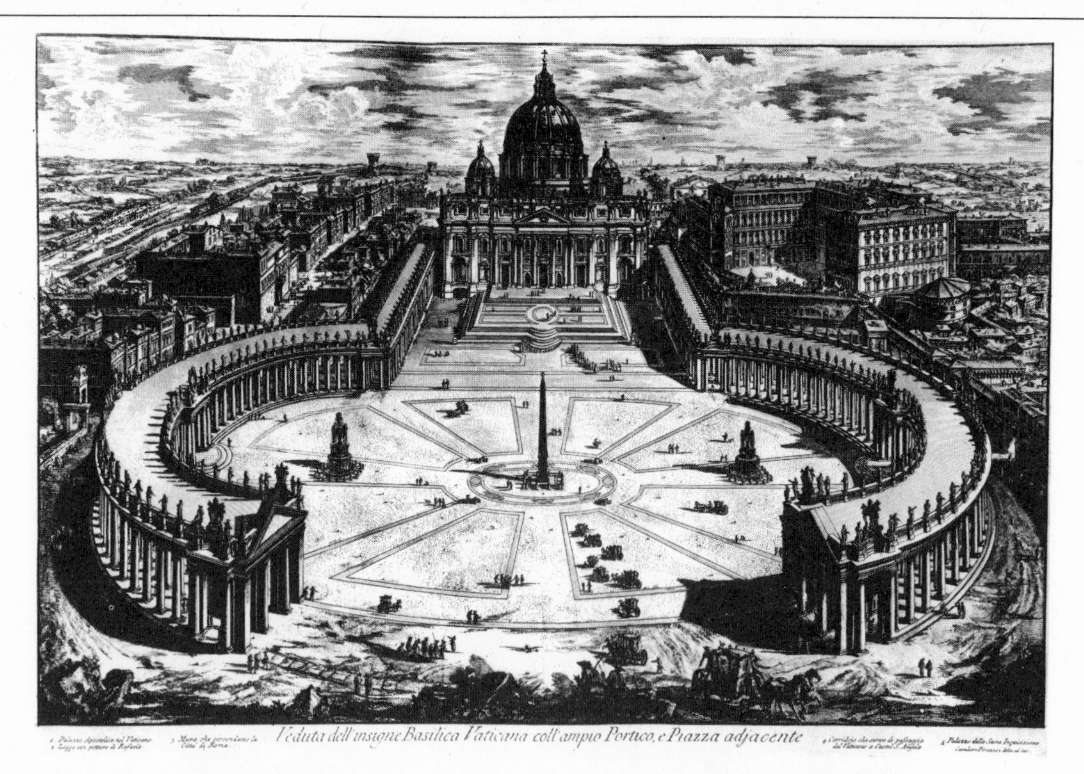

25. Peterskirche und Petersplatz. Die Umrahmung des ovalen Platzes durch die Kolonnaden Berninis erfolgte 1656–1667. Durchmesser der Ellipse 240 m. Stich von Giovanni Battista Piranesi, 1775.

26. Vierung der Peterskirche. Unter der Kuppel, hinter dem Zugang zur Confessio, erhebt sich Berninis Bronzetabernakel (1633). Stich von Giovanni Battista Piranesi, 1773.

27. Der Lateransplatz. Er erstreckt sich nicht vor der Hauptfassade der Basilika, sondern vor der älteren Benediktionsloggia, die seit dem hohen Mittelalter das nördliche Seitenschiff der Kirche verkleidete und um 1600 mit einer zweigeschossigen Arkatur versehen wurde. Am rechten Bildrand das Baptisterium, die älteste Taufkirche der Christenheit. Stich von Giovanni Battista Piranesi, 1775.

28. Engelsbrücke mit Peterskirche und Engelsburg (rechts). Das Bildmotiv war das begehrteste bei allen Rom-Reisenden, in zahllosen Gemälden, Kupferstichen und Zeichnungen verbreitet. Bei der Tiber-Regulierung 1892–1894 verlor die Engelsbrücke ihre ursprünglichen Verhältnisse. Stich von Giovanni Battista Piranesi, 1754.

29. Sa. Maria Maggiore, Apsis und Papst-Kapellen. Als Blickfang für die von Nordosten, von Trinità dei Monti, sich etwa 2 km lang erstreckende Via Sistina konzipiert. Links die Grabkapelle Sixtus V. (1587), rechts die Kapelle Pauls V. (1611). Die zu kleine und schwächliche Apsis stammt von Carlo Rainaldi (1670–1676). Stich von Giovanni Battista Piranesi, 1749.

30. Sa. Maria Maggiore, Inneres. Blick durch das Mittelschiff. Die einzige der sieben Basiliken Roms, die ihren frühchristlichen Innenraum (erbaut nach 431) fast rein bewahrt hat, jedenfalls sind die Raumproportionen die alten. Stich von Giovanni Battista Piranesi, 1768.

31. Sa. Croce in Gerusalemme, Fassade von 1743 von Domenico Gregorini. Eine der sieben Basiliken; hier werden die Reste des Kreuzholzes Christi aufbewahrt, welche die heilige Helena in Jerusalem erwarb. Stich von Giovanni Battista Piranesi, 1750.

32. San Paolo fuori le Mure, Inneres. 1825 wurde die frühchristliche Basilika aus dem vierten Jahrhundert ein Raub der Flammen. Der Stich stellt sehr viel mehr von den Seitenschiffen dar, als das menschliche Auge auf einen Blick zu erfassen vermag. Stich von Giovanni Battista Piranesi, 1749.

AQVAS·CLAVDIAM
QVI·VOCABANTVR·CAERVLEVS
MILLIARIO·LXII·SVA·IMPENSA
CERVLEAM·PERDVCTAS·A·DIVO·CLAVDIO·ET·POSTER
PER·ANNOS·NOVEM·SVA·IMPENSA·VRBI
VESPASIANVS·AVGVSTVS
PODESTATE·X·IMPERATOR·XVII·PATER·PATRIAE
AQVAS·CVRTIAM·ET·CAERVLEAM·PERDVCTAS·A·DIVO·CLAVDIO
A·DIVO·VESPASIANO·PATRE·SVO·VRBI·RESTITVTAS·CVM·A·CAPITE·AQVARVM·A·SOLO·VETVSTATE·DILAPSE·ESSENT

S. Stefano Rotondo
2 Aquedotti dell'Acqua Claudia
Piranesi F.

Altra veduta interna della Villa di Mecenate in Tivoli
A Taverne publiche. B. Cavi ne' quali erano le teste delle
traverature de' palchi, quali servivano anticamente per uso di abitazione

Seite 78/79:

33. Die Tiberinsel. Sie erhielt im ersten vorchristlichen Jahrhundert eine Uferfassung aus Travertin in Form eines Schiffes, die an der Südspitze noch erhalten ist. Auf der Insel die ottonische Kirche S. Bartolomeo. Stich von Giovanni Battista Piranesi, 1775.

34. Porta Maggiore, Stadtseite. Ursprünglich kein Stadttor, sondern der Durchlaß für zwei Straßen unter dem darüber verlaufenden Aquädukt. Die Wasserleitungen wurden um 52 n. Chr. vollendet. Die hier zuerst auftretende Rustika-Gliederung war von großem Einfluß auf Michelangelo. Stich von Giovanni Battista Piranesi, 1775.

35. S. Stefano Rotondo. Nicht gewölbter Rundbau mit mehreren Umgängen, als christliche Kirche zwischen 460 und 480 errichtet. Das Blatt gibt die feine und zarte Strichmanier Piranesis nach seinem Eintreffen in Rom wieder, vor 1745 entstanden.

36. Tivoli, Villa Adriana, Kasematten. Stich von Giovanni Battista Piranesi, 1777.

Seite 80/81:

37. Rom, Villa Pamphili vor der Porta S. Pancrazio. Der größte Park Roms, von der Stadt durch den Janiculus getrennt. Das Casino um 1650 durch Alessandro Algardi für den Fürsten Camillo Pamphili, den Nipoten Innozenz X., errichtet. Stich von Giovanni Battista Piranesi, 1776.

38. Tivoli, Villa d'Este. Die berühmteste und wasserreichste Villa Italiens, ein steiler Terrassengarten. Keine romantische Wildnis mit hohen Bäumen, sondern die ganze Anlage mit niedriger Buschbepflanzung, ursprünglich klar überschaubar. Der Palast aus einem ehemaligen Franziskanerkloster zur Kardinalsresidenz umgebaut. 1549 von Kardinal Ippolito d'Este erworben, der Garten 1559 angelegt. Stich von Etienne Dupérac, 1573.

39. Tivoli, Villa d'Este. Die Bepflanzung mit hohen Bäumen – Pinien und Zypressen – hat begonnen, stört aber noch nicht die Einsicht in die Struktur des Terrassen-Gartens. Stich von Giovanni Battista Piranesi, 1773.

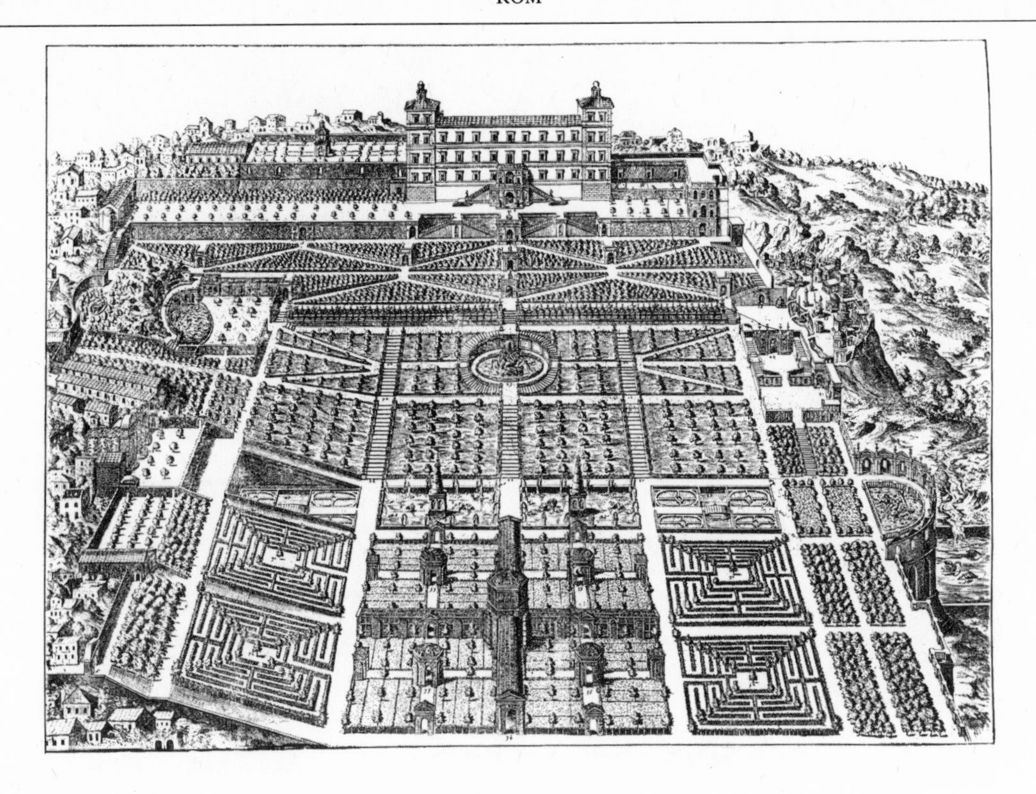

VEDUTA·DELLA
VILLA·ESTENSE
IN TIVOLI

40. Blick auf Dogenpalast und Molo. Stich von Michele Marieschi, 1741. Die Textur der Fassade des Dogenpalasts ist nirgendwo schöner dargestellt als in diesem Stich.

VEDVTA DELLA CHIESA DI S. MARIA FORMOSA
Verso il Campo

Luca Carlevarys del. et inc.

41. Campo von Sa. Maria Formosa. Kirche von 1493–1500, beide Fassaden und der Glockenturm später hinzugefügt. Stich von Luca Carlevaris.

42. Scuola di S. Rocco. Die Fassade des Bruderschaftsgebäudes 1515–1524 von Bon Bergamasco entworfen und das Erdgeschoß aufgeführt, das Obergeschoß 1526–1535 von Lo Scarpagnino. Stich von Luca Carlevaris.

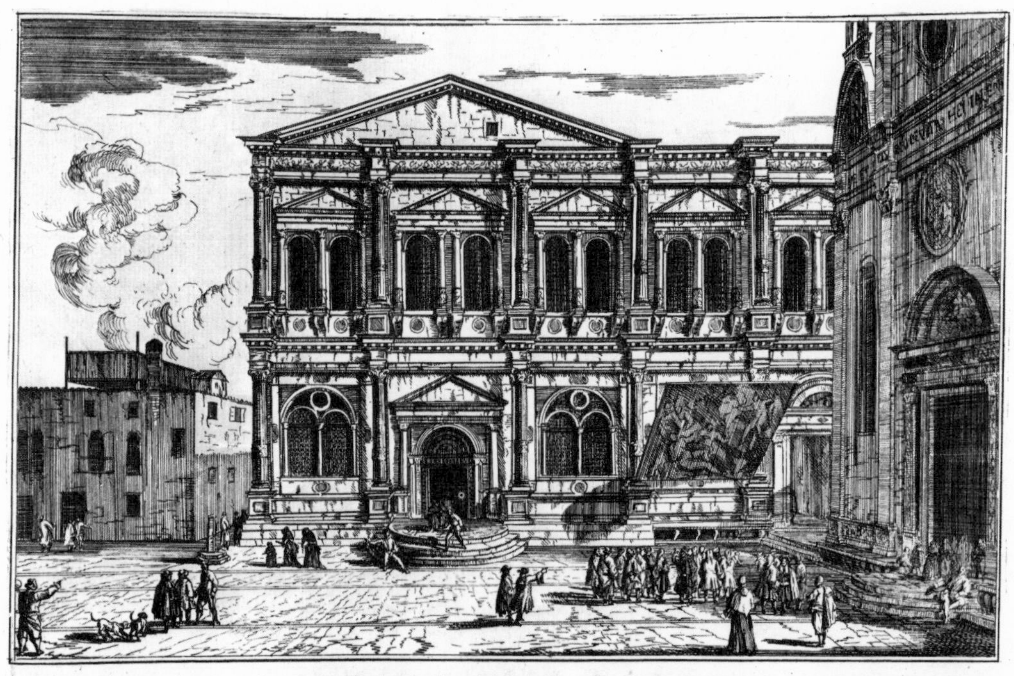

SCVOLA DI S. ROCCO
Architettura di Sebastiano Serlio

Luca Carlevarys del. et inc.

43. Portal des Arsenals, »Ingresso di Terra«, 1460 erbaut, 1578 verändert. Die kolossalen Marmorlöwen sind Beutestücke aus Griechenland (Athen, Insel Delos). Der »Ingresso all'Aqua« ist von zwei Wehrtürmen von 1570 flankiert. Stich von Luca Carlevaris, 1703.

44. Die Dogana (das Zollgebäude), an der Spitze der Landzunge, wo sich Canale Grande und Canale della Giudecca vereinigen. Die Bauten der Zollstation, 1676–1682. In Seitenansicht die Kuppeln von Sa. Maria della Salute. Stich von Luca Carlevaris.

45. Der Canale Grande, von seiner Mündung ins Bacino gesehen. Links die Dogana, dahinter Sa. Maria della Salute und das gotische Kloster von S. Gregorio. Stich nach Canaletto von Visentini, 1742.

46. Ansicht der Piazzetta und der Staatsbauten vom Markusbecken. Am linken Bildrand die Münze (Zecca) von Jacopo Sansovino (1537–1545). Am rechten Bildrand das Staatsschiff des Dogen, der Bucintoro, von dem aus der Doge am Himmelfahrtstag auf hoher See die Vermählung mit dem Meer vollzog. Stich nach Canaletto von Visentini.

47. Blick von der Piazzetta den Molo entlang auf den Anfang des Canale Grande mit Dogana und Sa. Maria della Salute. Stich nach Canaletto von Visentini.

48. Die Rialto-Brücke von Osten. Bis zur Mitte des 19. Jahrhunderts die einzige Verbindung zwischen den beiden Stadtteilen links und rechts des Canale Grande. Im Mittelalter eine hölzerne Zugbrücke, welche die Durchfahrt von Mastenschiffen erlaubte. Die heutige Steinbrücke entstand 1588–1591. Rechts der Palazzo Dolfin-Manin. Stich nach Canaletto.

Pons Rivoalti ad Orientem. 8.

49. Markusplatz, links die alten, rechts die neuen Prokuratien (Amtsgebäude). Stich nach Canaletto.

50. Das Innere des Hofes vom Dogenpalast. Stich von Michele Marieschi, 1741.

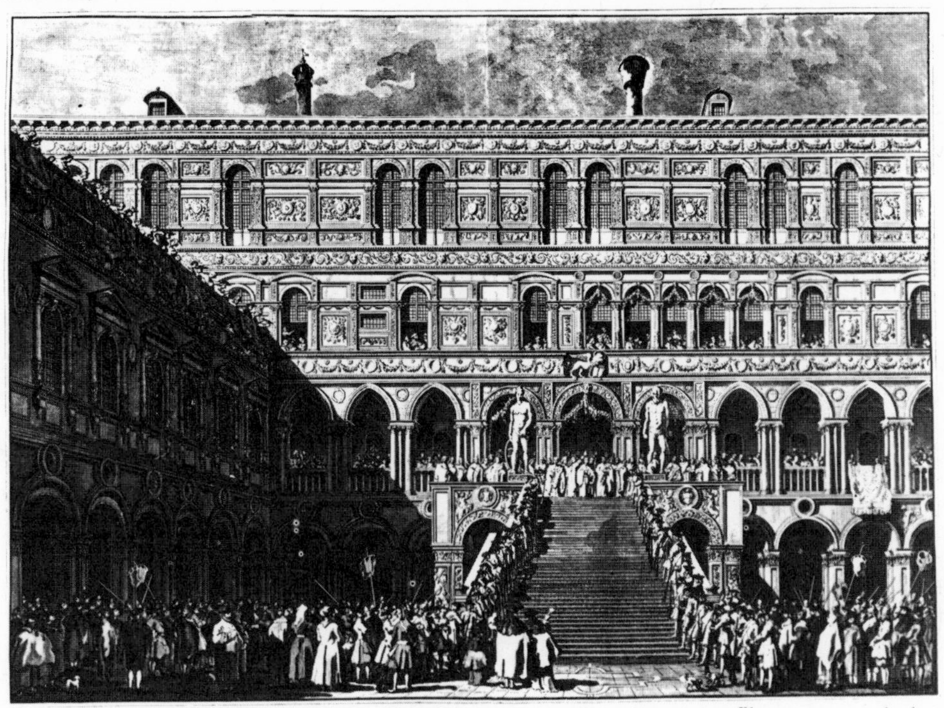

Expleto a Serenissimo DUCE in gestatoria sede Magnæ Divi Marci plateæ circuitu supra gigantum scalam toto spectante Electorum cœtu a seniore Consiliario

51. Die Krönung des Dogen auf der Scala dei Giganti. Im Hintergrund der Ostflügel des Dogenpalasts. Stich nach Zeichnung Canalettos von Brustolon, nach 1766.

52. Sala del Maggior Consiglio, 1340–1365 errichtet, aber nach dem Palastbrand von 1577 neu ausgestattet. Die Holzdecke nach dem Entwurf von Cristoforo Sorte dekoriert. Die drei großen Mittelbilder von Veronese, Tintoretto und Jaopo Palma. Stich nach Zeichnung Canalettos von Brustolon.

Serenissimus electus Dux in Consilio Majori, pro sibi collata summa Reipublicae Dignitate.

53. Platz vor SS. Giovanni e Paolo, beherrscht von der Bettelordenskirche gleichen Namens. Die Dominikanerkirche, ein Backsteinbau des 14. Jahrhunderts, war die bevorzugte Grabeskirche der Dogen und des Stadtadels. Links von der Fassade die Scuola Grande di S. Marco (1485–1495). Auf dem Platz vor der Kirche das Reiterdenkmal für den Söldnerführer Colleoni von Verrocchio (1496). Stich nach einem Gemälde Canalettos von Visentini.

54. Santa Maria della Salute. Im Pestjahr 1630 von der Signoria der Madonna gelobt, um das Ende der Epidemie zu erflehen. 1631–1687 von Baldassare Longhena als Zentralbau errichtet. Stich nach Zeichnung von Canaletto von Brustolon.

Annua votiva profectio Serenissimi Principis, comitante Senatu, ad ædem Deiparæ Virginis de Salute, ob cives a pestilentia servatos

55. Capriccio mit S. Giorgio Maggiore. Von den Bauten auf der Insel ist nur die Fassade der Benediktinerkirche (von Palladio erst 1597–1610 errichtet) getreu wiedergegeben. Alles andere ist freie Phantasie (der Turm in Rokokoformen u. a.). Nach Zeichnung Canalettos von Giuseppe Wagner vor 1746 gestochen.

56. Regatta auf dem Canale Grande. Links der Palazzo Balbi-Guggenheim, 1582–1590, rechts der Palazzo Nani-Mocenigo, 15. Jahrhundert. Nach einem Gemälde Canalettos gestochen von Visentini.

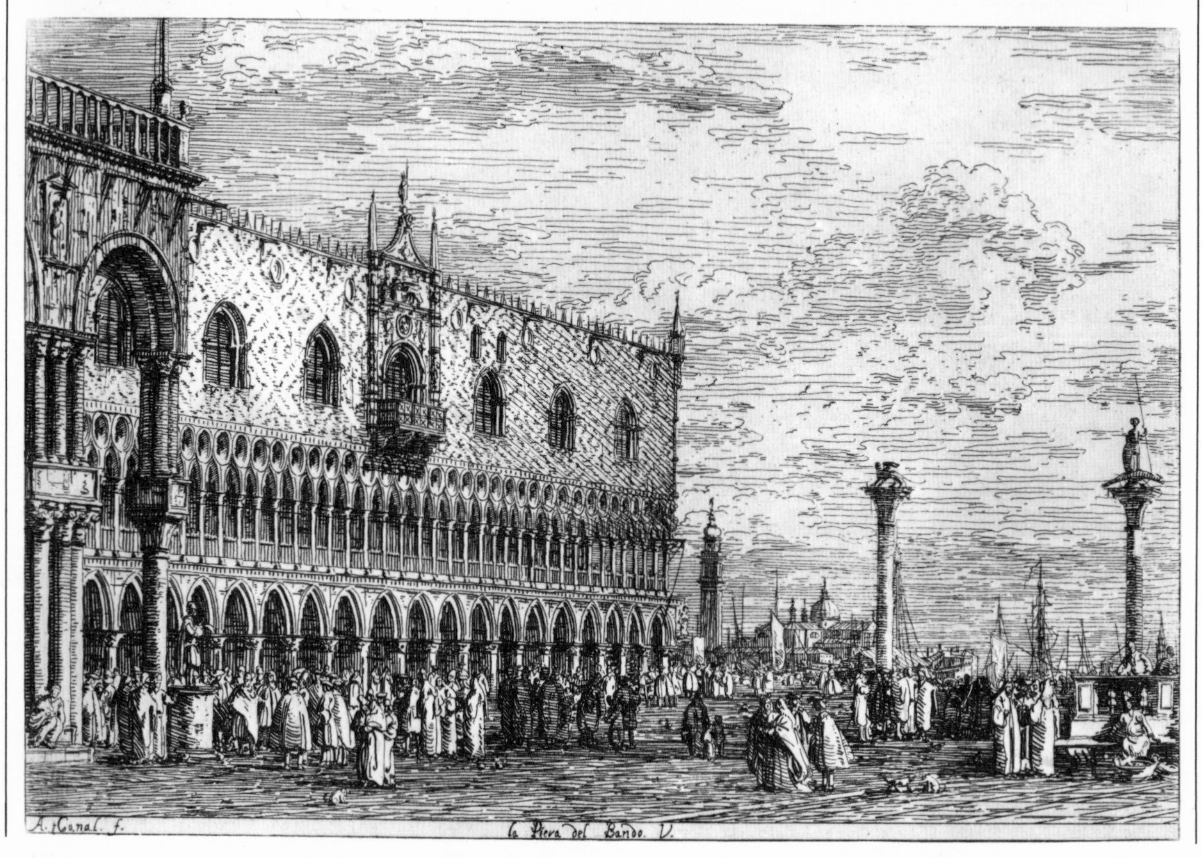
A. Canal. f.
la Piera del Bando. V.

A. Canal f. 1

A. Canal f.
La Preson. V.

Seite 92/93:

57. Antonio Canale (Canaletto). Das Haus von 1741. Halb phantastische Stadtansicht von Venedig.

58. Antonio Canale. Die Piazzetta. Unterschrift: »La fiera del Bando.« Vor 1746.

59. Antonio Canale (Canaletto). Die Stadt mit dem Bischofsgrab. Linker Rand der Platte zerstört.

60. Antonio Canale. Die Riva degli Schiavoni mit dem Ostflügel des Dogenpalasts, den Prigioni und im Hintergrund dem Palazzo Dandolo. Vor 1746.

Seite 94/95:

61. Antonio Canale. Der Porticus mit Laterne. Vor 1746.

62. Antonio Canale. Landschaft mit Pfeiler und Wandbrunnen. Vor 1746.

63. Antonio Canale. Die Terrasse. Vor 1746.

64. Antonio Canale. Le Porte del Dolo. Die Schleuse trennt den kleinen Hafen von der Brenta. Vor 1746.

Seite 96/97:

65. Der Arno mit dem Ponte SS. Trinità. Die Brücke von Bartolomeo Ammanati zwischen 1567 und 1570 erbaut, vielleicht unter Verwendung eines Entwurfs von Michelangelo, auf dem rechten Ufer der Palazzo Spini. Stich nach Giuseppe Zocchi, 1744.

Seite 98/99:

66. Das südliche Arno-Ufer, Oltr'Arno, von der Porta alla Croce gesehen. Links die gotische Befestigung von Porta S. Niccolo, erbaut um 1323, abgerissen 1870. Auf dem Hügel die Fortezza del Belvedere, im Mittelgrund der vierstöckige Palazzo Torrigiani, im Hintergrund Ponte delle Grazie. Stich nach Giuseppe Zocchi, 1744.

67. Piazza della Signoria. Links der Palazzo Vecchio, das um 1300 erbaute Rathaus, in der Mitte die Loggia dei Lanzi aus dem 14. Jahrhundert. Das Blatt gibt eine Huldigung des in der Loggia thronenden Großherzogs am Johannistag wieder. Stich nach Giuseppe Zocchi, 1744.

68. Kirche und Piazza von Sa. Croce anläßlich der Abhaltung eines feierlichen Fußballspiels in Gegenwart des großherzoglichen Paares 1738. Stich nach Giuseppe Zocchi, 1744.

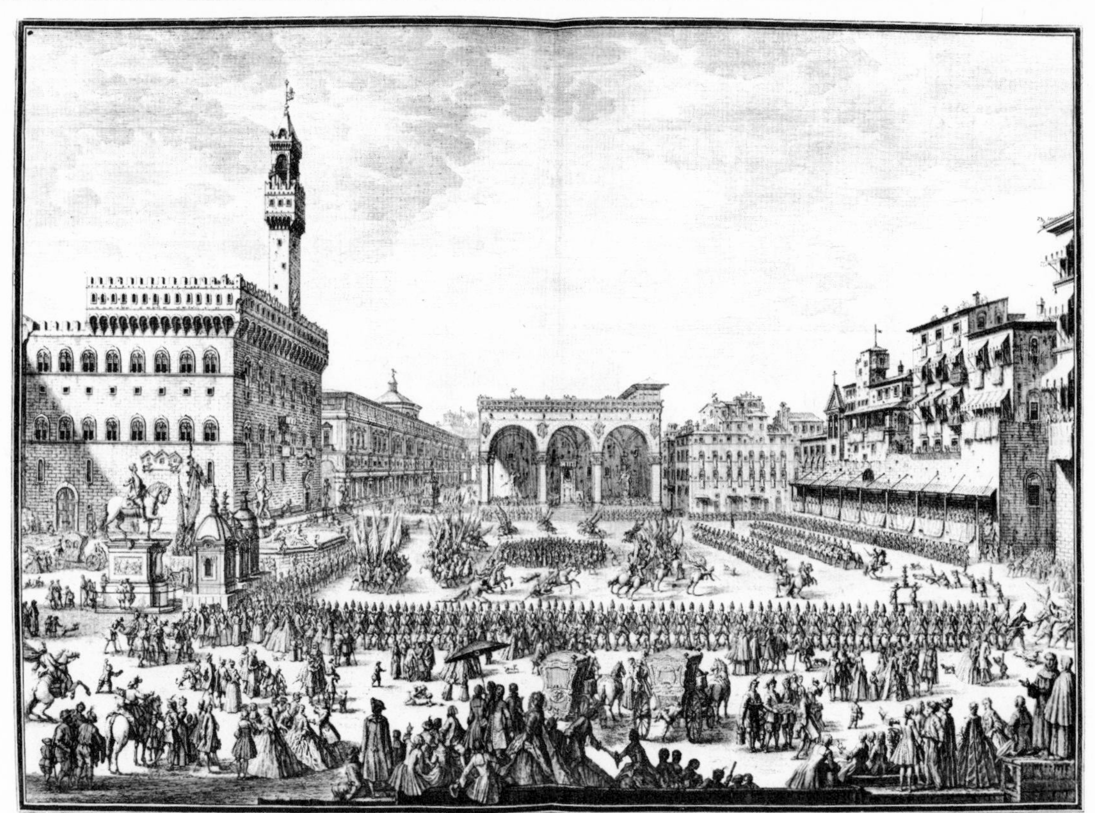

Veduta del Palazzo Vecchio del G. D. della Loggia, e della Piazza con la Festa degli Omaggi nella Solennità di S. Gio. Batista Protettore della Città. T. LIII.

Veduta della Chiesa, e Piazza di S. Croce con la festa del Calcio fatta l'anno 1738 alla Real presenza de Regnanti Sovrani. XXIV.

69. Die florentinische Badia und das Bargello, der Amtssitz des Bürgermeisters, heute das Nationalmuseum für Skulptur, aufgenommen von San Firenze. Stich nach Giuseppe Zocchi, 1744.

70. Piazza Santissima Annunziata. In der Mitte die Kirche mit der Rotunde, links die Loggia der Bruderschaft der Servi di Maria, rechts die Fassade des Findelhauses. In der Mitte des Platzes das Reiterdenkmal von Großherzog Ferdinand I. von Giovanni da Bologna. Stich nach Giuseppe Zocchi, 1744.

71. Domplatz mit Campanile und Baptisterium während der Fronleichnamsprozession. Der Dom im 14. Jahrhundert erbaut, die Kuppel 1434 vollendet, das romanische Baptisterium 1150 fertiggestellt. Stich nach Giuseppe Zocchi, 1744.

72. Blick aus der Loggia am Arno auf die Uffizien mit Palazzo Vecchio und Domkuppel im Hintergrund. Die Uffizien als Verwaltungsräume der großherzoglichen Regierung, von Vasari ab 1560 erbaut. Stich nach Giuseppe Zocchi, 1744.

73. Villa Pratolino an der Straße nach Bologna. Der berühmteste Park aus der zweiten Hälfte des Cinquecento, 1569 von Bernardo Buontalenti begonnen für Großherzog Francesco I., 1579 bezogen. Stich nach Giuseppe Zocchi.

74. Brunnenfiguren im Park, durch mechanische Kräfte bewegt, vor allem aber die 11 m hohe Figur des Apennin aus Fels, Backstein und Mörtel, geschaffen um 1580 von dem Niederländer Giovanni da Bologna. Stich von Stefano della Bella.

75. Villa Cafaggiolo am Nordende des Mugello. Mittelalterliches Kastell, 1451 umgebaut von Michelozzo Michelozzi für Cosimo den Älteren Medici. Noch keine Renaissancevilla, eher ein spätmittelalterliches Manoir mit Zugbrücke und Wehrturm. Stich nach Giuseppe Zocchi, 1744.

76. Villa Montegufoni (südöstlich von Empoli über dem Pesa-Tal). Mittelalterliches Kastell der florentinischen Familie Acciaiulo mit barocker Fassade und Terrassen. Stich nach Giuseppe Zocchi, 1744.

Villa di Monte Gufoni delli SS.ri Marchesi Acciaioli 5.

77. Villa Rospigliosi in Lamporecchio (südlich von Pistoja, vor den Albanerbergen). Baubeginn im Auftrag von Papst Clemens IX. aus der Familie Rospigliosi im Todesjahr des Papstes 1669, unvollendet. Architekt war der Bernini-Schüler Mattia dei Rossi. Stich nach Giuseppe Zocchi, 1744.

78. Villa Petraja (unmittelbar nördlich von Florenz, Richtung Sesto). Anstelle eines mittelalterlichen Kastells 1576–1589 von Bernardo Buontalenti für Großherzog Francesco I. als suburbane Villa umgebaut. Die Gärten von Tribolo angelegt. Stich nach Giuseppe Zocchi.

79. Villa Artimino, hoch über dem Arno-Tal, westlich von Lastra a Signa anstelle eines pistojesischen Kastells von Bernardo Buontalenti für Großherzog Ferdinand I. erbaut. Stich nach Giuseppe Zocchi, 1744.

80. Villa Castel Pulci bei Lastra a Signa. Um 1280 für die florentinische Patrizierfamilie Pulci erbaut, die es schon Anfang des 14. Jahrhunderts aufgeben mußte. Um 1740 im Besitz der Marchesi Riccardi, auf welche die Zypressenallee als Zufahrt zurückgehen dürfte. Stich nach Giuseppe Zocchi, 1744.

81. Turin, Palazzo Reale, 1646 von Amadeo Castellamonte begonnen, 1658 bezogen. Stich von Romeyn de Hooghe für Blaeus Piemont-Werk von 1693.

82. Turin, Piazza S. Carlo, erbaut von Carlo de Castellamonte, 1640 vollendet. Die beiden Kirchen (links S. Carlo, 1619, rechts Sa. Cristina, 1635) besaßen 1693 noch die alten Fassaden und Campanili. Stich für Blaeu.

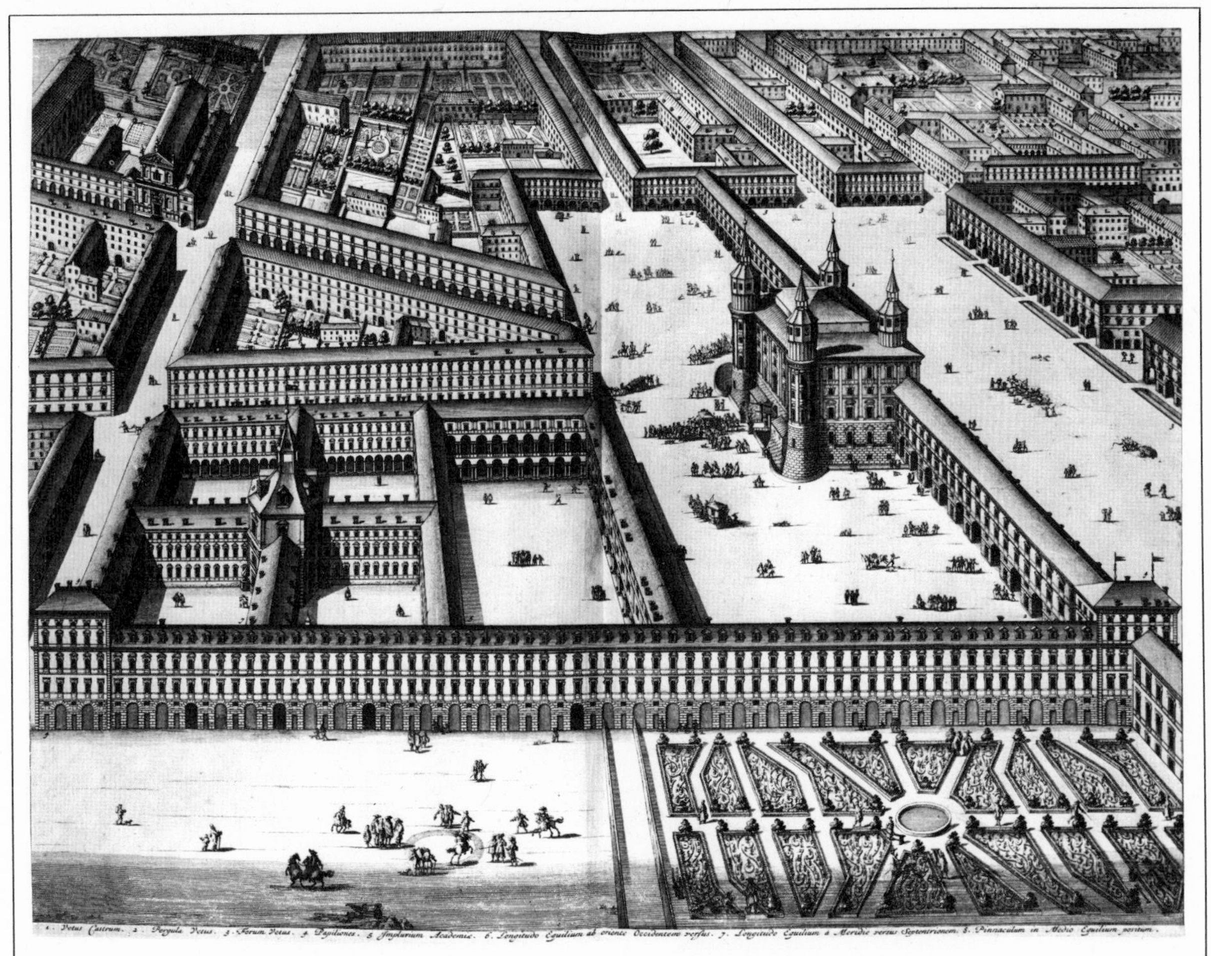

83. Piazza Castello. Der Palazzo Madama bot sich 1693 noch als mittelalterliches Kastell dar. Erst 1718 legte Filippo Juvara der Westseite die berühmte Fassade und das Treppenhaus vor. Stich für Blaeu.

84. Municipio. Der Mittelteil von Francesco Lanfranchi 1658–1665 errichtet, die Flügelbauten im 18. Jahrhundert von Benedetto Alfieri hinzugefügt. Stich für Blaeu.

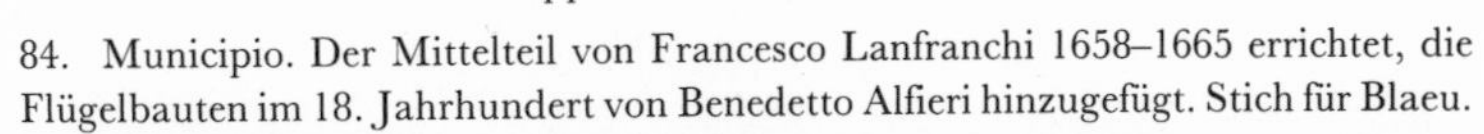

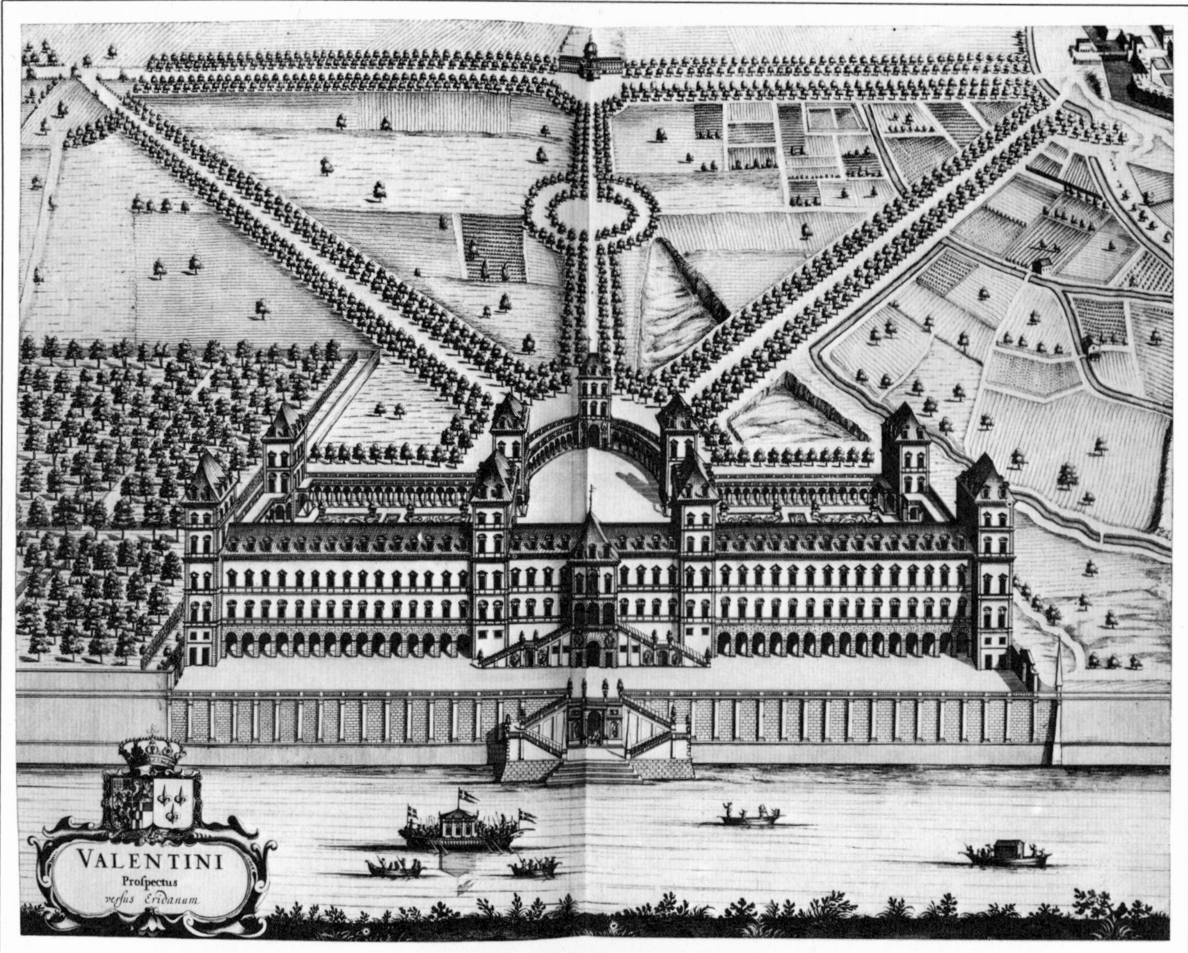
VALENTINI
Prospectus
versus Eridanum

REGIÆ
VENATIONIS
ÆDIUM

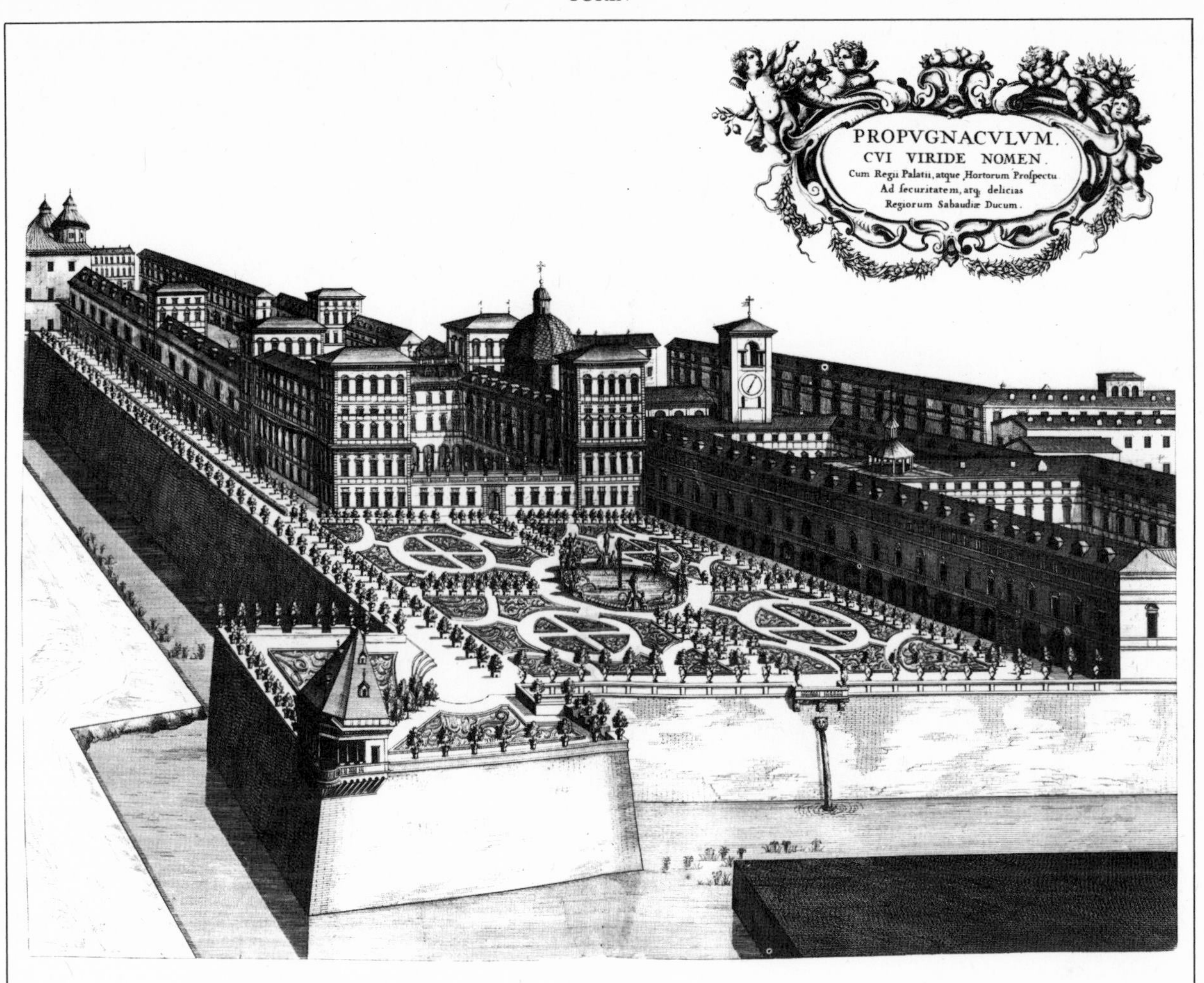

85. Castel del Valentino, erbaut ab 1633 am linken Ufer des Po, damals noch außerhalb der Stadt, für die Regentin Cristina di Francia, Witwe von Victor Amadeo I. Obwohl von Carlo und Amadeo di Castellamonte errichtet, mit hohen Türmen und steilen Dächern ganz dem Typ des französischen Renaissanceschlosses folgend. Stich für Blaeu.

86. Venaria Reale. In dem alten Städtchen wurde ein Jagdschloß für Carlo Emanuele II. errichtet (1634–1675). Die einheitliche Stadtanlage der Castellamonte beginnt mit einem von Portiken umzogenen zentralen Platz mit zwei seitlichen Exedren. Stich für Blaeu (beschnitten).

87. Turin, Schloßgarten und Schloß von Norden, unmittelbar am Festungsgraben. Im Mittelpunkt Campanile und Kuppel der Kathedrale. Stich für Blaeu.

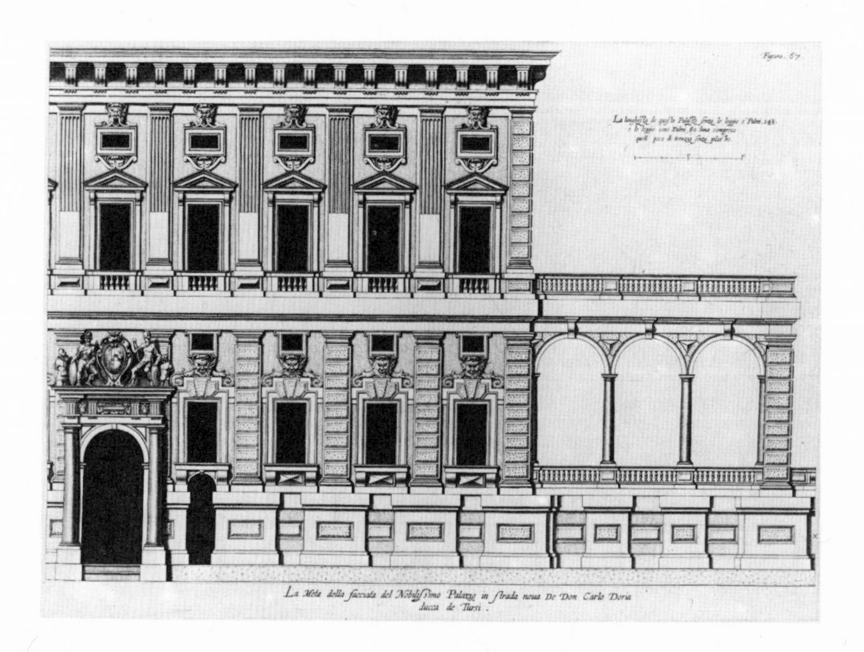

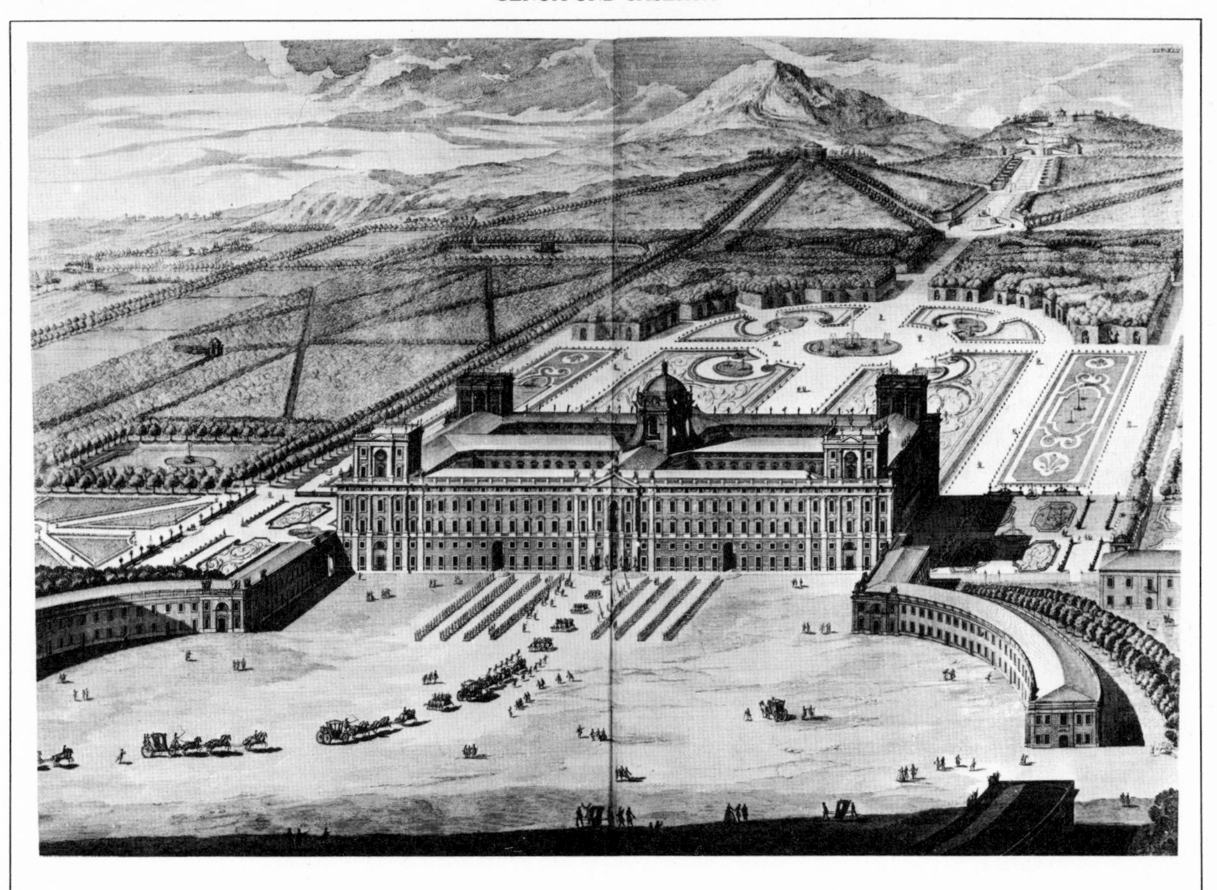

88. Genua, Palazzo Saluago, Via Garibaldi 12, erbaut von Rocco Lurago. Stich nach Rubens, Palazzi di Genova.

89. Genua, Palazzo Doria-Tursi, errichtet um 1564 für Nicolo Grimaldi von Rocco Lurago, heute Municipio, Via Garibaldi 9. Stich nach Rubens.

90. Caserta, errichtet 1752 für den König beider Sizilien Karl III. in der Absicht, mit diesem Schloß den größten Palast der Welt zu bauen. Das Schloß hat 34 Treppenhäuser, 1200 Zimmer und 1700 Fenster. Der Baukörper besteht aus einem Block von 208×165 m mit vier rechteckigen Innenhöfen, die durch zwei sich rechtwinklig schneidende Trakte entstehen. Die vier Turmaufbauten über den Ecken und der Kuppelaufbau über dem Schnittpunkt der Trakte fielen in der Ausführung fort. Die Mittelachse der Gartenanlage ist mit Wasserspielen besetzt. Sie beginnen mit einer ungefaßten Kaskade, die den abschließenden Berg hinabstürzt. Stich nach L. Vanvitelli, Neapel 1756.

91. Escorial. Einzigartige Vereinigung von Kirche und Kloster der Hieronymiten mit einer königlichen Residenz und dem Mausoleum des spanischen Königshauses. Votivkloster, geweiht dem heiligen Laurentius, dem Philipp II. vor der Schlacht bei St. Quentin gegen die Franzosen am Laurentiustag 1557 die Erbauung von Kirche und Kloster gelobt hatte. 1562 nach Plan von Juan Bautista de Toledo begonnen, 1567 fortgeführt von Juan de Herrera. 1574 Baubeginn der Kirche, 1595 Weihe. Granitbau von 206 m Länge und 161 m Breite. Stich von F. de Wit.

92. Aranjuez, Hofseite. Gartenfront. Die beiden Flügelbauten wurden 1775–1778 von Karl III. hinzugefügt.

93. Aranjuez. 1561 von Juan Bautista de Toledo für Philipp II. begonnen, 1567–1586 von Juan Herrera weitergeführt, die Seitenkuppeln unter Einfluß Vignolas. 1725–1732 Weiterbau von Pedro Carlo Idogro. Schwerer Brand 1748. Stich von Manuel Salvador y Carmona, 1773.

Palacio Real
de Aranjuez.
Visto desde la Calle del medio que pasa
entre los Quarteles de Guardias de Infanteria
Por D. Domingo de Aguirre Capitan de Infanteria
Ingeniero Ordinario de los R. E. Plazas y F.
Delineado en
el Año de 1773.

Real Palacio
de Aranjuez.
Visto desde la entrada
por el Puente de Barcas
Por D. Domingo de Aguirre Capitan de Infanteria
Ingeniero Ordinario de los R. E. Plazas y F.
Delineado en
el Año de 1773.

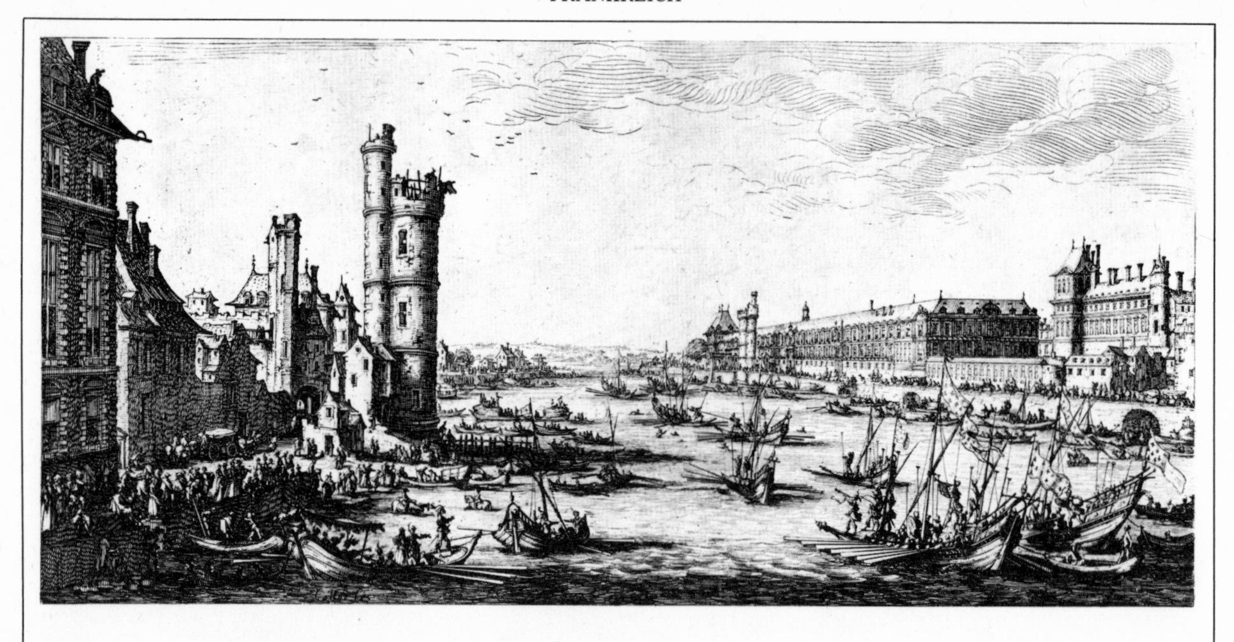

Seite 114/115:

94. Pont Neuf (1606 errichtet) mit dem Reiterdenkmal König Heinrichs IV. von Giovanni da Bologna, aufgestellt 1614, zerstört in der Französischen Revolution 1792. Stich von Perelle.

Seite 116:

95. Blick auf das rechte Seine-Ufer, das Palais Bourbon, den Louvre und die Tuilerien. Auf dem linken Ufer Tour de Nesle und Porte de Nesle, die noch von der Befestigung von Philippe Auguste stammen, und andere verschwundene Bauten. Im Vordergrund ein Festspiel auf dem Wasser unter Beteiligung der Barken des Hofes anläßlich der siegreichen Heimkehr Ludwigs XIII. 1626 von der Belagerung von La Rochelle. Stich von Jacques Callot, 1630.

96. Pont Neuf, gesehen von der Tour de Nesle, dahinter die Porte de Nesle. Diese Bauten wurden anläßlich der Erbauung des Collège des quatre Nations vor 1665 abgerissen. Stich von Jacques Callot, 1630.

97. Palais de Luxembourg, errichtet ab 1615 für die Königin Maria von Medici von Salomon de Brosse. Ansicht von der Gartenseite. Stich von Israel Silvestre.

98. Gartenhaus des ersten Erzbischofs von Paris, Jean François de Gondy. Diese italienische Familie hatte sich in der Nähe des Luxembourg, in der Nachbarschaft der Medici-Königin, angesiedelt. Stich von Israel Silvestre.

LA PORTE DE LA CONFERENCE ainsi appellée à cause que l'on y tint quelques aßemblées du tems de la ligue, son veritable nom est la Porte des Thuilleries, elle a esté rebastie de neuf du regne de Louis 13. l'an 1633. un peu auant que d'entrer par cette porte on a cette veuë admirable de la ville de Paris comme vous le voyez icy. Cette porte fut abbatue l'an 1730. Perelle fecit
A PARIS chez I. Mariette Ruë St. Iacques à la Victoire . . . auec priuil. 134

LA PORTE S.T BERNARD fut construite sous le regne de Henri 4. l'an 1606. et refaite beaucoup plus commode qu'auparauant par le partage de 2. portes égales sous le regne de Louis 14. l'an 1674. auec plusieurs inscriptions sur les Victoires de ce grand Monarque. & le sieur Blondel en fut l'Architecte. Cette face regarde le Mail
A PARIS Chez N. Langlois rue st. Jacque a la Victoire auec privilege du Roy

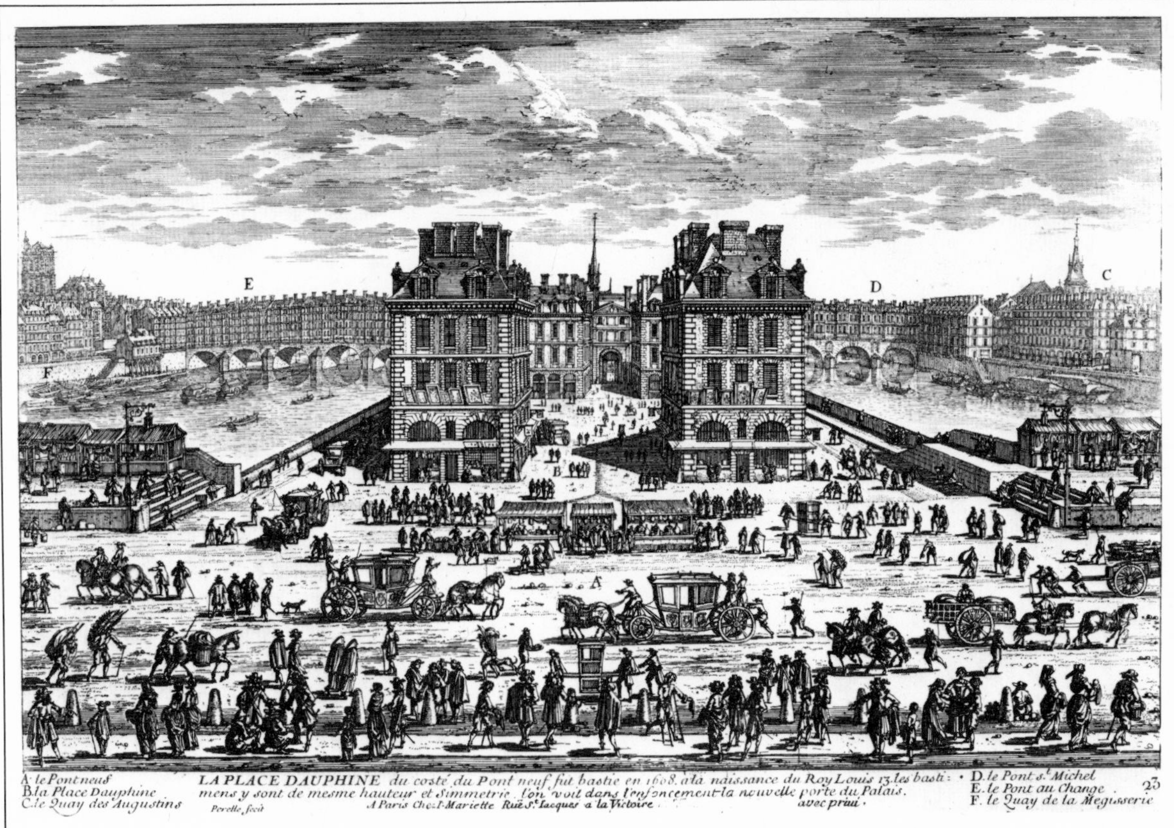

99. Porte de la Conférence oder auch Porte des Tuileries, erbaut 1633 unter Ludwig XIII. Hinter dem Tor ist der Flußpavillon der Tuilerien sichtbar, abgerissen 1730. Stich von Perelle.

100. Porte St. Bernard mit Pont de la Tournelle, im Hintergrund die Türme von Notre Dame. Errichtet von François Blondel 1674. Reliefschmuck von Tuby (abgerissen). Stich von Perelle.

101. Place Dauphine. Auf der westlichen Spitze der Seine-Insel ist das Gelände zwischen Pont Neuf und Palais de Justice zu einer städtebaulichen Meisterleistung benutzt worden: zu einer triangelförmigen Platzanlage (1607). Stich von Perelle.

102. Der Pont-au-Change, 1639 erneuert. Beide Seiten der Brücke mit engbrüstigen, hohen Häusern besetzt, die 1788 auf Befehl des Königs abgerissen wurden. Stich von Perelle.

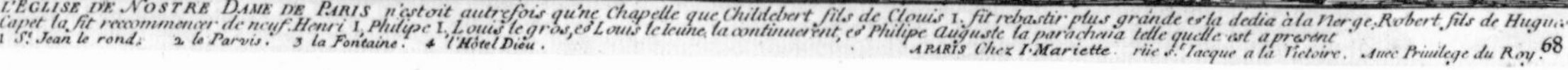

L'EGLISE DE NOSTRE DAME DE PARIS n'estoit autrefois qu'ne Chapelle que Childebert fils de Clouis 1. fit rebastir plus grande et la dedia à la Vierge, Robert, fils de Hugues Capet la fit recommencer de neuf. Henri 1, Philipe 1, Louis le gros, et Louis le Ieune, la continuerent, et Philipe Auguste la paracheua telle quelle est a present
1 S.t Jean le rond. 2 le Parvis. 3 la Fontaine. 4 l'Hôtel Dieu. A PARIS Chez I. Mariette rüe S.t Iacque a la Victoire. Auec Priuilege du Roy. 68

1. Passage du Pont de l'Hôtel Dieu. 2. Palais et 3. Tour de l'Archevéché. 4 Notre Dame.

LA TESTE DE L'ISLE DU PALAIS derriere l'Eglise Nôtre Dame à l'endroit où la Riviere se divise en deux Bras pour former le grand et le petit Cours, est revetüe d'un Quay de pierre de taille, qui embrasse ce qu'on nomme le Terrein sur lequel le Chapitre à fait planter un Jardin en 1687. Le Pont de l'Hôtel Dieu fut bâti en 1636. Il porte un grand Batiment dans sa longueur et un autre plus grand en travers sur sa premiere Arche dont la voute est continüée jusqu'à un autre Pont derriere celui ci qui communique à ce dernier Batiment qu'on apelle la Salle de S.t Charles. A Paris chez I. Mariette rue S.t Jacques à la Victoire. Avec Privilege du Roi.

5. Jardin du Terrein. 6. Maisons du Cloitre. 7. L'Isle Nôtre Dame. 8 Grand et 9. Petit Cours de la Riviere. 69

103. Westfassade von Notre Dame mit dem sogenannten »Parvis« davor. Am rechten Bildrand das Hôtel Dieu (1868 erneuert). Stich von Perelle.

104. Die Seine-Insel von Südosten mit dem Blick auf Chor und Querhaus von Notre Dame. Zwischen Kaimauern und Kirche ein Garten, den das Domkapitel 1687 anlegen ließ. Links der 1636 erbaute Pont de l'Hôtel Dieu. Stich von Perelle.

105. L'Ile de la Cité. Notre Dame, Südfassade, vom Fluß getrennt durch das Erzbischöfliche Palais, das 1831 abgerissen wurde. Stich von Israel Silvestre.

106. Palais des Justice. Fassade der Chambre des Comptes. Ansicht bis zum Brande von 1737. Die Cité-Insel war das ganze Mittelalter hindurch die Residenz der französischen Könige, die in ihrem Palais umgeben waren von ihrer Palastkirche (die Ste Chapelle), der Finanzbehörde und dem Parlament. Stich von Perelle.

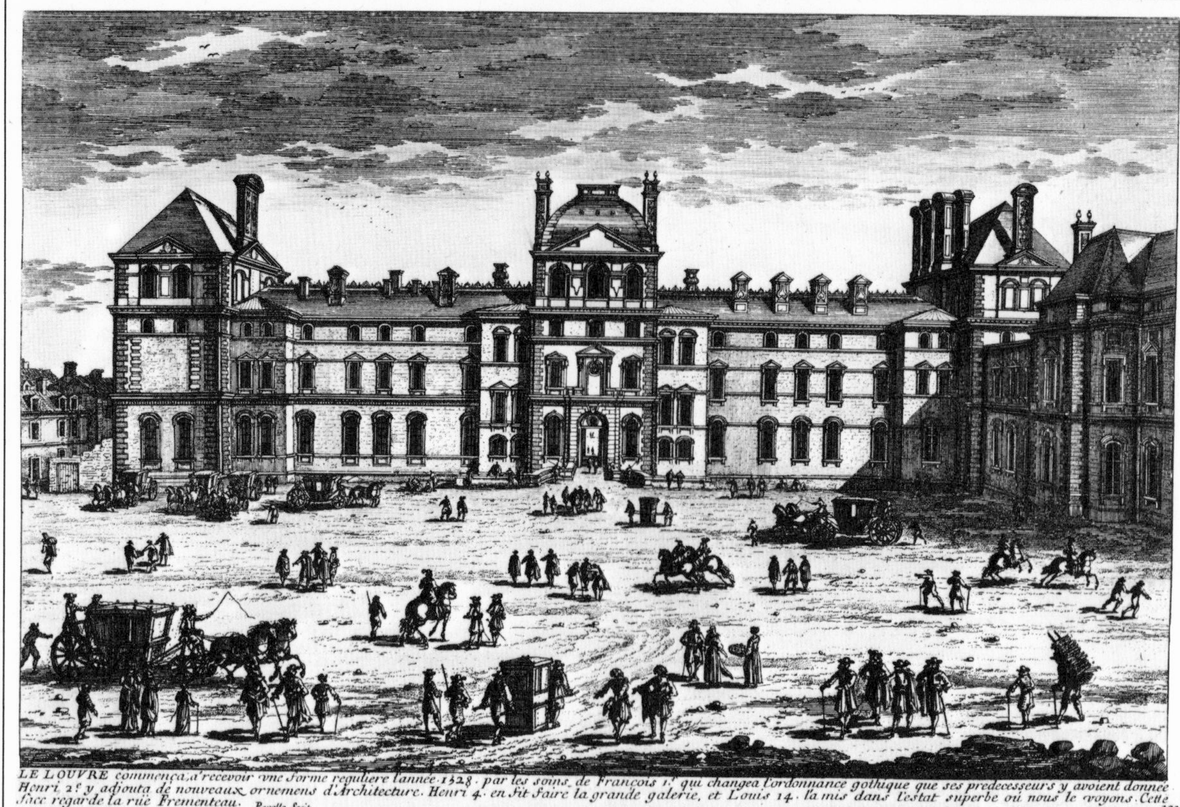

LE LOUVRE commença a recevoir vne forme reguliere l'année 1528. par les soins de François 1.er qui changea l'ordonnance gothique que ses predecesseurs y avoient donnée. Henri 2.e y adjouta de nouveaux ornemens d'Architecture. Henri 4. en fit faire la grande galerie, et Louis 14. la mis dans l'estat superbe où nous le voyons. Cette face regarde la ruë Frementeau. Perelle Sculp. 101

a Paris Chez I Mariette, ruë S.t Iacque a la Victoire. Avec privilege du Roy.

N. De Poilly ex Cum Priuil. Regis

Veüe en perspectiue et en General du Louure

107. Der Louvre. Südfassade von Louis Le Vau, 1660–1663. Stich von Perelle.

108. Der Louvre von Südosten, ganz rechts die Perrault-Kolonnade, im Hintergrund als Abschluß die Tuilerien.

109. Die Bastille. Mittelalterliche Festung mit acht Türmen, von Gräben umzogen. Grundsteinlegung 1370 durch König Karl V., zerstört bei Ausbruch der Französischen Revolution 1789. Stich des 17. Jahrhunderts von Matthäus Merian.

110. Der Louvre von Osten. Blick über die Fassade Claude Perraults in die Cour carrée, den geschlossenen Hof, begonnen 1540 von Pierre Lescot für Franz I.

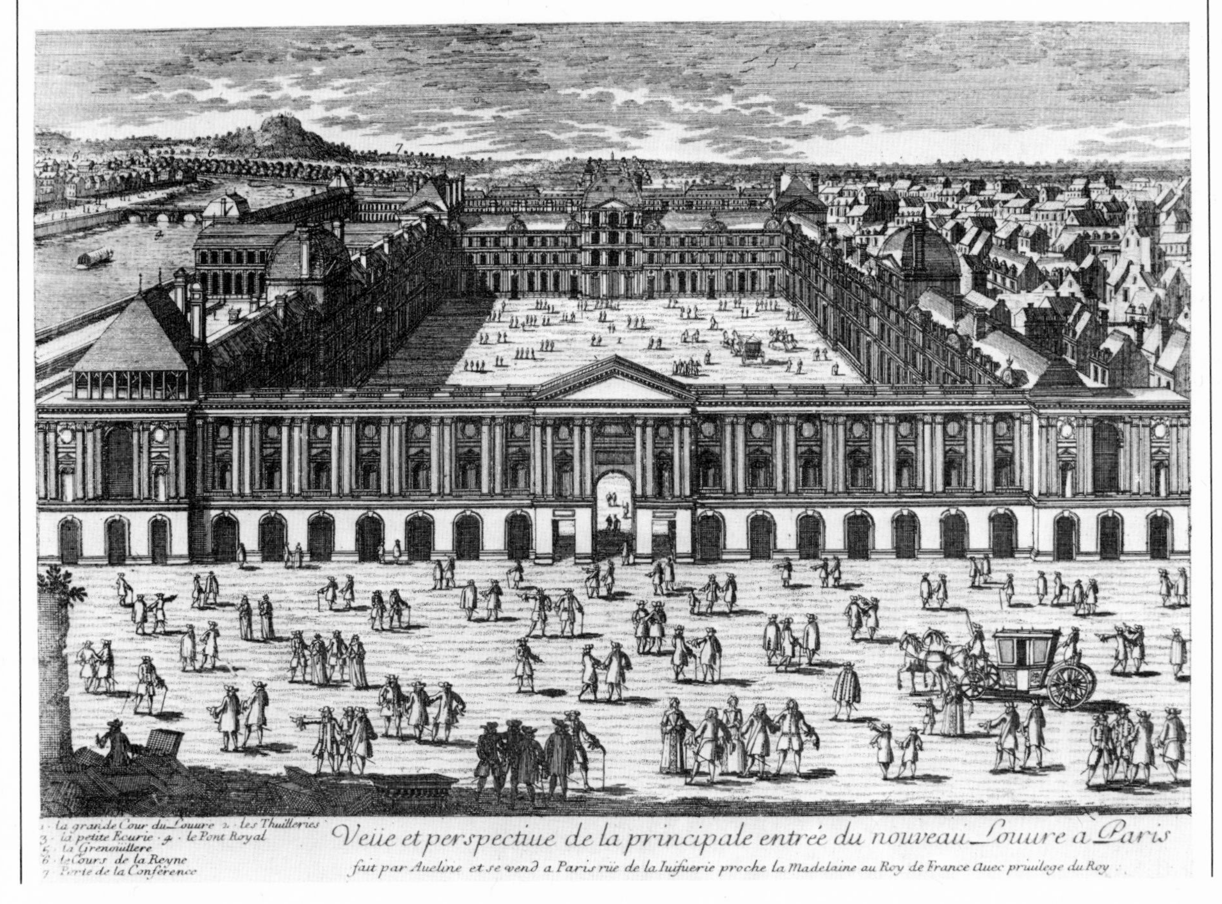

111. Die Tuilerien. Errichtet in mehreren Bauabschnitten, begonnen 1564 für die Königin Katharina Medici von Philibert de l'Orme, größte Ausdehnung 1659 erreicht. 1871 beim Aufstand der Comune zerstört. Seither ist der Louvre-Komplex nach Westen offen. Stich von Perelle.

112. Die Tuilerien, Westseite. Der Garten, von Katharina Medici begonnen, von Le Nôtre erweitert, erstreckte sich bis zur Place de la Concorde. Stich von Perelle.

113. Palais Royal, 1629–1639 von Jacques Le Mercier für den Kardinal Richelieu erbaut. Seit die Witwe Ludwigs XIII. hierher übersiedelte, Palais Royal. Zustand zur Zeit Richelieus. Der heutige Bau von Contant d'Ivry wurde 1752–1770 fast vollständig neu errichtet. Stich von Perelle.

114. Garten des Palais Royal. 1635 das Parterre begonnen mit Broderien, die zu den frühesten der französischen Gartenbaukunst zählen.

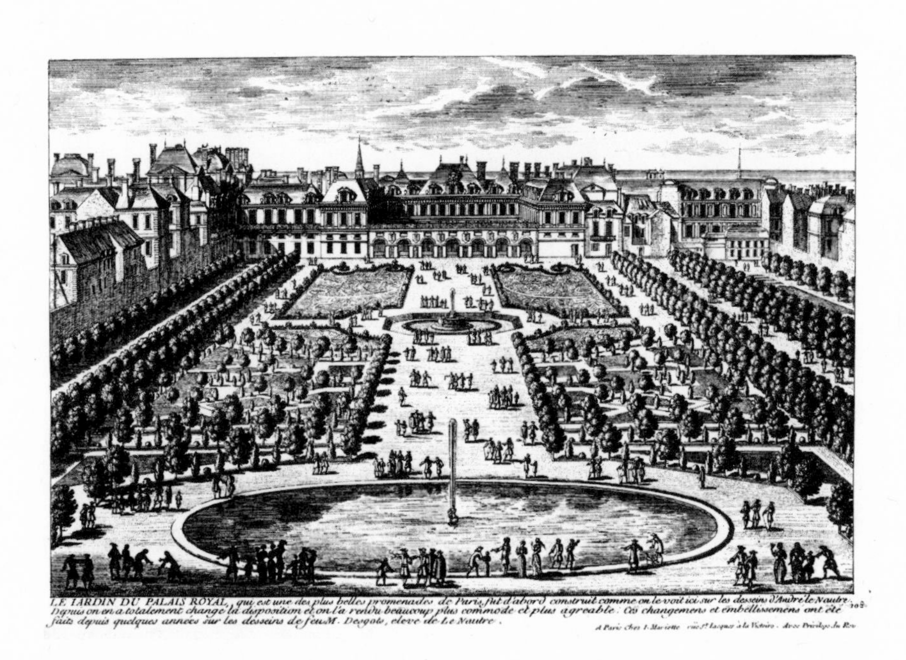

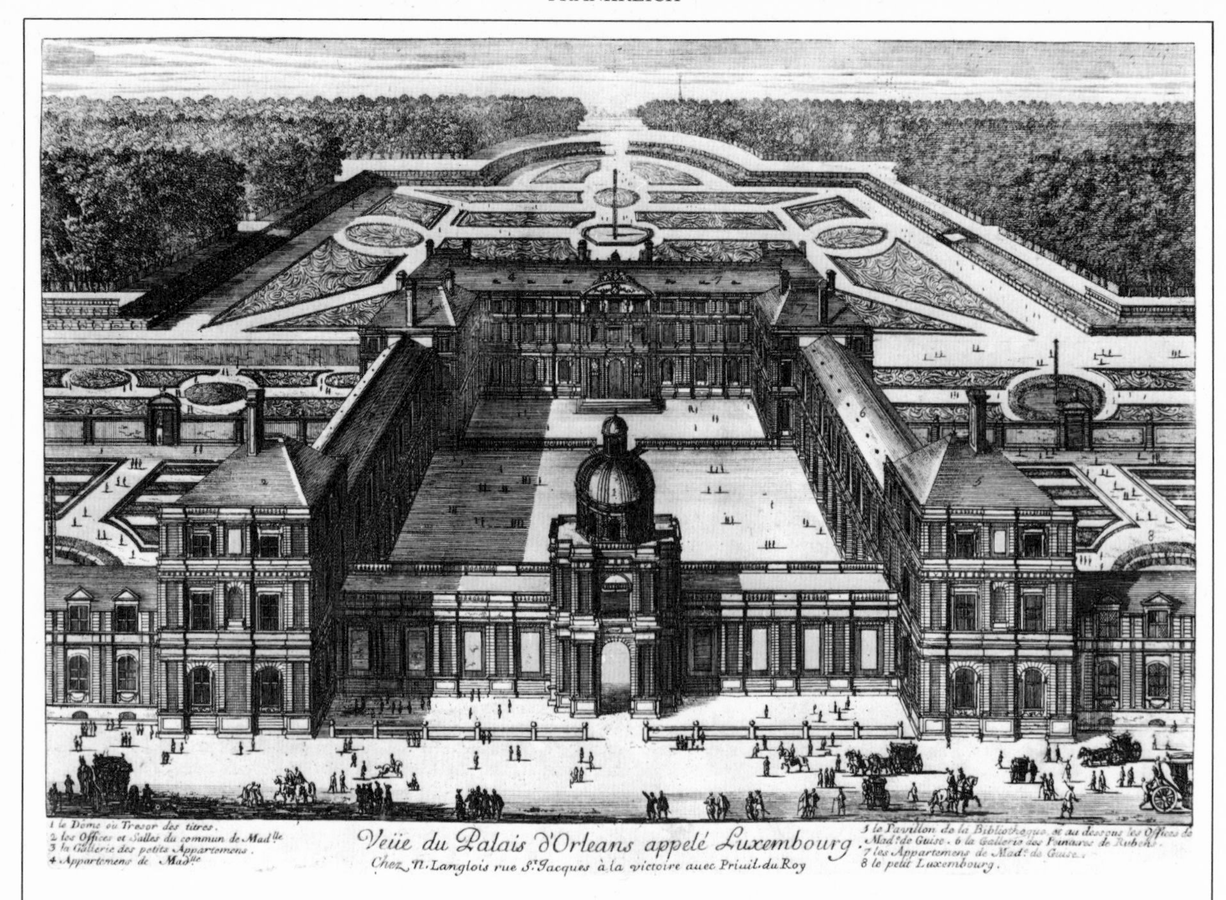
1 le Dôme ou Tresor des titres.
2 les Offices et Salles du commun de Mad.lle
3 la Gallerie des petits Appartemens.
4 Appartemens de Mad.lle
Veüe du Palais d'Orleans appelé Luxembourg.
Chez N. Langlois rue S.t Jacques à la victoire auec Priuil. du Roy
5 le Pavillon de la Bibliotheque, et au dessous les Offices de Mad.e de Guise. 6 la Gallerie des Peintures de Rubens.
7 les Appartemens de Mad.e de Guise.
8 le petit Luxembourg.

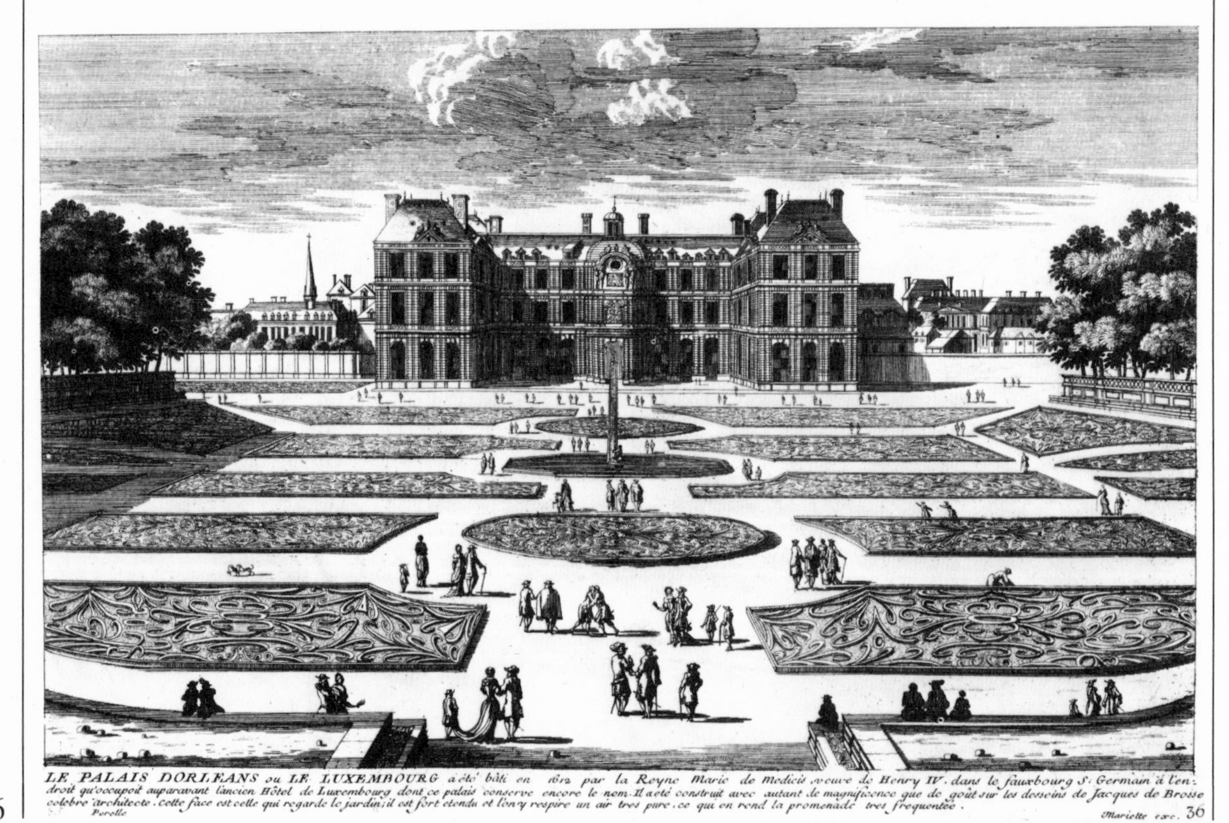
LE PALAIS DORLEANS ou LE LUXEMBOURG a été bâti en 1612 par la Reyne Marie de Medicis veuve de Henry IV. dans le fauxbourg S. Germain à l'endroit qu'occupoit auparavant l'ancien Hôtel de Luxembourg dont ce palais conserve encore le nom. Il a été construit avec autant de magnificence que de goût sur les desseins de Jacques de Brosse celebre architecte. cette face est celle qui regarde le jardin; il est fort etendu et l'on y respire un air tres pure. ce qui en rend la promenade tres frequentée.
Perelle
Mariette exc. 36

115. Palais de Luxembourg aus der Vogelschau, errichtet ab 1615 von Salomon de Brosse. Erstes Beispiel einer neuen Schloßbaukunst, welche die »Scharniere« der Anlage mit selbständig eingedeckten Pavillons besetzte, wodurch der Grundriß eine große Variabilität für die Anfügung der Trakte erhielt.

116. Palais de Luxembourg, Gartenseite. Die Blumen wurden aus dem Parterre vor dem Schloß ganz verbannt, die Broderien nur in Buchs ausgelegt.

117. Hôtel de Ville (Rathaus). 1533–1551 die Südseite, infolge der Religionskriege 1606–1628 die Nordseite errichtet nach den Plänen von Domenico da Cortona. 1871 während des Aufstands der Comune zerstört.

L'HOTEL ROÏAL DES INVALIDES vû du côté de la Campagne

Avec Privilege

A Paris chez I. Mariette rue St. Jacques à la Victoire

6

l'Hôtel Royal des INVALIDES est un monument capable d'immortaliser la memoire de Louis le Grand tant par sa magnificence que par l'utilité de sa fondation Son terrain occupe dix sept arpens sans compter les nouvelles plantations qu'on a faites en 1750 hors de son enceinte pour servir de promenade aux Officiers et soldats 2

118. Dôme des Invalides, erbaut 1679–1706 von Jules Hardouin Mansart.

119. Hôtel Royal des Invalides. 1670 gründete Ludwig XIV. die Institution des Invalidenhauses, erbaut 1671–1676 von Liberal Brunart. Dazu gehört eine niedrige Kirche St. Louis des Invalides, durch den Dôme des Invalides 1679 völlig verdeckt. Verbindung von Kloster, Krankenhaus und Kaserne. Front von 210 m Länge mit 45 Achsen.

120. Collège des quatre Nations (heute Institut de France), von Louis Le Vau entworfen, 1665–1668 von Lambert und d'Orbay errichtet. Aufgrund von Baugeldern aus dem Testament des Kardinals Mazarin als Kolleg für 60 junge Adlige eingerichtet. Der einzige öffentliche Bau, der seine Fassade dem Fluß zukehrt. Stich von Perelle.

121. Kirche der Sorbonne. An der Stelle der alten Kirche des mittelalterlichen Kollegs ab 1635 auf Kosten des Kardinals Richelieu von Jacques Lemercier errichtet. Die Kuppel wurde als richtungweisend für die folgenden französischen Sakralbauten empfunden. Stich von A. Perelle.

122. Kloster der Benediktinerinnen Val de Grace, 1655 begonnen. Aufwendige Gartenfront, weil dieser Trakt Anne d'Autriche als Residenz diente.

123. Abtei und Kirche Val de Grace. Votivkirche, die Königin Anna von Österreich (Anne d'Autriche) anläßlich der Geburt Ludwigs XIV. (1638) gelobt hatte. 1645 von François Mansart begonnen, schon nach wenigen Monaten durch Jacques Lemercier ersetzt. Kuppel von Lemercier. Stich von Perelle.

Seite 132/133:

124. Place des Vosges (ehemals Place Royale). Intakte, vierseitig geschlossene Anlage aus der Zeit König Heinrichs IV., 1605 begonnen. Ziegelmauerwerk mit Werksteingliederung, Pavillon-System für 36 Adelspalais. In der Mitte des Platzes ursprünglich ein Reiterdenkmal Ludwigs XIII., 1792 zerstört.

125. Place Louis le Grand (heute Place Vendôme) in oktogonaler Form durch abgestumpfte Ecken, von Jules Hardouin Mansart 1699 errichtet. In der Mitte ursprünglich ein Reiterdenkmal Ludwigs XIV. von Girardon, 1699 enthüllt, 1792 zerstört. Stich von Le Pautre.

126. Place des Victoires. 1685 als ovaler Platz von Jules Hardouin Mansart entworfen, eine Stiftung des Herzogs La Feuillade, um die Siege Ludwigs XIV. zu feiern. Zum Teil wurden die Fassaden schon bestehender Häuser übernommen. In der Mitte des Platzes ein Standbild des Königs von Martin Desjardins, 1678 hier aufgestellt, 1792 zerstört.

127. Porte St. Denis, Südseite, von François Blondel 1671–1673 errichtet. Verbindet die Eigenschaften eines Stadttors mit denen eines Siegesdenkmals für die Erfolge des Königs im holländischen Feldzug. Gewaltige Ausmaße: Umriß 23 mal 28 m. Reliefs von F. Girardon und F. M. Anguier. Stich von Perelle.

1 Infirmerie.
2 Cloistre.
3 Pavillons.
4 Portail de l'Eglise.
La Veuë du Monastere Royal du Val de Grace, du Côté du Jardin
A Paris chez I Mariette ruë St. Iacques a la Victoire auec Priuilege du Roy
5 Dôme et Eglise.
6 Chapelle du St. Sacrement.
7 Chapelle de la Reine.
8 Chœur des Religieuses.
47

L'ABBAYE ROYALLE DU VAL DE GRACE scituée presqu'à l'extremité du fauxbourg S. Jacques reconnoist pour sa fondratrice la Royne Anne d'autriche. Cette vertueuse Princesse y mit
vers l'an 1621 des religieuses de l'Ordre de S. Benoist qui venoient d'embraser la reforme et elle leur fit bâtir dans la suitte une eglise magnifique et un monastere tres vaste. Le celebre François Mensar en
en donna les premiers desseins et a cette habile architecte succederent les Srs Merciers, Le Muet et le Duc. Ce lui ci acheva le bâtiment et le mit dans l'estat qu'on le voit au jour d'huy. Le dedans
de l'eglise est richement orné et l'on admire sur tout les peinture du Dôme qui sont de Pierre Mignard, l'un de ses plus beaux ouvrages
Perelle sculp.
Mariette exc. 46

LA PLACE ROYALE DE PARIS laquelle fut commancée l'an 1604. par l'ordre de Henry 4. et acheuée quelque temps apres. Son desßein estoit d'y loger des Ouuriers et d'y établir des manufactures, mais par je ne sçay quel changement, des particuliers s'y sont faits des logemens magnifiques: La statue de Bronze de Louis 13 qui est au milieu est de Biar, et le Cheual qui la porte est de Daniel de Volterre. ils furent posez l'an 1639.

Perelle fecit — A PARIS Chez I. Mariette rüe s.t Iacque a la Victoire. Auec Priuilege du Roy — 79

LA PLACE DE LOUIS LE GRAND Située au bout de la rue S. Honoré à Paris, à etée bâtie en 1699 sur le dessein de Jules Hardouin Mansard, et sur le terrain qu'occupoit autrefois l'hotel de Vandôme. Son plan est de figure octogone irreguliere, ses façades sont decorées de pilastres d'ordre Corinthien; et aux avantcorps de chacune il y a des colonnes de même ordre couronées par des frontons. Un Stilobale ou piedestal continu orné de refends regne sous ce grand ordre tout au pourtour de la place. On y a erigé au milieu la Statue equestre du roy Louis XIV.me faitte par Fr. Girardon, sous la conduitte duquel elle avoit estée jettée en bronze par J.B. Keller en 1692.

P. le Pautre sculp. — a Paris chez Mariette rue s. Jacques aux Colonnes d'hercules.

LA PLACE DES VICTOIRES où terminent les deux Rües des Petits Champs et celle des Fossez Montmartre, est presque de figure ronde. Les Bâtimens de ses deux Ailes sont de Simmetrie et decorez de Pilastres Ioniques du dessein de Mr. Mansart. La Ville à contribüé à l'acquisition de cet espace, pour y ériger la Statüe Pedestre de Louis le Grand que Mr. de la Feüillade à fait faire par le Sr. DesJardins Sculpteur: Elle est de bronze doré et fondüe toute d'un Jet avec la Figure de la Renommée qui couronne ce Monarque. Les quatre Esclaves, les Trophées, Basreliefs et autres ornemens qui enrichissent le Piedestal qui est de marbre, Sont de même métal et du même Sculpteur. Ce Superbe Monument est accompagné de quatre Groupes, chacun de trois colonnes de marbre, qui portent une Lanterne, et où sont suspendus à chaque Entrecolonne trois Basreliefs ovales de bronze attachez avec des festons de laurier Dans ces 36. Basreliefs sont representées plusieurs Actions de la Vie du Roi.

A Paris Chez I. Mariette rüe S. Iacques a la Victoire. auec priuilege 112

LA PORTE St. DENIS a esté bastie, à peu prez sur les ruines de l'Ancienne l'an 1672. et acheuée en 1673. ellé a 72 pieds de large et autant de hauteur auec vne Ouuerture de 26. pieds les petittes portes ont 9. pieds. elle a eté faite pendant les Victoires du Roy sur les Hollandois, Mr. Blondel en est l'Architecte. Cette face regarde le Fauxbourg.

A Paris chez I. Mariette rüe St. Iacques a la Victoire Auec Priuilege du Roy

fait par Perelle 95

128. Versailles. Blick aus dem Ehrenhof des Schlosses nach Südosten auf die Avenue de Paris. In den Winkeln der sich gabelnden Straßen nach St. Cloud, Paris und Sceaux

die Großen und Kleinen Stallungen von Mansart, halbkreisförmig sich öffnend und dem Ehrenhof zugekehrt. Die Écuries wurde 1682 fertiggestellt, 1685/86 komplettiert.

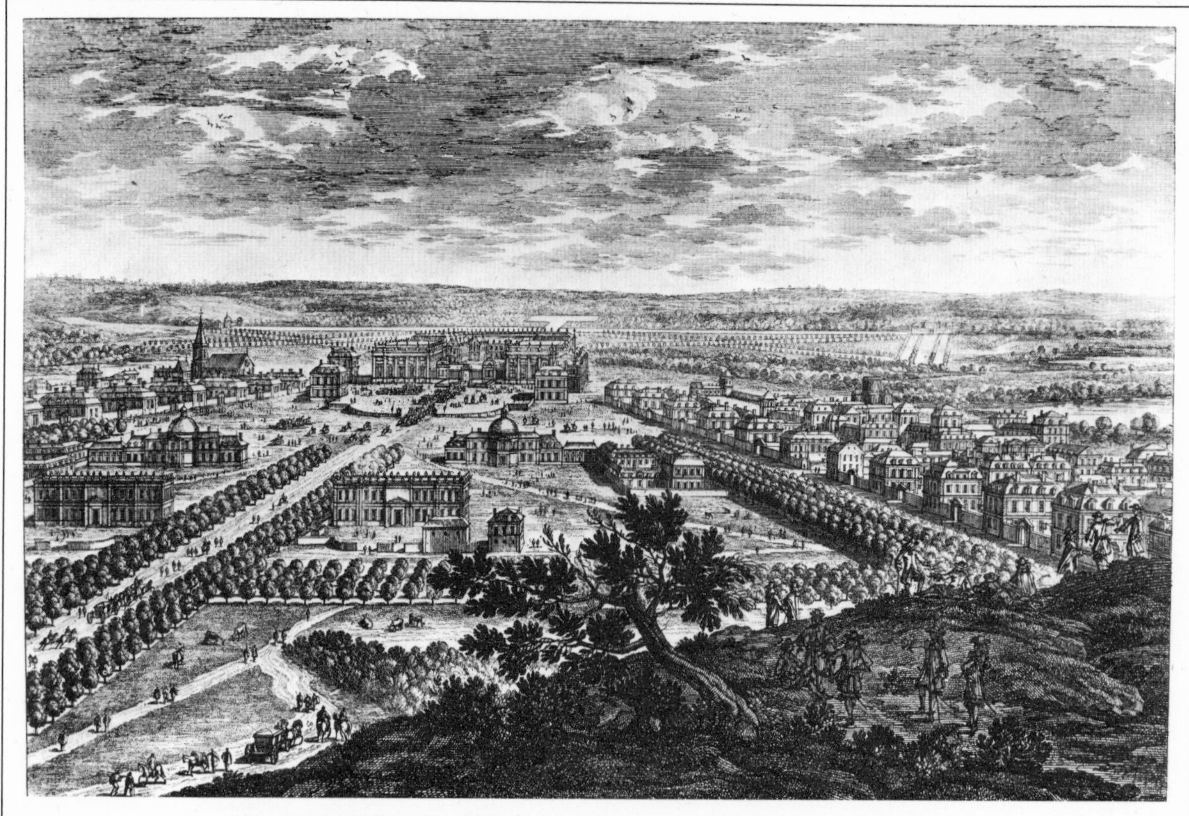

129. Die Stadt Versailles, links die Avenue de Paris, rechts die Avenue St. Cloud, welche auf die Schloßanlage im Hintergrund zuführen. Die Stadt existierte nicht vor der Errichtung des Schlosses; die Besiedlung erfolgte langsam, wie die Abbildung bezeugt. Dicht war nur die Bebauung nördlich der Avenue St. Cloud nach Clagny. Stich von A. Perelle noch vor Errichtung der Ecuries.

130. Schloß, Gartenfront in ganzer Ausdehnung. Nur Balustraden, keine Dachzone, das Pavillon-System ist aufgegeben. Stich von Jacques Rigaud.

131. Auffahrt zum Schloß. Links und rechts am Ende der Avenue de Paris die beiden Marställe, von der Rückseite gesehen. Dann der Ehrenhof mit seinen sich nach außen staffelnden Schloßtrakten.

132. Ehrenhof mit den beiden Gittern. Die Schloßkapelle mit ihrem steilen Dach (1699–1710), welche die Gesamtkomposition schädigt, ist noch nicht vorhanden.

Veüe et perspectiue de l'aduenuë du Chasteau de versailles

Nicolas De Poilly excudit Cum Priuil: Regis

Véuë et Perspectiue du Château de Versailles, comme il est presentement, auec les deux grandes Aisles nouuellement bâtie.

A Paris, Chez Nicolas De Poilly; rue St. Iacques, à la Belle Image. Auec Priuilege du Roy.

Veüe et perspectiue des Bains d'Apollon, situez dans le petit parc de Versailles, a main droite
fait par Aueline Auec Priuilege du Roy

Veüe et perspectiue de l'Entrée du Trianon de Versailles

133. Park. Die Bäder des Apollo. Die drei Gruppen wurden 1666 von Girardon und Renaudin geschaffen.

134. Trianon de Porcelaine, Eingangsseite. 1670–1672 nach Plänen von Louis Le Vau von François d'Orbay im Auftrage Ludwigs XIV. für dessen Mätresse, die Marquise de Montespan, errichtet. 1687 wieder abgerissen und durch das viel größere Trianon de Marbre ersetzt. Der Außenbau war mit Fayence-Platten vorwiegend in den Farben Weiß und Blau belegt. Stich von Aveline.

135. Grand Trianon (Trianon de Marbre) 1687/88. Eingeschossiger Kulissenbau mit langgestreckten Flügeln nach Ideen Robert de Cottes, von Jules Hardouin Mansart geschaffen. Sehr stark auf Farbigkeit abgestellt, ionische Kapitelle aus grünem, Pilaster und Fries aus rosa, Kapitelle aus weißem Marmor. Stich von Aveline.

136. Grand Trianon, Garten von Le Nôtre angelegt. Dahinter das Schloß in ganzer Breitenausdehnung.

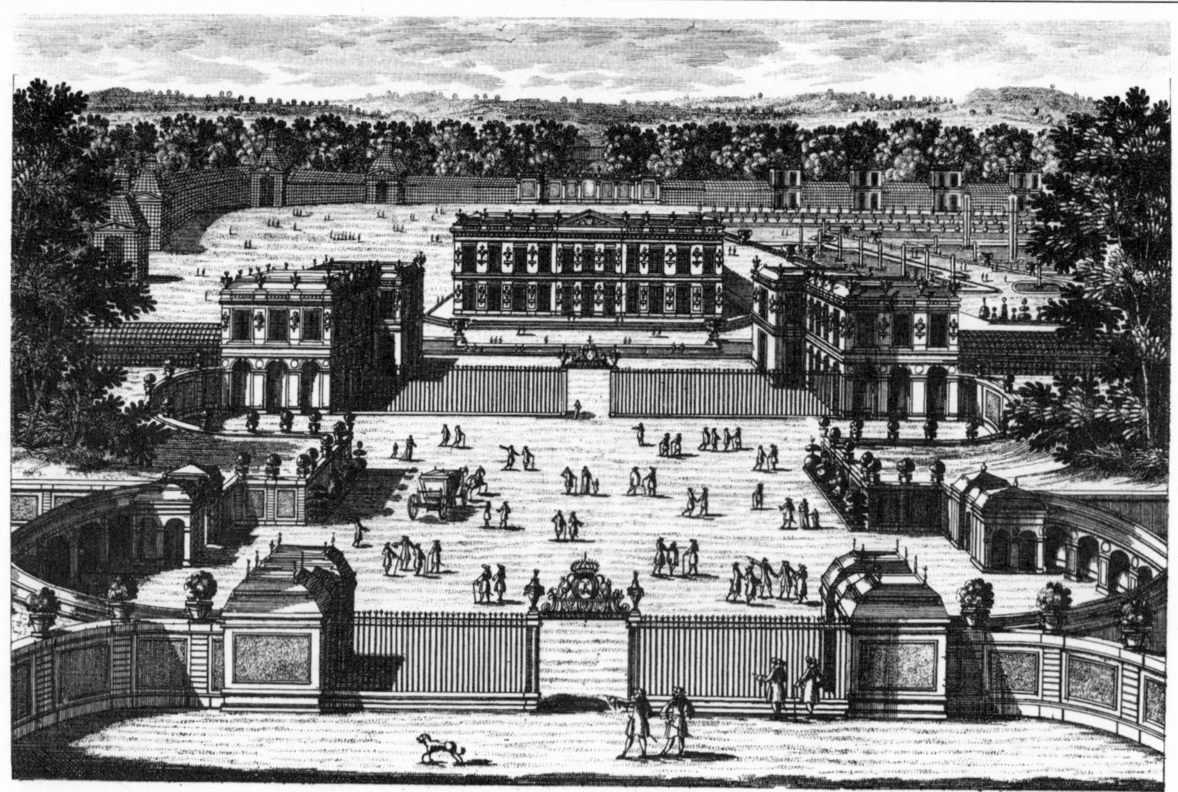

Veüe et perspectiue du Château Royal de Marly, situé entre Versailles et St. Germain en Laye
fait par Aueline auec Priuilege du Roy

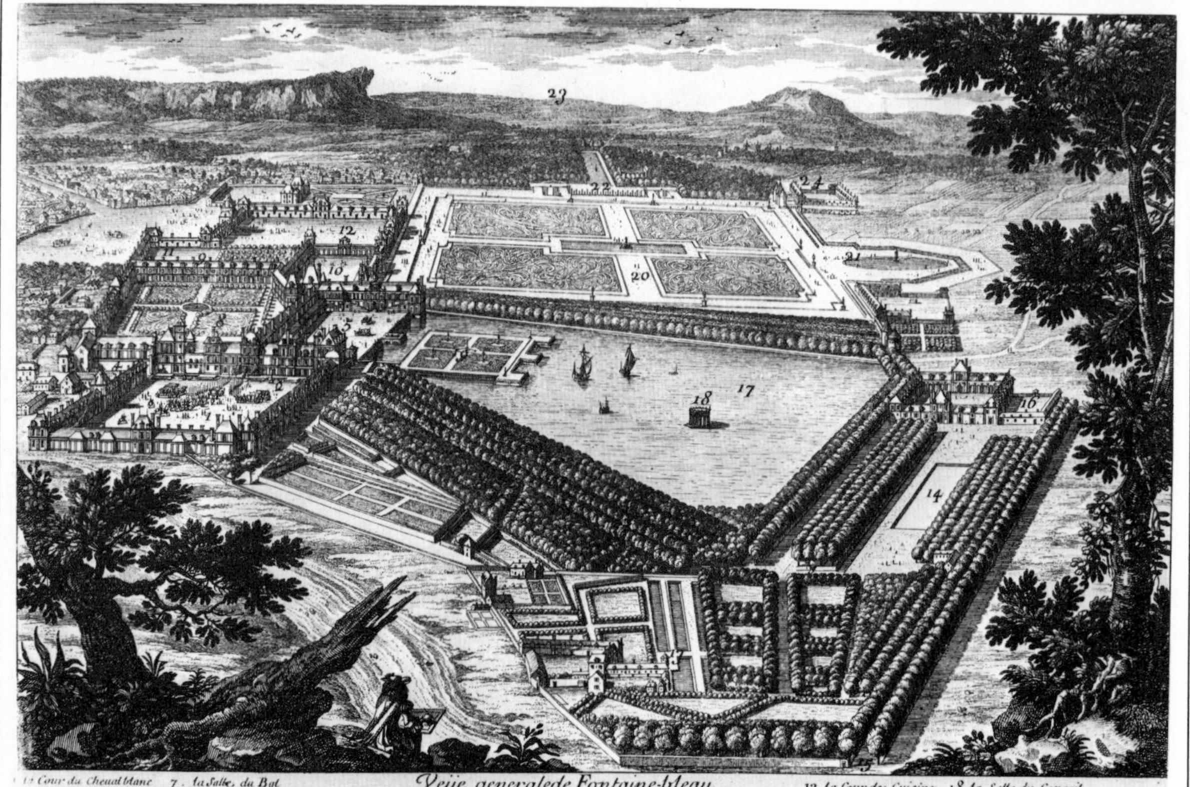

Veüe generale de Fontaine-bleau
Cette Maison Royale est dans le Gastinois à 13. lieües de Paris; sa Scituation auantageuse la fait aimer des Roys de la derniere race. François 1.er qui introduisit les beaux arts en France la rebastit à la Romaine et Louis le Grand la rendüe un sejour de delices
A Paris Chez N. Langlois — dessiné par Patel et graué par Perelle. auec Priuilege du Roy.

1. la Cour du Cheual blanc
2. la Gallerie d'Ulisse
3. la belle Chapelle
4. le Ieu de Paume
5. la Cour des Fontaines
6. la Gallerie de François 1.er
7. la Salle du Bal
8. le Iardin de la Reine
9. la Gallerie des Cerfs
10. la Cour Ouale ou est les logem.t du Roy et de la Reine
11. la Conciergerie
12. la Cour des Cuisines
13. la Fontaine-bleau
14. le Manege
15. le Mail
16. le Chenil
17. l'Estang
18. la Salle du Conseil
19. le Iardin de l'Estang
20. le Parterre du Tybre
21. le Tybre
22. les Cascades
23. le Canal
24. la Capitainerie

137. Marly-le-Roy, das Schlößchen am Ende der Gartenanlage. 1677–1684 als eine Art Eremitage in einem engen Waldtal von Jules Hardouin Mansart errichtet. Vor dem Hauptgebäude ein See, an dessen beiden Seiten je sechs kleine Pavillons für die Gäste, die Ludwig XIV. in sein Retiro mitnahm. Stich von Aveline.

138. Fontainebleau, Schloß und Park. Das Renaissanceschloß, an dem alle französischen Könige von Franz I. bis Ludwig XIII. gebaut haben, ist von riesigen Gartenanlagen umgeben. Stich von Perelle.

139. St. Cloud, von Philippe d'Orléans 1658 erworben. Die ursprünglich italienisch angelegten Gärten ab 1665 von Le Nôtre vollständig erneuert. Stich von Perelle.

140. Damenstift St. Cyr bei Versailles. 1686 im Auftrage vom Mme. de Maintenon von François Mansart errichtet. Im Zweiten Weltkrieg vollständig zerstört. Stich von Aveline.

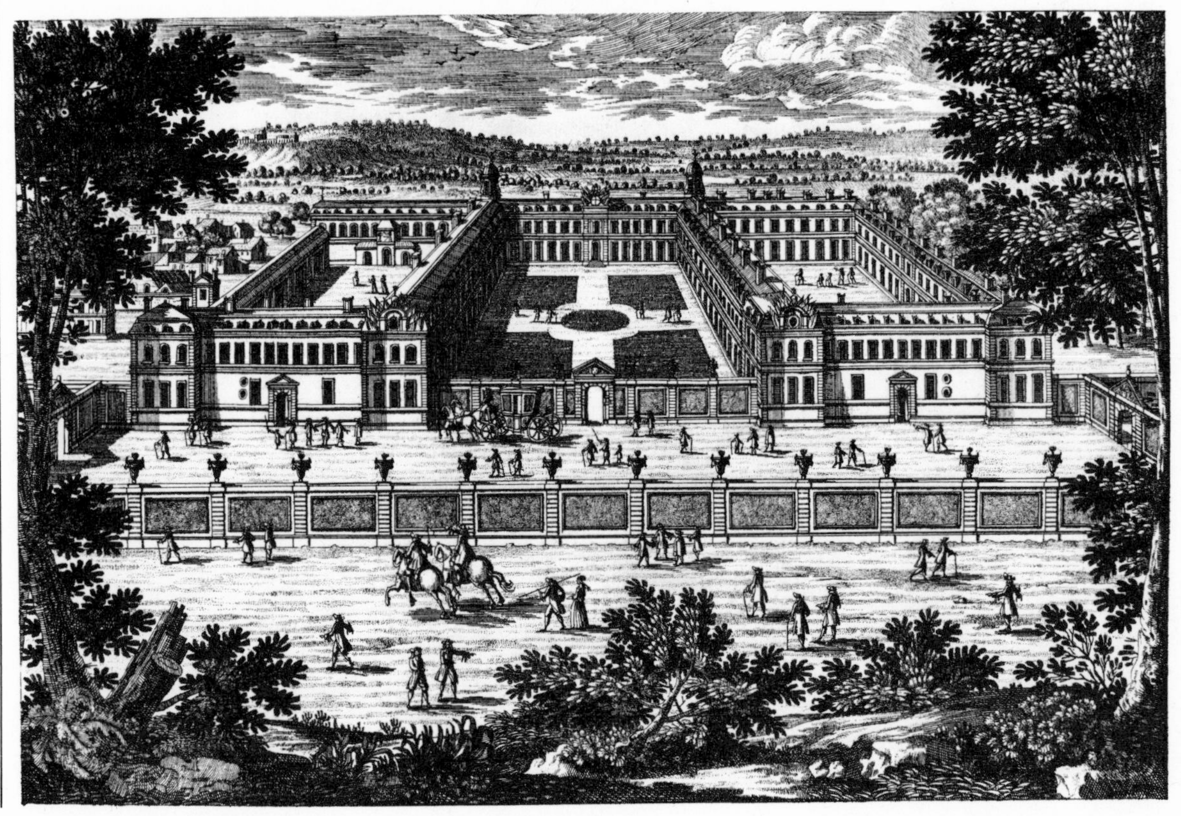

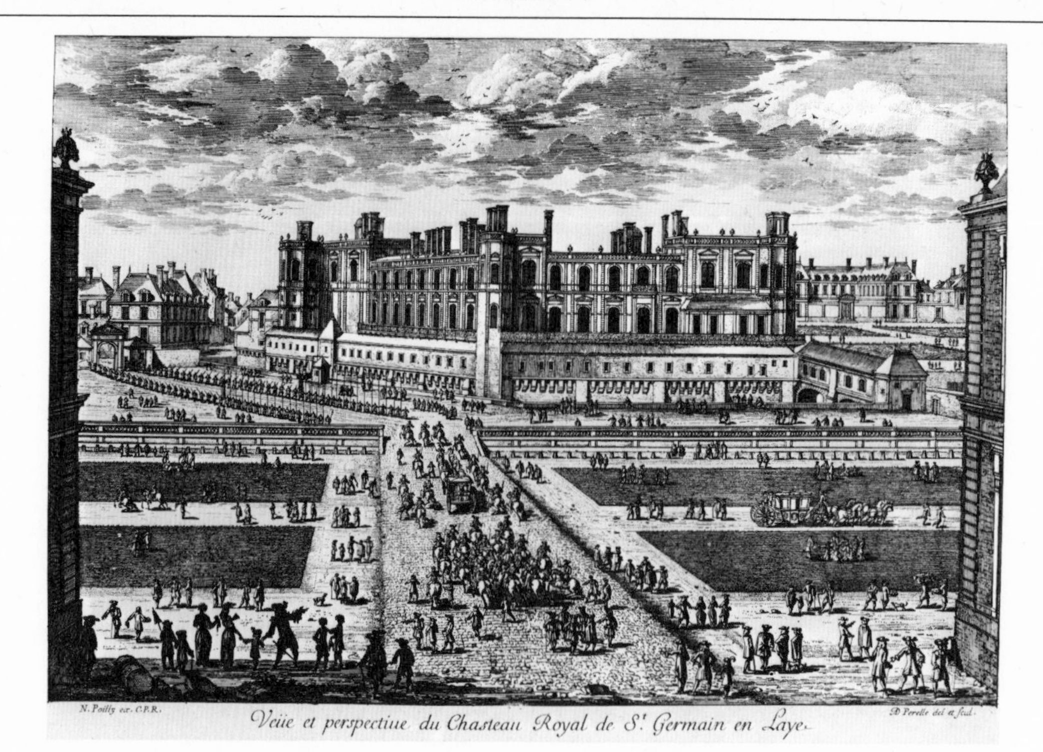

141. St. Germain-en-Laye, Château Vieux. Das mittelalterliche Schloß wurde ab 1539 auf Befehl von Franz I. abgerissen, Neubau unter Pierre Chambiges. Mauerbänder aus Ziegel, halbrund geschlossene Fenster und Flachdach zeugen von italienischem Einfluß. Stich von A. Perelle.

142. St. Germain-en-Laye, Château Neuf. Heinrich II. ließ durch Philibert Delorme einen Neubau hart am Rande des Steilufers über der Seine errichten, den Heinrich IV. vollendete. Nach 1776 Ruine, samt dem Garten vom Erdboden verschwunden. Im Gegensatz zu den steilen Treppenanlagen Heinrichs II. blieb die souveräne grande Terrasse von 2400 m Länge, die Le Nôtre von 1669–1673 anlegte, erhalten. Stich von Israel Silvestre.

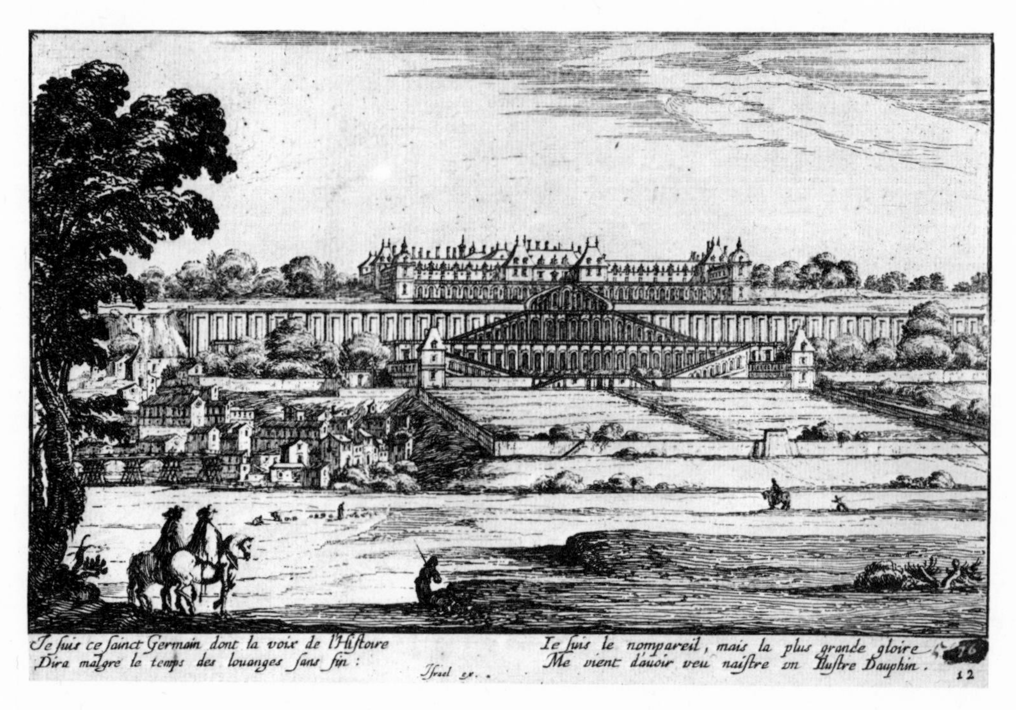

143. Chambord, Jagdschloß König Franz I. in einem großen Waldgebiet des Loire-Tals (bei Blois); 1519 begonnen, aber erst seit 1524 energisch gefördert. Entwurf des Domenico Cortona, teilweise abgeändert. Das größte und prächtigste der Loire-Schlösser der Renaissance mit einer sehr originellen Raumeinteilung.

144. Maison Lafitte, Schloß Maison, Hofseite, 1642 von François Mansart für einen reichen Privatmann, René de Longueil, errichtet (heute in einem Vorort von Paris). Stich von Perelle.

VEVË DE VAVX LE VICOMTE DV COSTÉ DE L'ENTREE

VEVE DV CHATEAV DE VAVX PAR LE COSTE

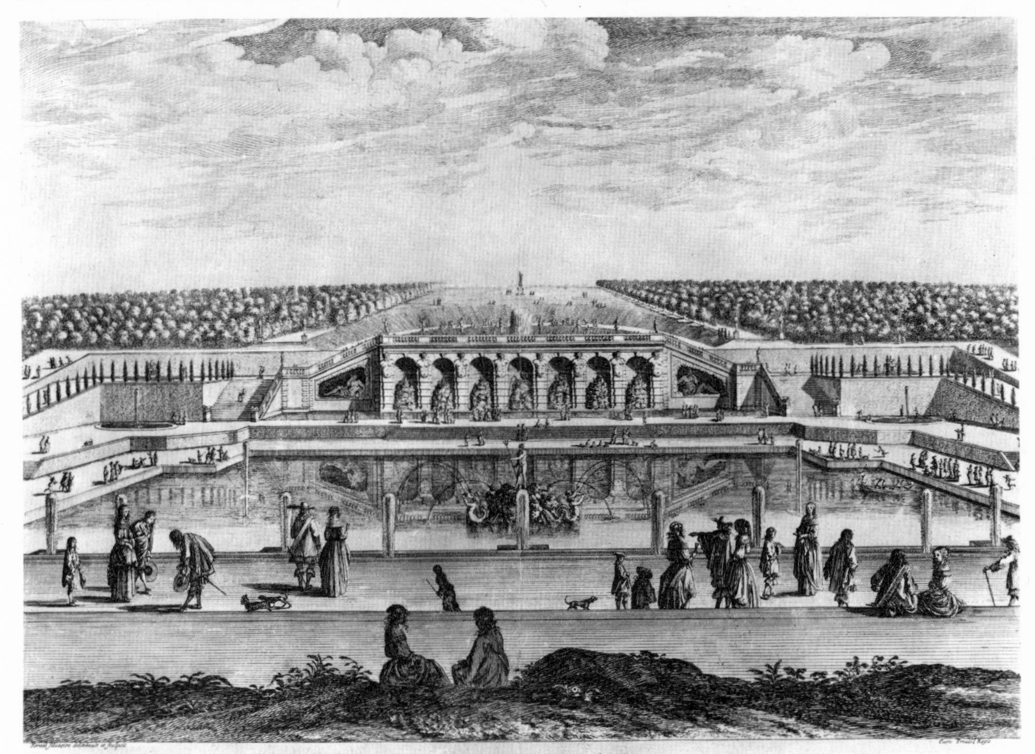

VEVE ET PERSPECTIVE DE LA GROTTE ET D'VNE PARTIE DV CANAL.

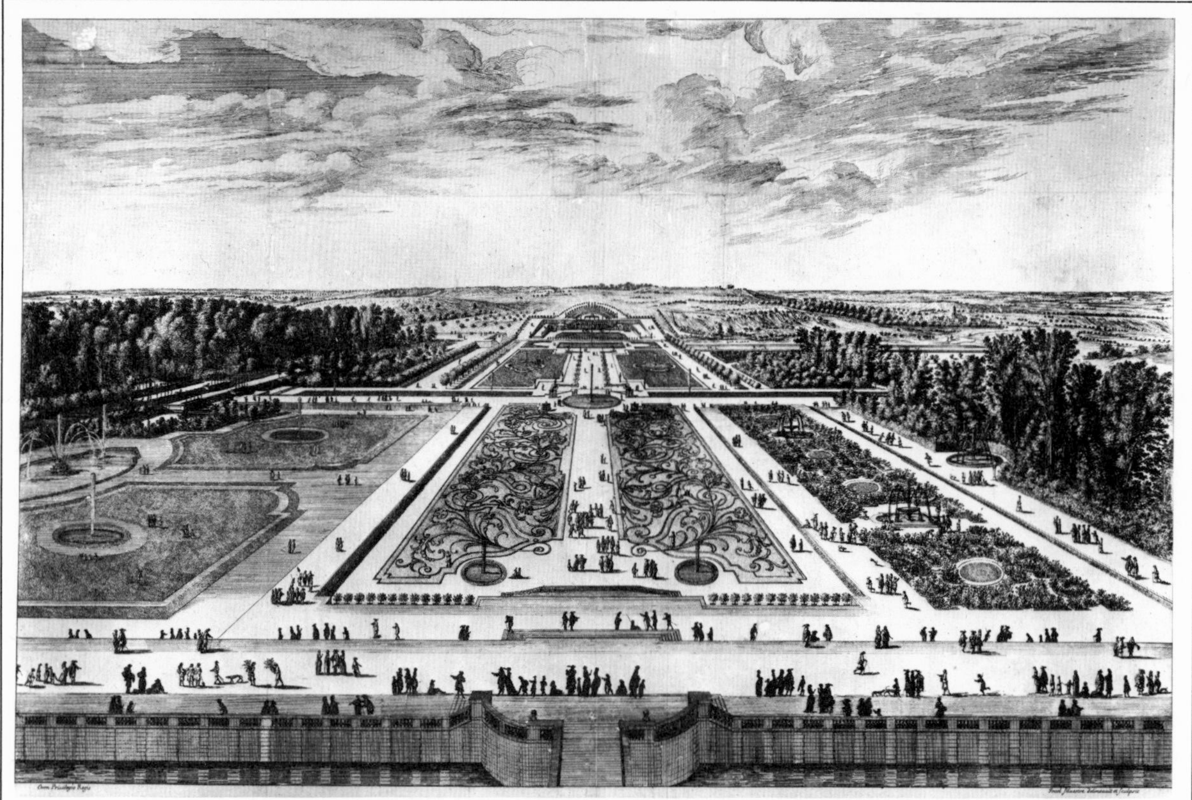

Seite 144–146 oben:

145.–149. Schloß Vaux-le-Vicomte, in der Nähe von Melun, am Rande des Waldes von Fontainebleau. Das Schloß erbaut für den General-Intendanten der Finanzen Nicolas Fouquet 1656–1661 von Louis Le Vau, die Anlage des Parks ist das erste große Werk vom Gartenarchitekten André Le Nôtre. Die neun Stiche I. Silvestres für Vaux gehören zu seinen Meisterwerken, ganz besonders die von der Anlage der Bosquets und Parterres.

Seite 147:

150. Schloß Richelieu, zwischen Tours und Poitiers, Ansicht gegen den Garten. Stich von Perelle.

151. Schloß Richelieu, Gesamtansicht. 1631 vom Kardinal anstelle des bescheidenen Schlosses seiner Väter durch Jacques Lemercier errichtet, 1642, im Todesjahr des Bauherrn, fast vollendet. Das Schloß wurde in der Französischen Revolution geplündert, seit 1805 abgerissen. Stich von Perelle.

Seite 148/149:

152. Meudon (bei Versailles), Château-Neuf. Erbaut für den Grand Dauphin seit 1706 durch Mansart, dessen letztes Werk es ist. In der Französischen Revolution schwer beschädigt, nach Brand im Kriege von 1870 die Ruinen in eine Sternwarte verwandelt, die berühmten Terrassen schon von Louvois nach 1679 angelegt.

153. Raincy hieß im Ancien régime Livry-le-Château. An seiner Stelle heute die Stadt Raincy. Das Schloß, um 1640 für den Intendanten der Finanzen Jacques Bordier von Louis Le Vau errichtet, 1819 in Ruinen abgerissen. Parkanlage von Le Nôtre.

154. Liancourt, in der Französischen Revolution zur Ruine geworden, 1803 der Hauptteil abgerissen, seit 1925 keine Spur mehr von der Anlage. Gehört noch in die Regierungszeit Ludwigs XIII., in Ziegel und Naturstein für den Herzog von Rocheguyon größtenteils vor 1637 errichtet. Stich von Perelle.

155. Vincennes. Gleichzeitig mit der Bastille in der Stadt Paris ließ Karl V. hier einen Mauerring mit neun Türmen und einem Donjon errichten, eine Art Fluchtburg für die königliche Familie und die Regierung während städtischer Aufstände. Modernes Wohnschloß in zwei Trakten (Pavillon du Roi und Pavillon de la Reine) mit Verbindungsgalerien von Louis Le Vau 1654 vollendet.

Face du grand corps de Logis du Chasteau de Richelieu du costé du Parterre.
200
A Paris chez J Mariette rue S. Jacques a la victoire et aux Colonnes dHercules
dessiné et graué par Perelle.

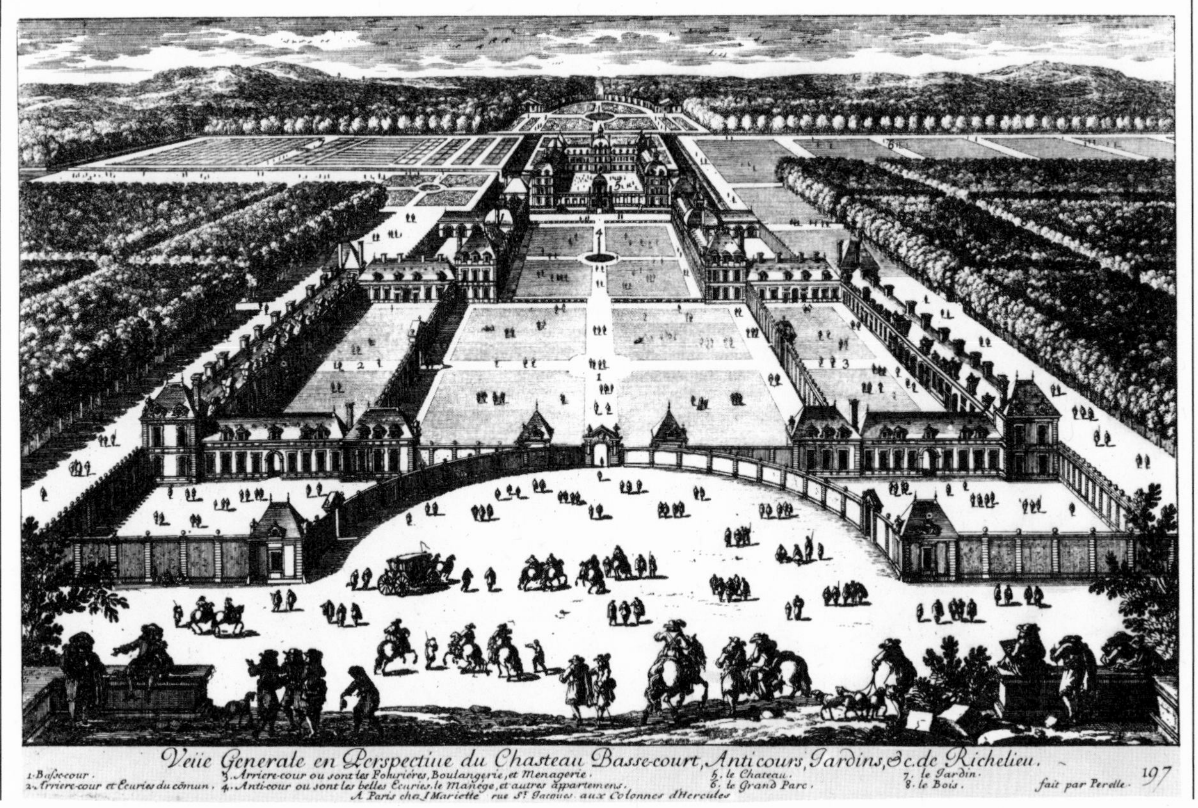
Veüe Generale en Perspectiue du Chasteau Basse-court, Anticours, Jardins, &c. de Richelieu.
1. Basse-cour.
2. Arriere-cour et Ecuries du cõmun.
3. Arriere-cour ou sont les Fourieres, Boulangerie, et Menagerie.
4. Anti-cour ou sont les belles Ecuries, le Manege, et autres appartemens.
5. le Chateau.
6. le Grand Parc.
7. le Jardin.
8. le Bois.
fait par Perelle.
197
A Paris chez J Mariette rue St. Jacques aux Colonnes dHercules

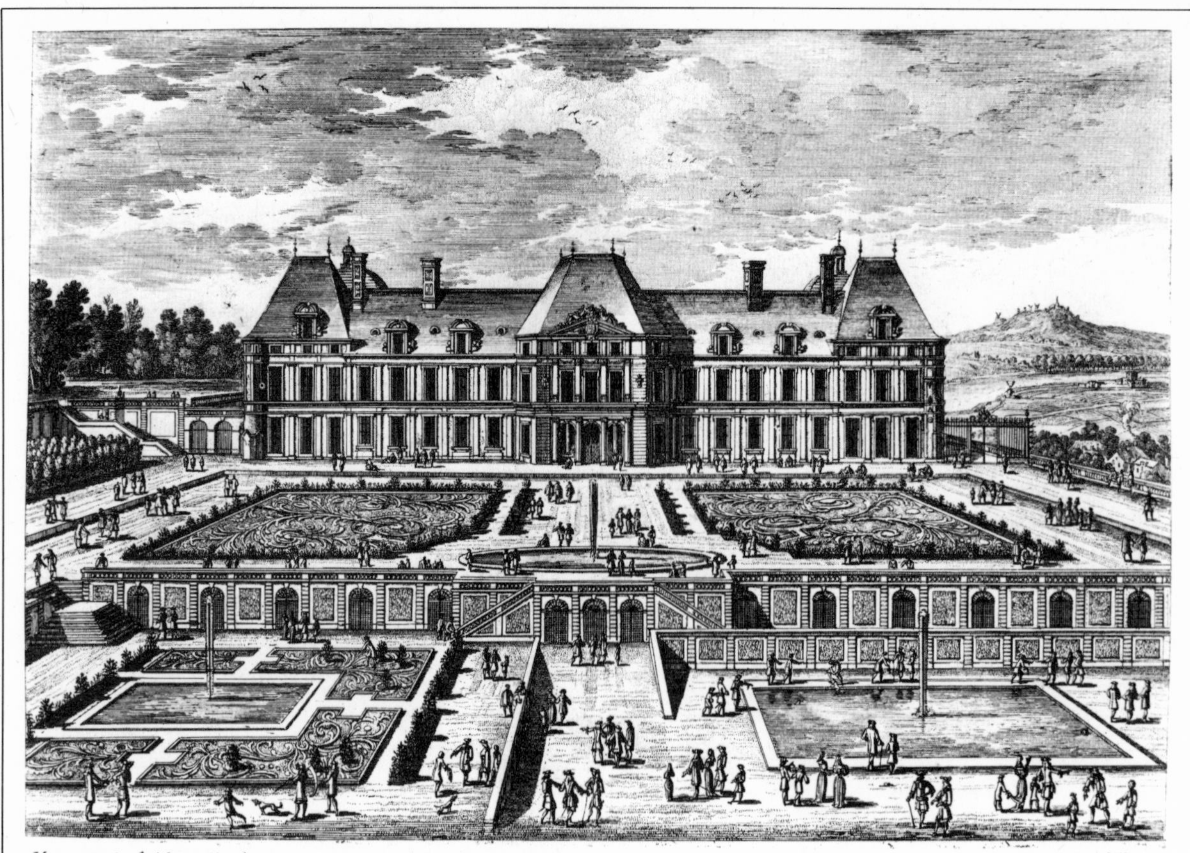

Meudon du côté du Jardin d'où l'on découure une des plus belles veuës du monde, acause de sa scituation elevée. Mr. de Louvois a fait aplanir les terres et elever des terrasses, et a presque tout fait changer la disposition du jardin sur les desseins de Mr. le Nostre. La principalle avenuë de cette belle maison est du côté de St. Clou, ce qui la termine agreablement.

A Paris Chez N. Langlois, ruë St. Jacques à la Victoire. Auec Priuil.

Veüe et Perspectiue de la maison du Raincy

N. de Poilly exc. auec Priuilege — *A. Perelle del. et sculp.*

N. de Poilly ex. C. P. R. — *Veuë et Perspective du Chasteau de Liencourt* — A. Perelle del. et sculp.

N. De Poilly ex. C. P. Regis — *Veue et Perspective du Chasteau de Vincennes*

156. Den Haag, Curia Hollandiae interior. Der Binnenhof am Südufer des »Vijver«. Um 1250 gegründete Burg, seit etwa 1290 Sitz der Grafen von Holland. Der kirchenähnliche Rittersaal, ein Ziegelbau mit Giebel und Türmchen, noch aus dem 13. Jahrhundert. Ohne Stechervermerk, 1649 bei Blaeu erschienen. Am oberen Rand und an den Seitenrändern leicht beschnitten.

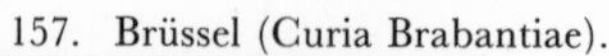
157. Brüssel (Curia Brabantiae).

158. Den Haag, Curia Hollandiae exterior. Im Vordergrund der »Vijver«, ein alter Weiher. Am oberen Bildrand wesentlich beschnitten, ohne Stechervermerk, 1649 bei Blaeu erschienen.

159. Antwerpen, Rathaus, erbaut 1561–1565 von Cornelis Floris. Stich für Joan Blaeu, 1649. Am oberen Bildrand leicht, am rechten stärker beschnitten.

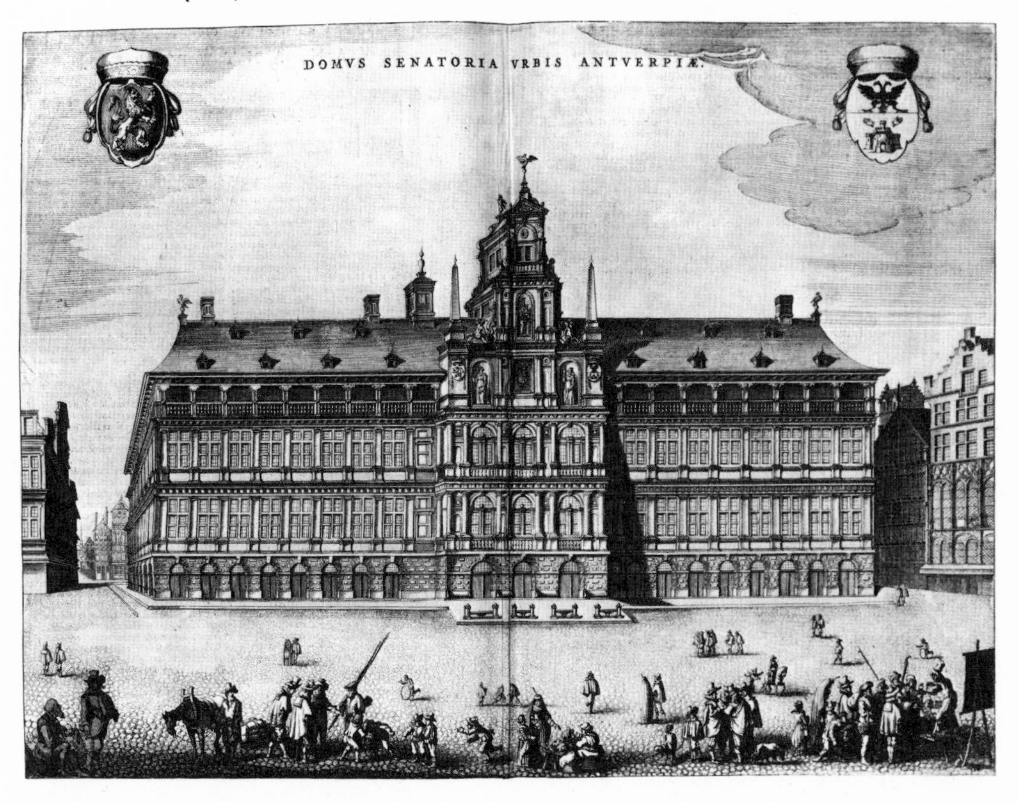

160. Das Rathaus, errichtet 1648–1655 von Jacob van Campen (heute königliches Palais). Zeichnung von Ph. Schut, Stich von N. Visscher. Rechts vor dem Rathaus das Waaghaus. Der Platz ist der »Dam«.

161. Amsterdam, Oude Kerk, begonnen 1370, Chorumgang mit Kapellenkranz aus dem 15. Jahrhundert. Zeichnung von Ph. Schut, Stich von N. Visscher, bei Blaeu erschienen.

P. N. Schut fecit.
De BEURSE der Stadt Amsteldam is begonnen inden jaere 1608. ende volbouwt Anno 1611.
N. Visscher excudit.

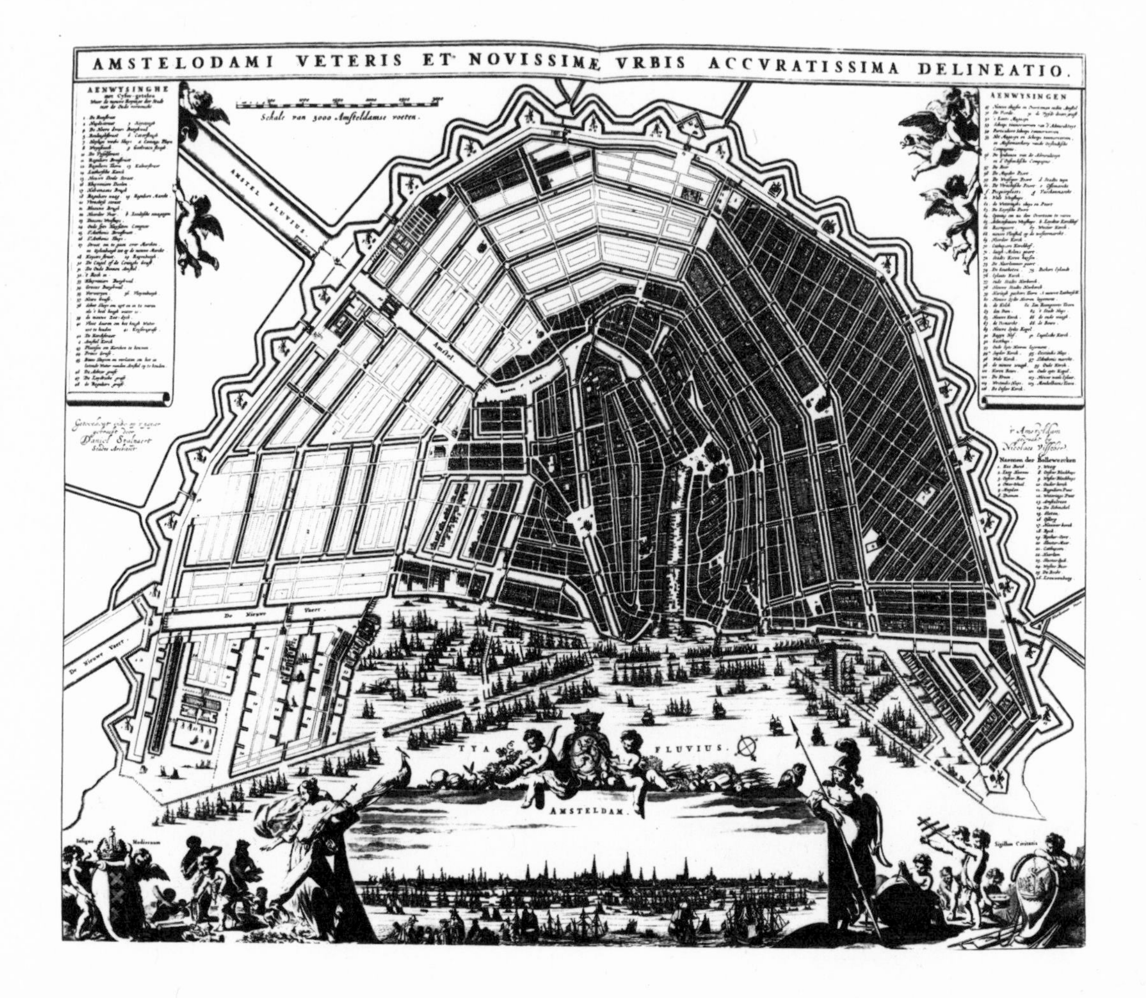
AMSTELODAMI VETERIS ET NOVISSIMÆ VRBIS ACCVRATISSIMA DELINEATIO.
AENWYSINGHE
AENWYSINGEN
Schale van 3000 Amsteldamse voeten
AMSTEL FLUVIUS
Amstel
De Nieuwe Vaart
FLUVIUS
AMSTELDAM

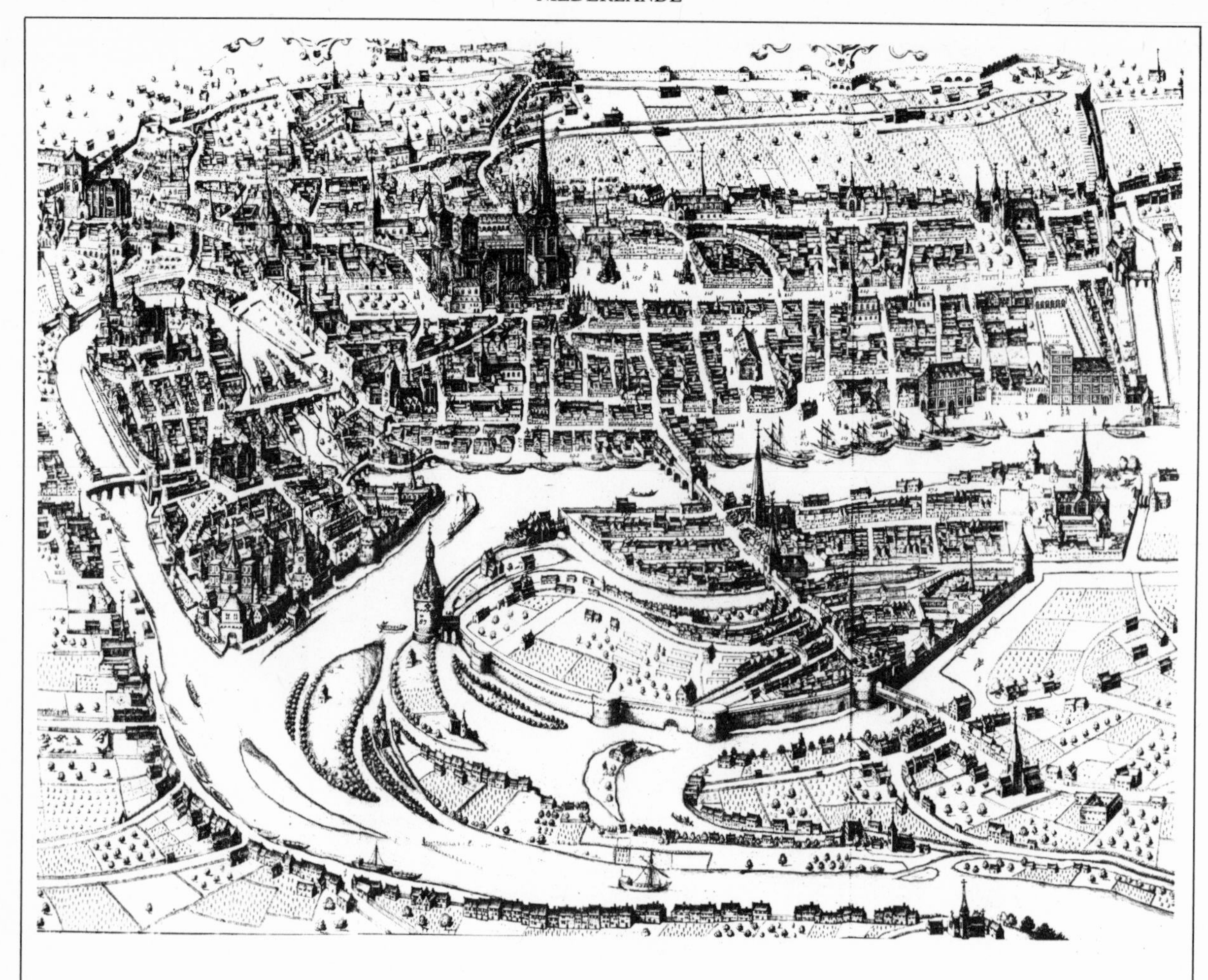

Seite 153:

162. Amsterdam, Börse, 1608–1617. Zeichnung von Ph. Schut, Stich von N. Visscher.

163. Amsterdam, Stadtplan, um 1650. 1609 wurde eine Stadterweiterung begonnen, die das Gebiet auf 800 ha verdreifachen sollte. Schließlich hatte die Stadt Befestigungsanlagen von rund 8000 m Länge mit 26 Bastionen. Die halbkreisförmige Umgreifung der alten Stadt war von vornherein das Ziel. Nach einer Zeichnung des Ratsarchitekten Daniel Stalpaert.

Seite 154/155:

164. Lüttich. Vogelschaubild aus dem Jahre 1649. Der Stich für Joan Blaeu ist an den beiden Seitenrändern so beschnitten, daß der Verlauf der Stadtmauern die Grenzen bildet. Das Vorfeld bleibt außerhalb des Bildes. Im Vordergrund die Maas.

165. Antwerpen, Rubens-Haus. 1613–1617, vom Künstler selbst entworfen. Stich von Harrewyn, 1692.

166. Den Haag, Mauritshuis. Erbaut für Prinz Moritz von Nassau-Siegen 1633–1644, nach Entwurf von Jacob van Campen durch den jungen Pieter Post. Stich von de Riemer, 1730.

Parties de La maison HILWERUE Aanuers

't HUIS VAN PRINS MAURITS VAN NASSAU

167. Schloß Het Loo (bei Apeldoorn, Geldern), 1684–1688 errichtet. Lieblingsschöpfung des König-Statthalters Wilhelm III. und der Königin Maria in der niederländischen Heimat. Stich von D. Stoopendaal, Ende 17. Jahrhundert.

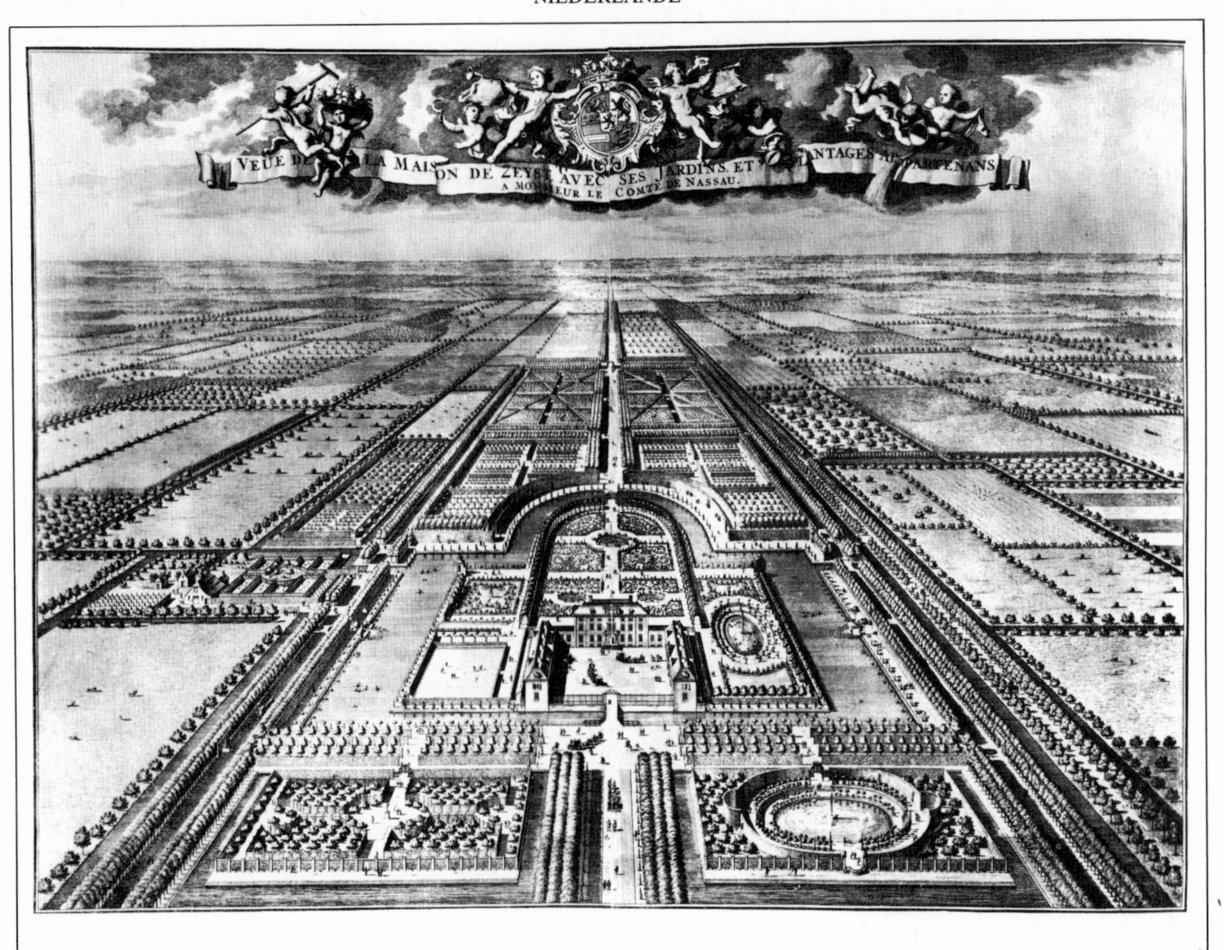

168. Schloß Zeist (Provinz Utrecht). Erbaut für den Grafen Wilhelm von Nassau-Odijk anstelle eines verfallenen mittelalterlichen Schlosses, ab 1686. 1746–1780 im Besitz der Herrnhuter Brüdergemeinde. Das Schloß ist erhalten, der Park existiert nicht mehr. Stichfolge von 21 Blättern vom Haus Zeist von D. Stoopendaal, um 1700.

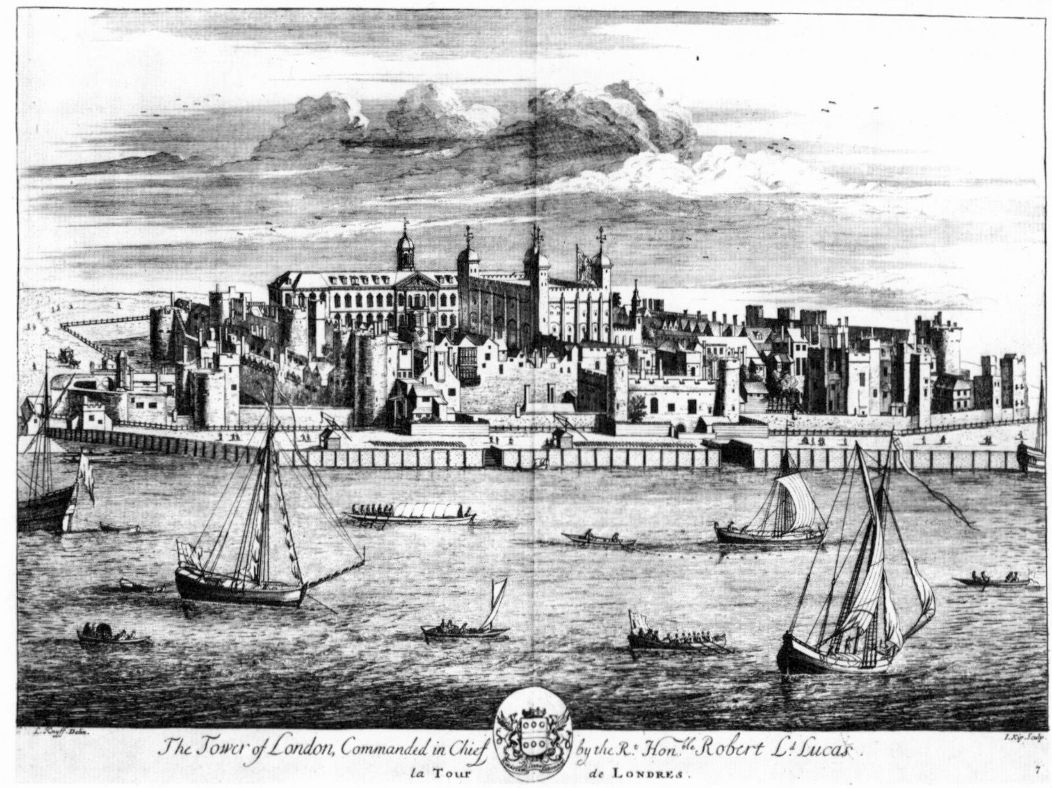

169. Der Tower in London. Der Kern stammt noch aus der Zeit vor Wilhelm dem Eroberer. Der Barockbau halblinks hinter dem eigentlichen Tower ist das große Lagerhaus, 1662 errichtet, 1841 durch Brand zerstört. Stich von Knyff und Kip.

170. St. James Palace, der alte Tudor-Bau. Stich von Knyff und Kip.

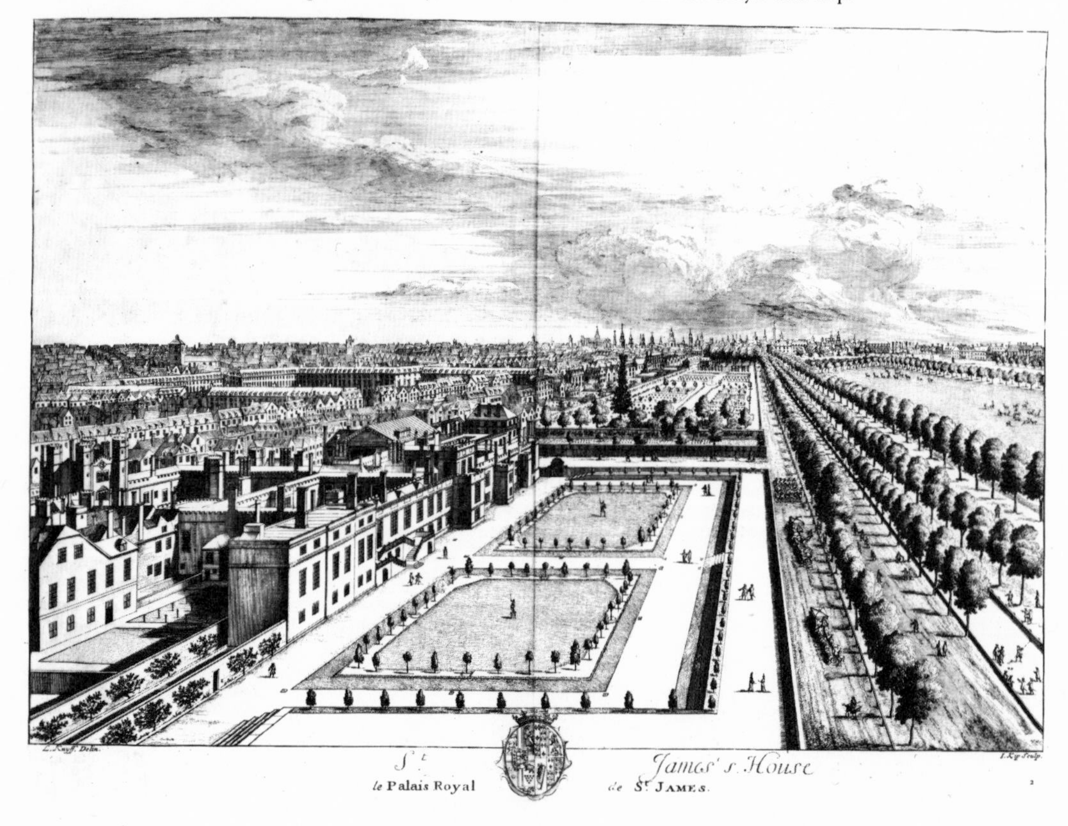

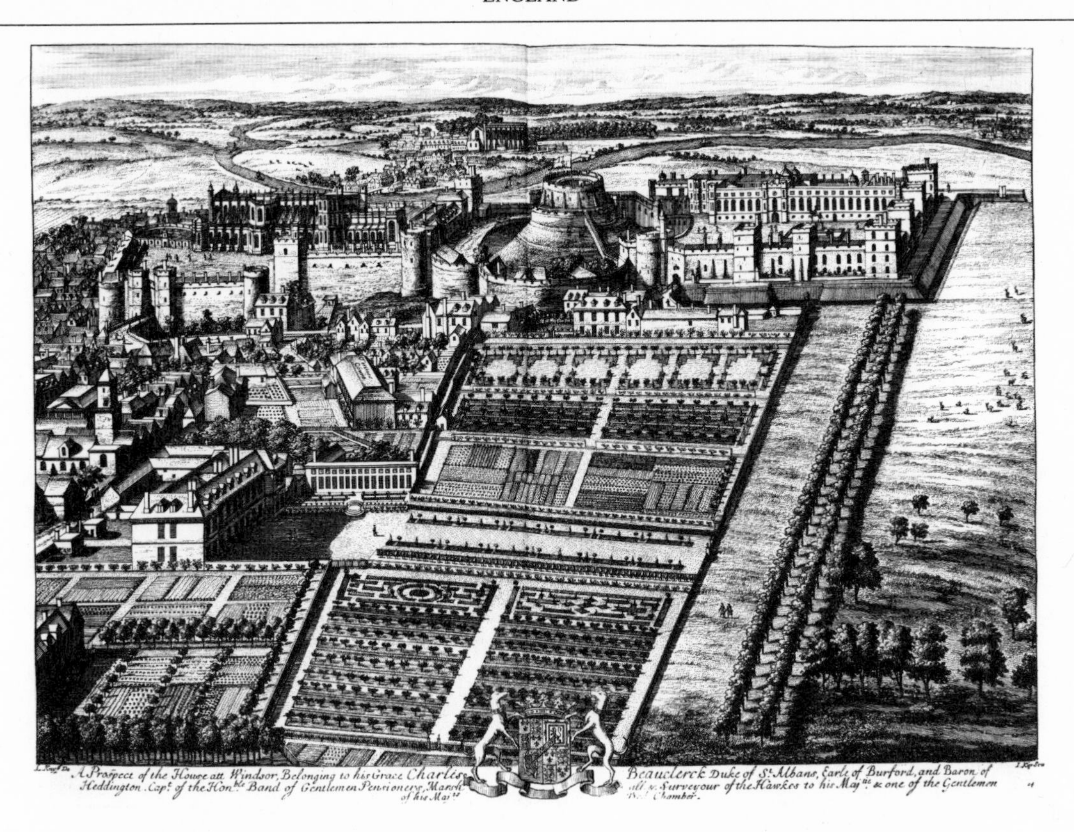

171.–172. Windsor Castle. In der Mitte auf einer Anhöhe der Round Tower, der älteste Teil der heutigen Anlage.

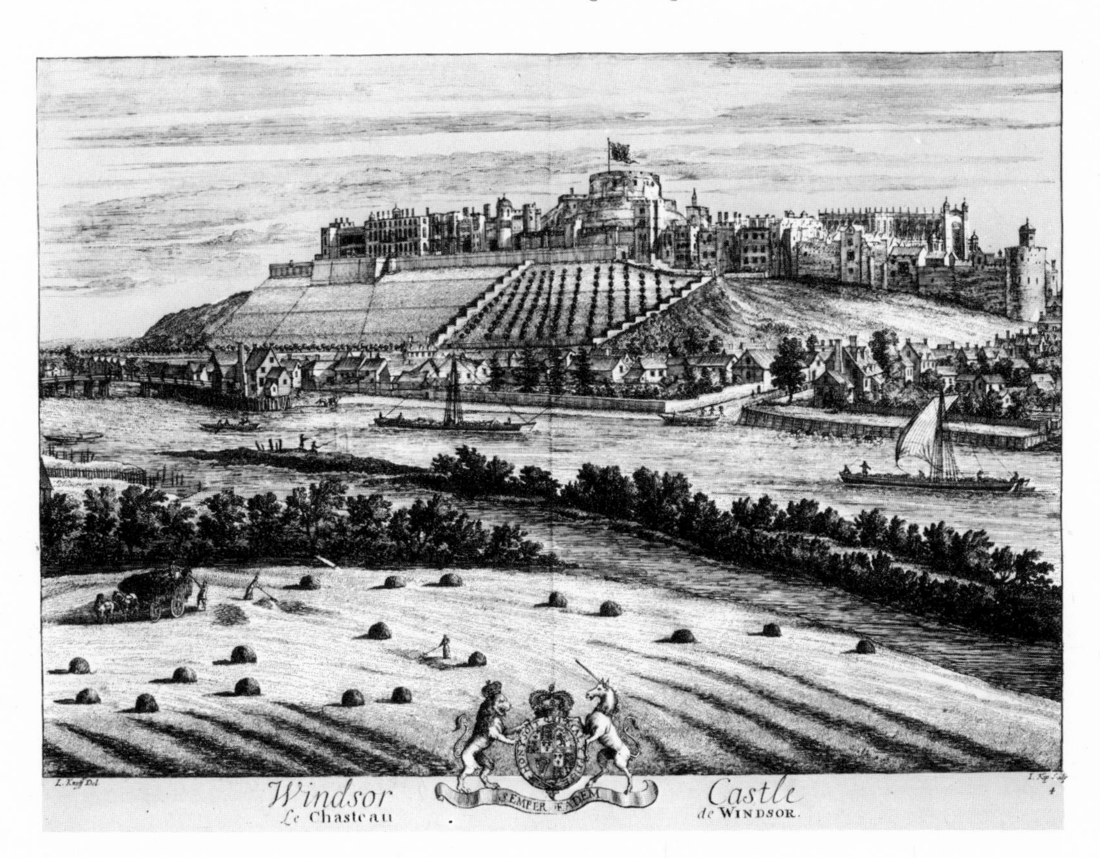

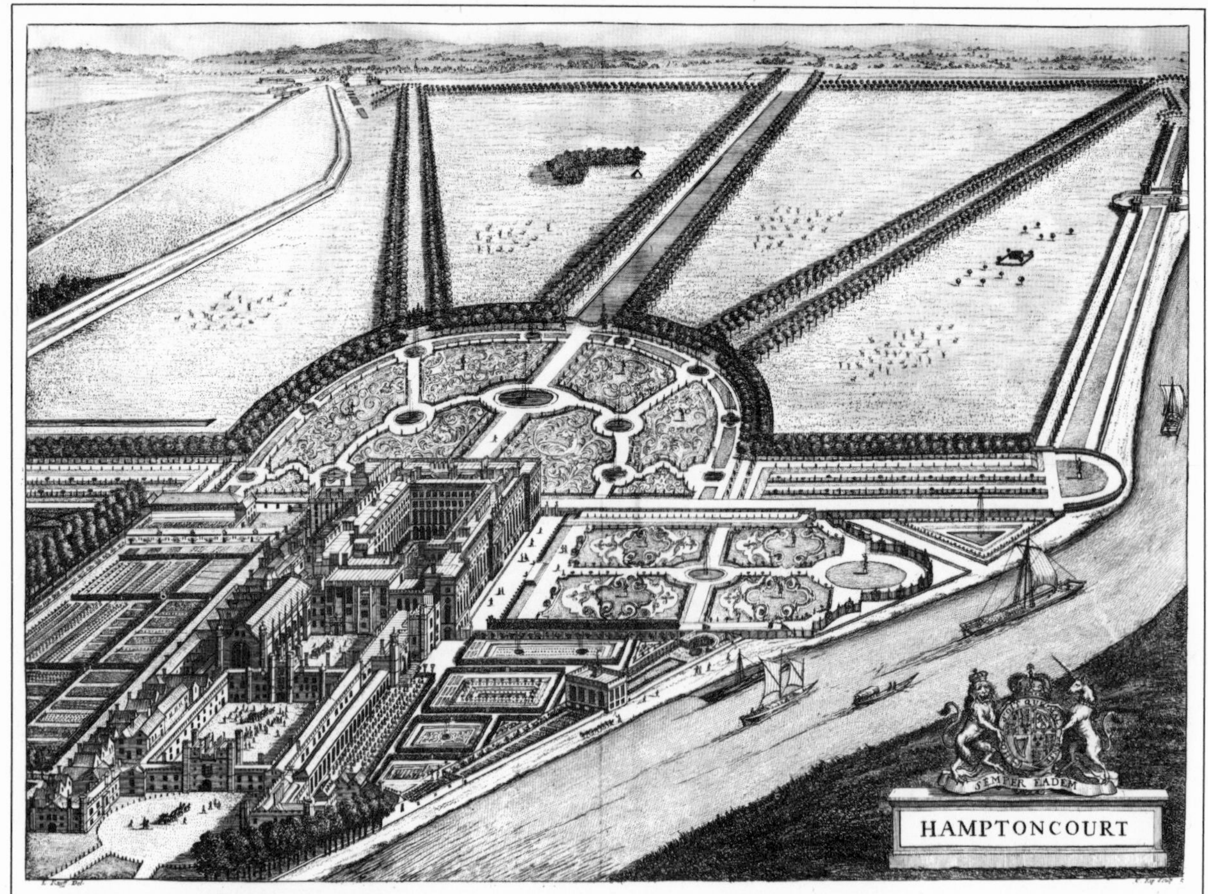

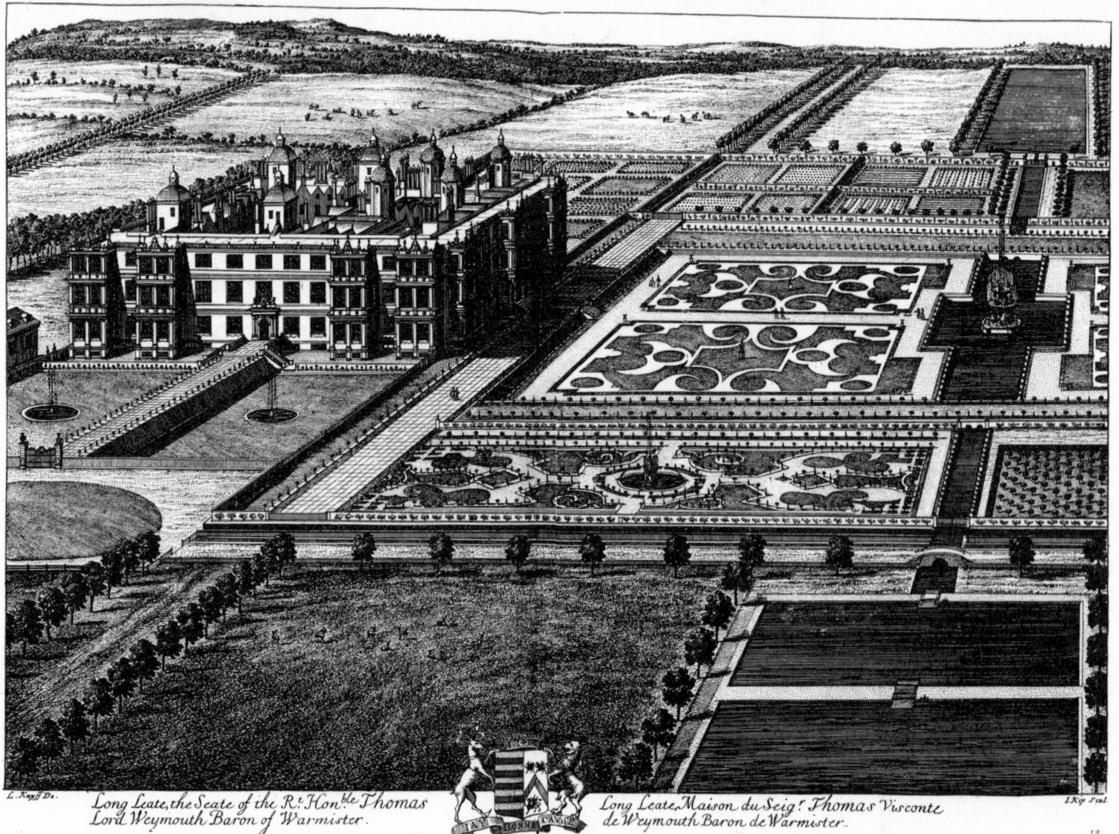

Long Leate, the Seate of the Rt. Honble Thomas Lord Weymouth Baron of Warmister.

Long Leate, Maison du Seigr. Thomas Visconte de Weymouth Baron de Warmister.

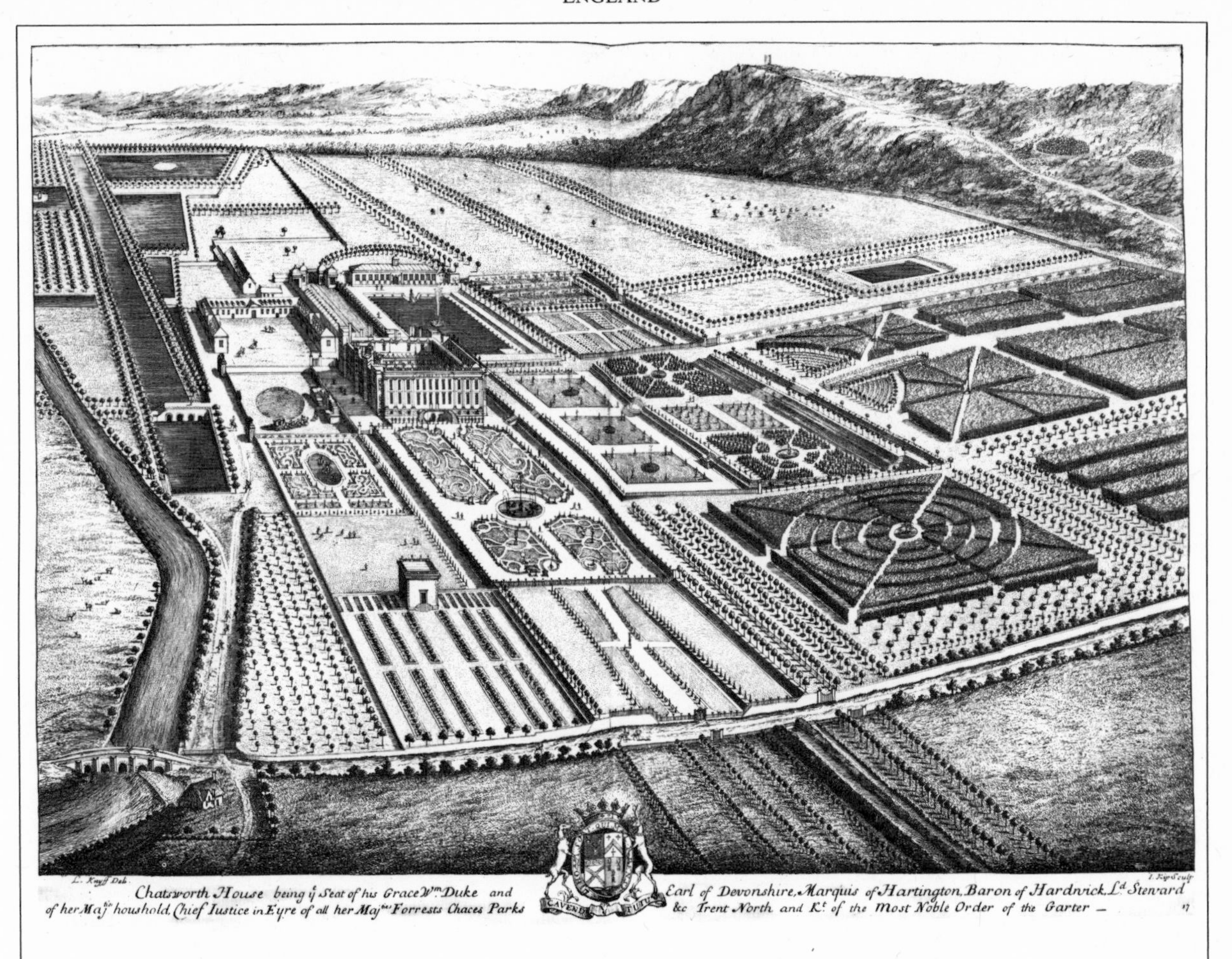

173. Hampton Court. Im Vordergrund die beiden Höfe des Palastes von Kardinal Wolsey und Heinrich VIII., dahinter der große Barockpalast von Christopher Wren für den König-Statthalter Wilhelm III., ab 1689 erbaut. (Die Arbeiten ruhten 1694–1699.) Stich von Knyff und Kip.

174. Longleat House (Wiltshire). Erbaut 1567–1579 von Sir John Thynne für den Marquis of Bath. Der Garten wurde 1683–1714 von George London angelegt. Stich von Knyff und Kip.

175. Chatsworth (Derbyshire), Schloß und Park des Herzogs von Devonshire. Der elisabethanische Bau wurde 1687–1706 nach Entwurf von William Talman umgestaltet. Auf dieser Abbildung ist die Westfassade noch im alten Zustand von vor 1700. Der Barockpark ist heute durch einen »Englischen Garten« ersetzt. Stich von Knyff und Kip.

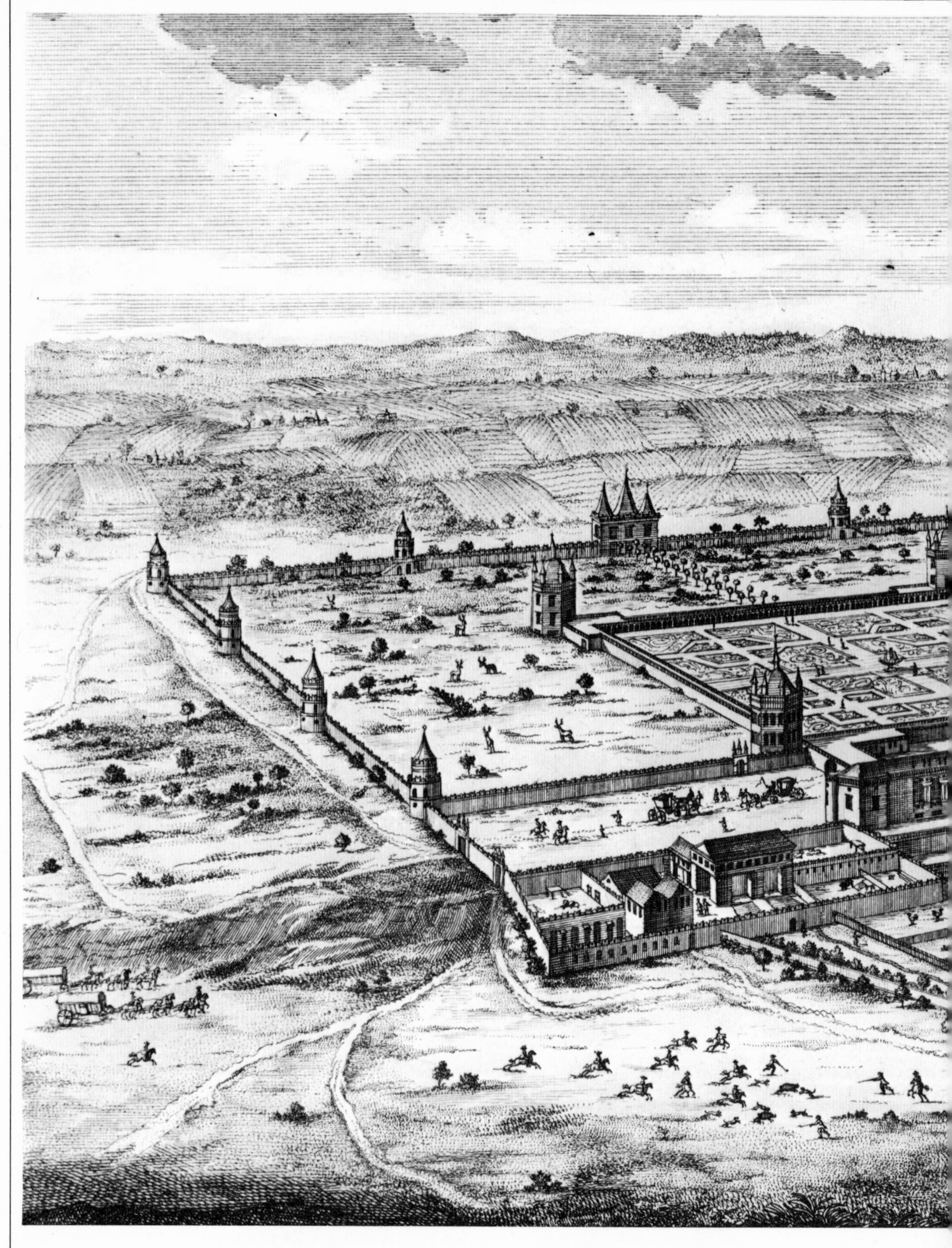

176. Neugebäude, Simmeringer Hauptstraße 234. Erbaut ab 1569 für Kaiser Maximilian II. von einer Reihe niederländischer Künstler (Alexander Colin, Bartholomäus Spranger u. a.). 1597 schon so sehr in Verfall, daß der Glaube entstehen

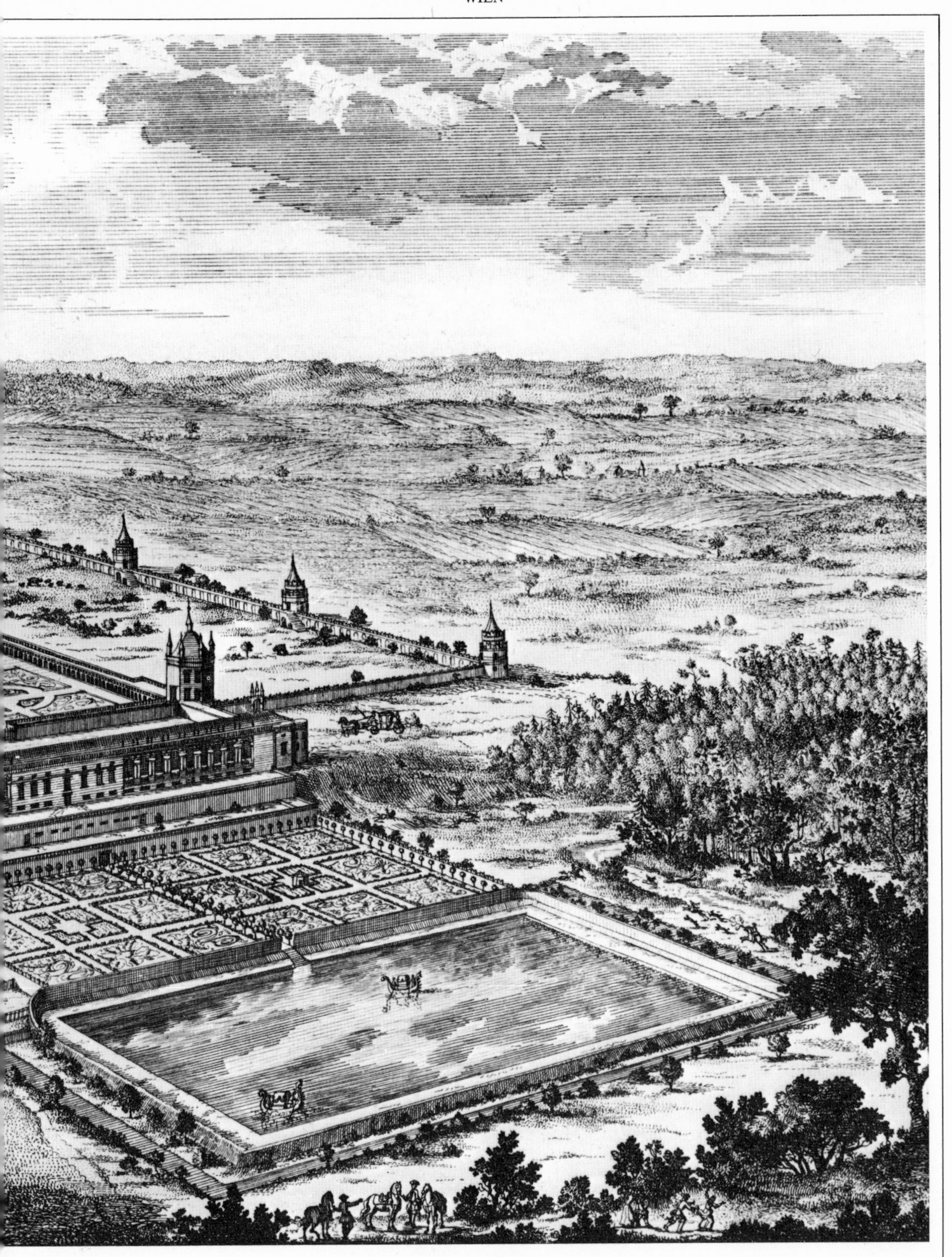

konnte, es handele sich um die Reste des türkischen Lagers von der Belagerung Wiens 1529, das die Feinde fluchtartig verlassen hätten. Stich nach Joseph Emanuel Fischer von Erlach.

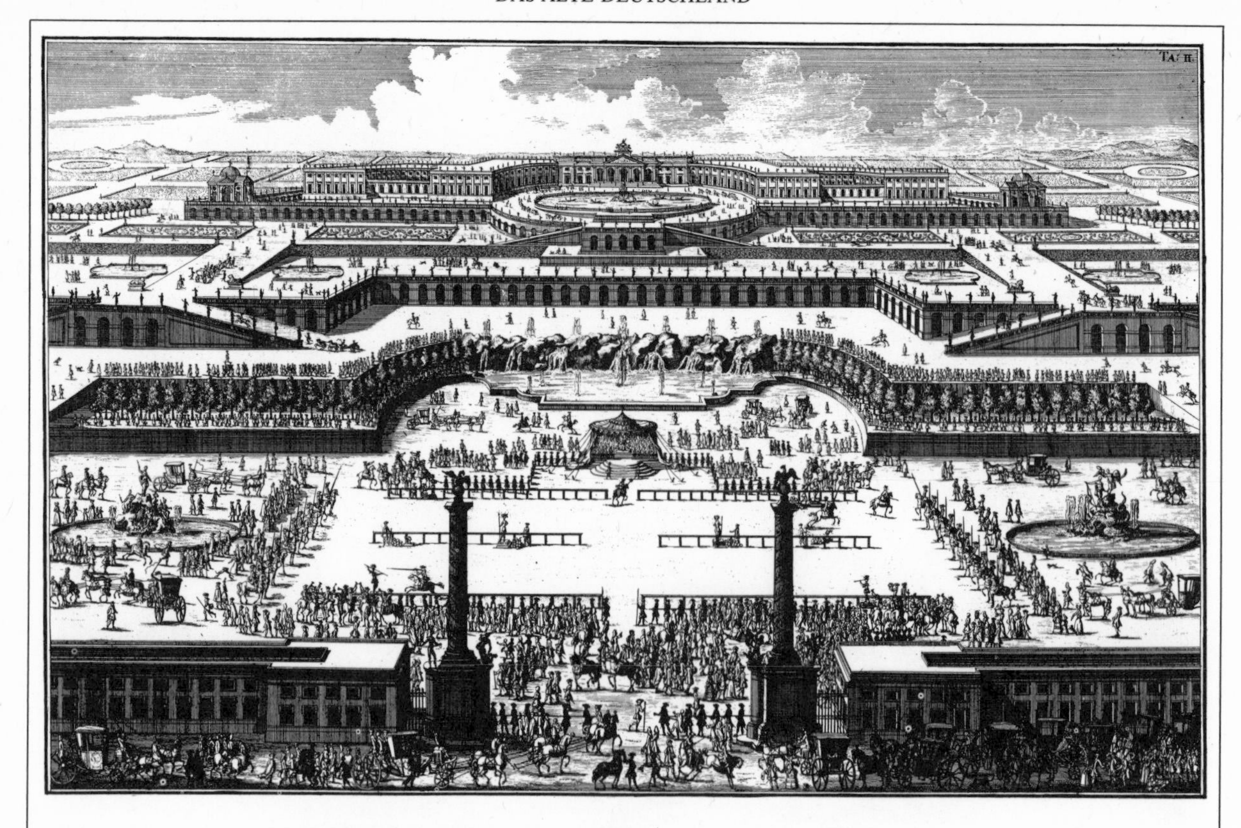

177. Erster Entwurf Johann Bernhard Fischers von Erlach für Schönbrunn, um 1692/93. Hanglage: Das Schloß sollte dort stehen, wo sich heute die Gloriette befindet. Es handelt sich wohl um ein Idealprojekt, an dessen Verwirklichung niemand dachte. Stich nach Johann Bernhard Fischer, vor 1721.

178. Zweiter Entwurf Fischers für Ebenenlage an der heutigen Stelle. 1695/96 Baubeginn, um 1700 der Mittelteil im Rohbau fertig, 1713 die Seitenflügel bis auf die Eindeckung vollendet, 1737 die Flachdächer durch steile Dächer ersetzt. Stich nach Johann Bernhard Fischer, vor 1721.

179. Fassade der Hofburg, Entwurf Joseph Emanuel Fischers von Erlach.

180. Reichshofkanzleitrakt, begonnen 1723 von Johann Lukas von Hildebrandt.
Beide Stiche nach Salomon Kleiner, 1733.

181. Der Hohe Markt, der auch als Fischmarkt diente. In der Mitte der Maria-Vermählungsbrunnen, errichtet 1729–1732 von Joseph Emanuel Fischer von Erlach. Stich nach Joseph Emanuel Fischer von Erlach von J. A. Delsenbach.

182. Der Graben. In der Mitte die Dreifaltigkeitssäule (Pestsäule), von Kaiser Leopold I. anläßlich der Pest von 1679 gelobt. Ausgeführt 1682/93 von Lodovico Burnacini. Rechts die Kuppel der Peterskirche. Stich nach Joseph Emanuel Fischer von Erlach von J. A. Delsenbach.

183. Neuer Markt (Mehlmarkt). Am Ende der rechten Häuserzeile Kapuzinerkirche und Kaisergruft, 1622–1632. Stich nach Joseph Emanuel Fischer von Erlach von J. A. Delsenbach.

184. Platz am Hof. Links die ehemalige Jesuitenkirche »Zu den neuen Chören der Engel«, Fassade 1662 von Carlo Antonio Carlone. In der Mitte des Platzes eine Mariensäule von Balthasar Herold, 1664–1667 in Bronze gegossen. Stich nach Salomon Kleiner, 1724.

185. St. Karl Borromäus, das Hauptwerk von Johann Bernhard Fischer von Erlach auf dem Gebiet der Sakralbaukunst. Von Kaiser Karl VI. während der Pest von 1713 gelobt, 1716–1723 von Vater Fischer erbaut und unter Leitung seines Sohnes 1725 die Kuppel aufgesetzt. Stich nach Salomon Kleiner, 1724.

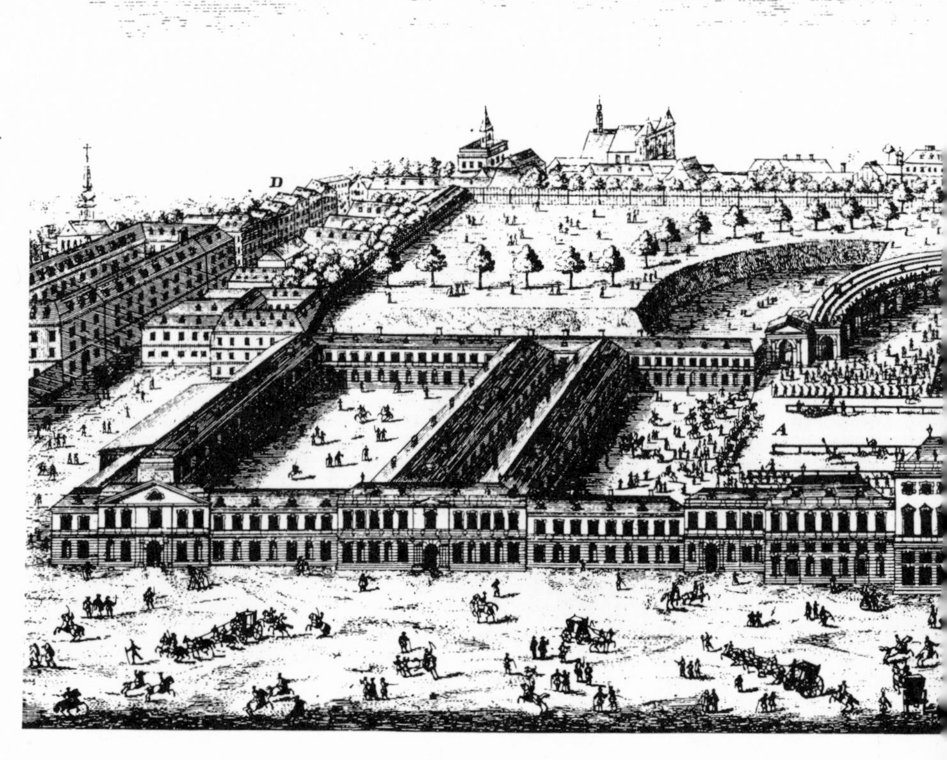

186. Entwurf von Johann Bernhard Fischer von Erlach für den kaiserlichen Marstall, der Platz für 600 Pferde gewähren sollte. Die großartigen Stallungen von Versailles boten die Anregung, die man hier übertreffen wollte. Nach des Vaters Tod von Joseph Emanuel Fischer erbaut; aber der halbkreisförmige rückwärtige Trakt gestrichen. Stich von Johann Bernhard Fischer.

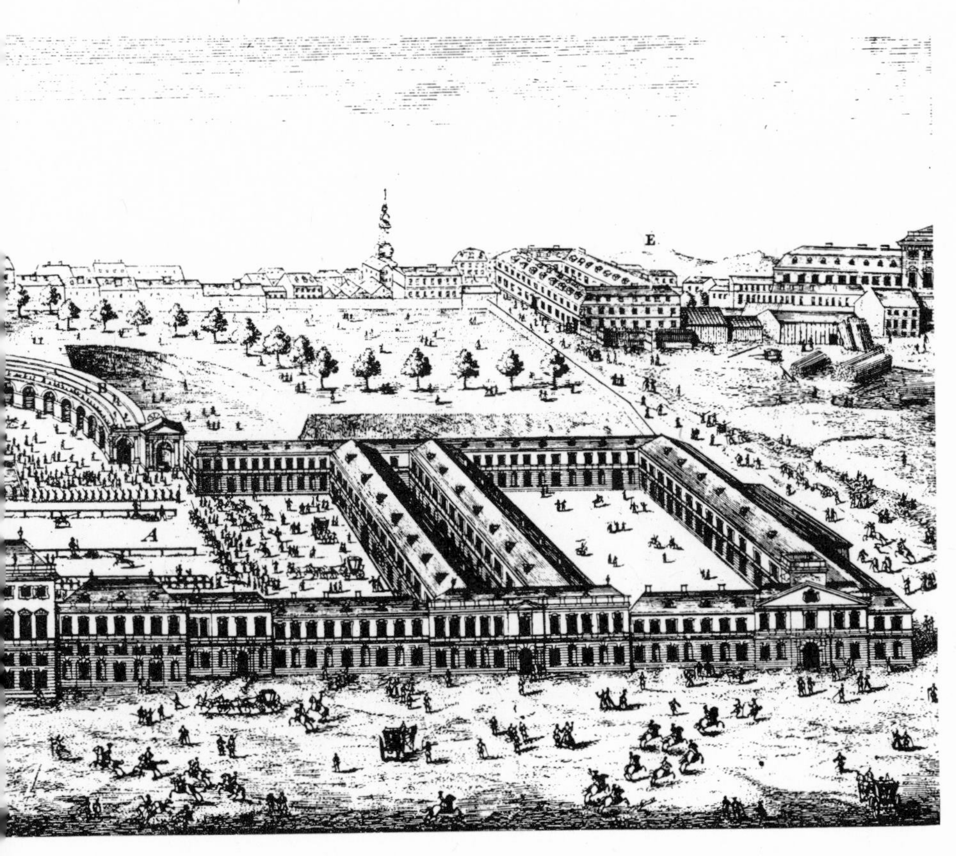

187. Hofbibliothek, Entwurf von Johann Bernhard Fischer von Erlach; Spätwerk, 1723–1726 von dem Sohn Joseph Emanuel Fischer von Erlach ausgeführt, 1735 vollendet. Fischer ist hier von der französischen Architektur aus der Jugendzeit Ludwigs XIV. beeinflußt. Die beiden Seitenflügel, die zusammen mit der Bibliothek den Josefsplatz bilden, erst 1767 und 1773 von N. Pacassi nach einem von Fischer abweichenden Entwurf hinzugefügt. Stich nach Salomon Kleiner, 1733.

Templum Parochiale S.PETRI à Carolo M. ut fama fert Aº 800. erectum Aº 1702 autem fun-
ditus extructum et SS. Trinitati dicatum. a. Domus Excubitorum. b. Domus Dn. Referendary de
Palm. c. Domus minor, in qua frusta glacialia asservantur. d. talis item domus major. e. Domus
Judaica Oppenheimer. f. Cœmeterium ad S. Petri.

Die St. Peters Pfarr-Kirch so Carolus M. Aº 800. soll erbauet haben, ist Aº 1702. aus dem Grund neu auf-
geführet, und der H. Dreyfaltigkeit geweihet worden. a. Das Wachthaus. b. Herrn Referendarii von
Palm-Hauß. c. Klein Eisgrüblen. d. Grosse Eisgrüben. e. Jud Oppenheimers Hauß. f. Peters Freit-
Hoff.

Prospectus novi Propylaei Templi St. Petri. a. Domus Vice - Dominatus
Officij inferioris Austriæ.

Die mit einer neuen Facade Aº 1734. gezierte St. Peters-Kirche.
a. Der A. J. R. Rieder-Oe-Vice-Dom-Amt.

S. Kleiner I.E.M. del. Cum Priv. Sac. Caes. Maj. B. Hattinger sculp.

Cœnobium et Templum Monialium ORD. S. FRANCISCI DE SALES, de Visitatione S. Mariæ dictum, inchoatum est A.° 1717 d. 13. Maj. Augustissima Amalia Fundatrice.

Kloster und Kirchen der Closter Frauen deß Ordens S. Francisci de Sales, von der Heimsuchung S. Mariæ genant auf dem Renn Weg, von der verwittibten Keyserin Amalia gestifftet, in A°. 1717. d. 13. Maj. angefangen zu erbauen.

Sal. Kleiner del. — Cum Priv. Sac. Cæs. Maj. — Ioh. Aug. Corvinus sculps.

Collegium PP. PIARUM SCHOLARUM, qui sunt Clerici Regulares, cum Templo S. Mariæ de fide in suburbio Josephino, initium cœpit A.° 1698.

Das Collegium derer PP. piarum Scholarum, so Clerici Regul. sind, sambt der Pfarr-Kirchen S. Mariæ-Treü in der Joseph Stadt, nahm ihren Anfang A°. 1698.

Sal. Kleiner del. — Cum Priv. Sac. Cæs. Maj. — Ioh. Aug. Corvinus sculpsit.

Seite 170/171:

188. Peterskirche von Johann Lukas von Hildebrandt, 1703–1708 im Rohbau vollendet, aber noch ohne Turmhelme, Fassade teilweise unverkleidet. Stich nach Salomon Kleiner, 1724.

189. Peterskirche in vollendetem Zustand. 1730–1733 der Hauptchor verändert und die Turmhelme aufgesetzt, 1733 Weihe. Stich nach Salomon Kleiner, 1737.

190. Salesianerinnen-Kirche Mariae Heimsuchung auf dem Rennweg, 1717 gestiftet, 1719 im Rohbau fertig, 1730 vollendet von Donato Felice von Allio. Der Garten stößt an den Belvedere-Garten des Prinzen Eugen, siehe Frontispiz. Stich nach Salomon Kleiner, 1724.

191. Piaristenkirche Maria Treu. Begonnen wohl nach Entwurf von Johann Lukas von Hildebrandt 1698–1716, Weiterbau vielleicht aufgrund eines Holzmodells von Kilian Ignaz Dientzenhofer um 1721. Vollendung erst 1751–1753. Stich nach Salomon Kleiner, 1724.

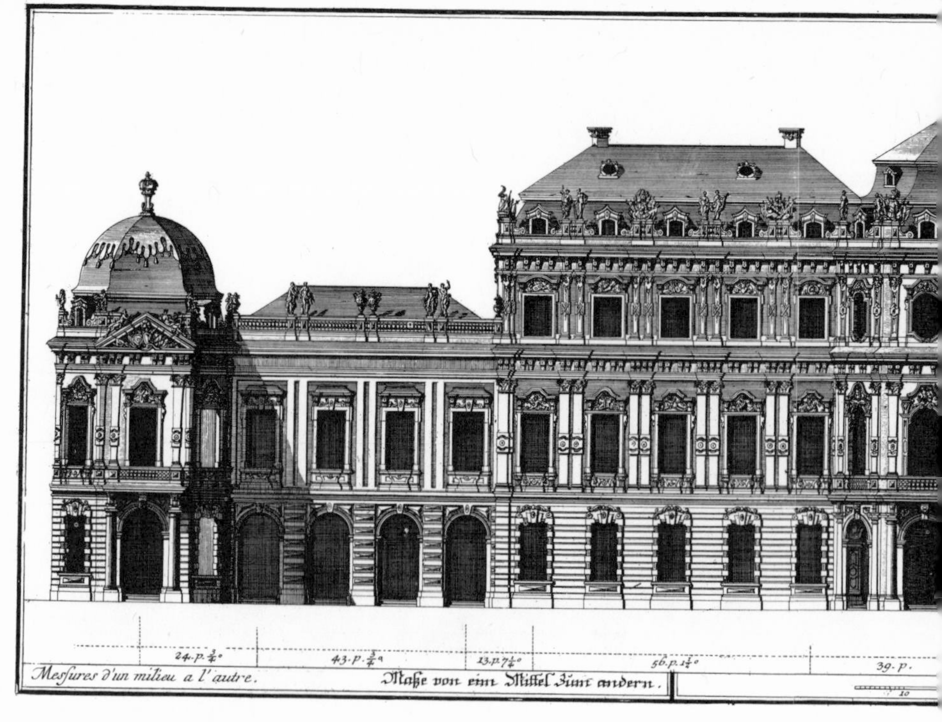

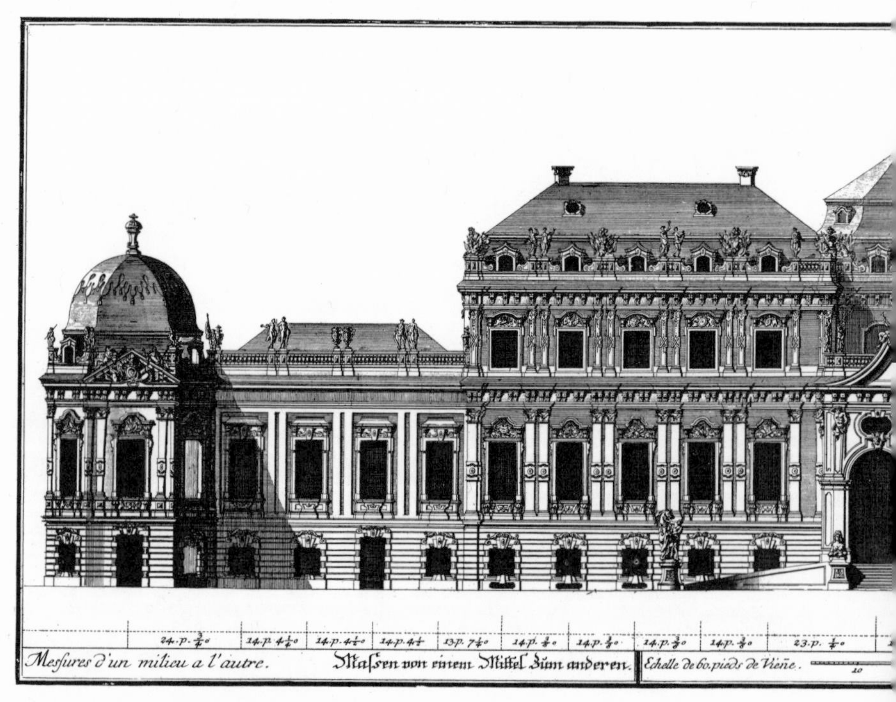

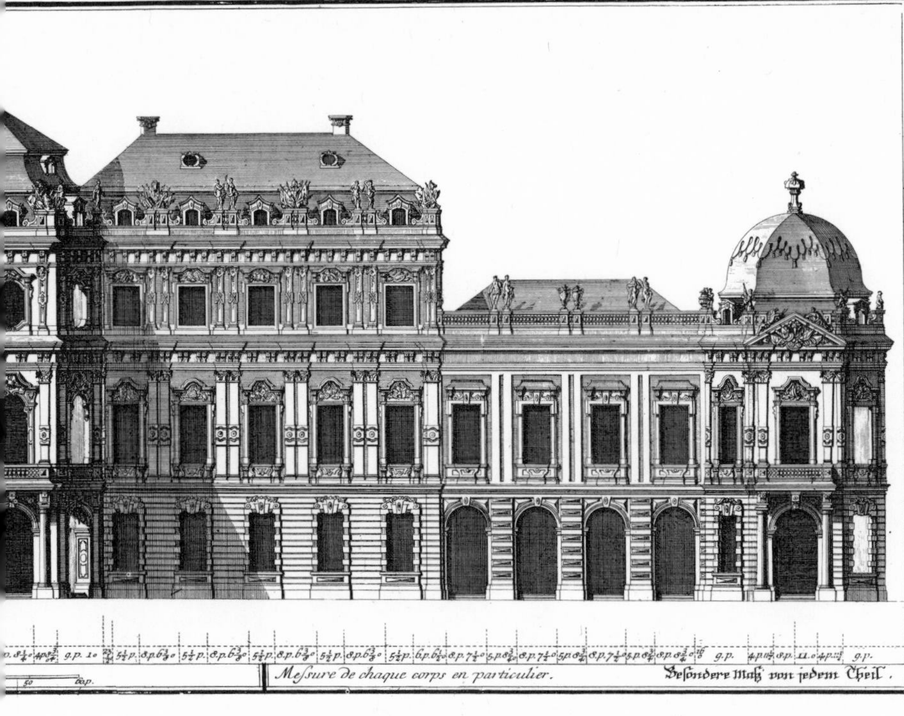

192. Oberes Belvedere. Lustschloß des Prinzen Eugen am Rennweg, Gartenseite. Stich nach Salomon Kleiner, 1736.

193. Auffahrtsseite. Der Bau hat gegen den Garten ein Geschoß mehr. 1721/22 nach Entwurf von Johann Lukas von Hildebrandt. Langgestreckter Bau ohne Tiefe, der oben auf der Höhe vor allem eine silhouettenartige Wirkung erstrebt. Stich nach Salomon Kleiner, 1736.

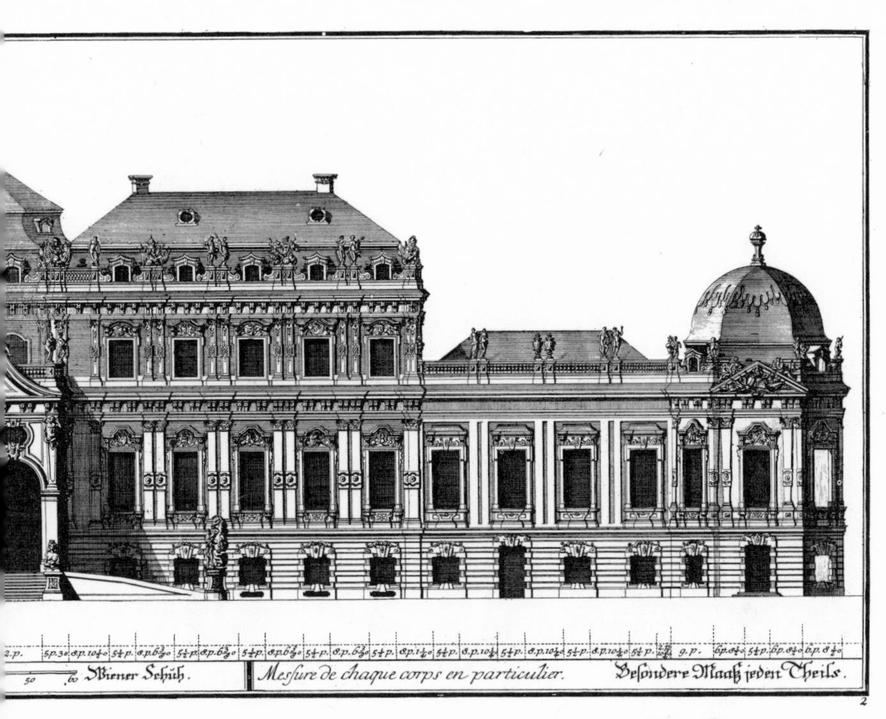

194. Oberes Belvedere, Schrägansicht. Die vierjochigen Seitenflügel zwischen Corps de Logis und Eckpavillons haben noch offene Arkaden, Ende des 18. Jahrhunderts vermauert. Stich nach Salomon Kleiner, 1737.

195. Treppenhaus. Auf dem Podest auf halber Höhe Aufstieg zum Piano nobile und Abstieg zur Sala Terrena und zum Garten. Stich von Salomon Kleiner.

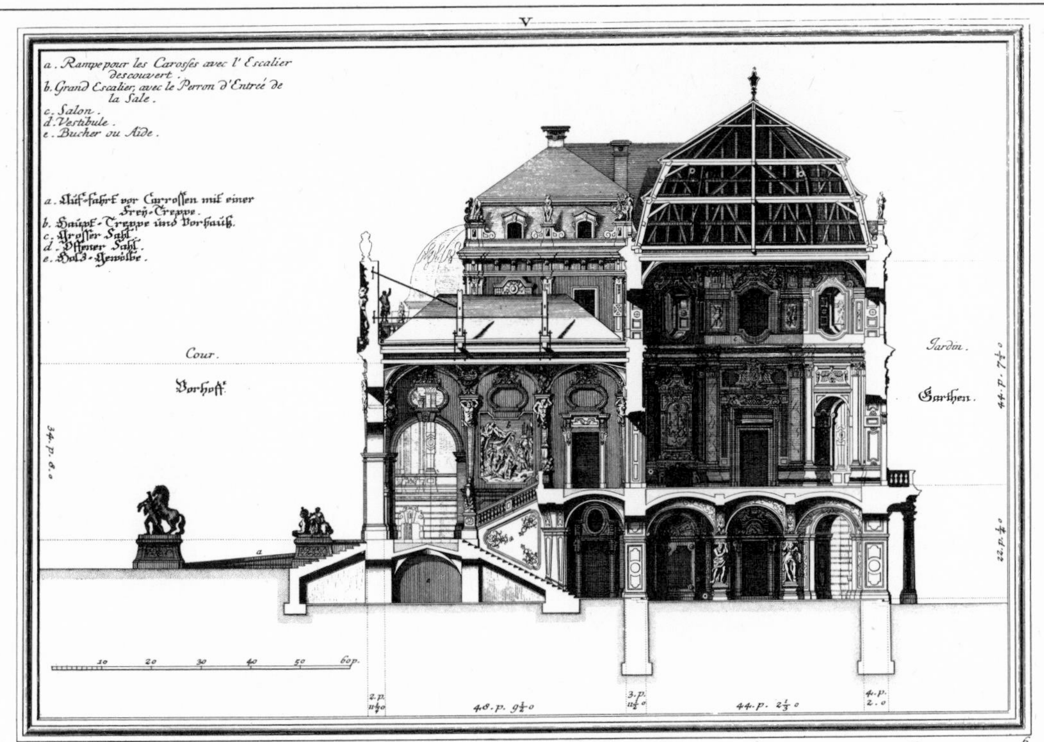

Coupe de la Ligne EF du pland N°. 1. — Durchschnitt nach der Linie EF in dem Grundriß. N°. 1

Salomon Kleiner Ing. Elect. Mog. delin. — Cum Priv. Sac. Cæs. Maj. — Hæred. Ieran. Wolffy excud. Aug. Vind. — Ioh. Iacob Graßmann sculps.

196. Schnitt durch das Obere Belvedere. Links Auffahrt und Treppenhaus, rechts der große Festsaal, darunter die Sala Terrena (Gartenseite). Stich nach Salomon Kleiner.

197. Sala Terrena mit vier Atlanten. Stich nach Salomon Kleiner, 1731.

Veue de Sallon ouvert du coté du grand Escalier — Offener Saal, gegen der Haupt-Treppen anzusehen.

Antichambre peinte en crotesques. Gemahltes Vorgemach.

198. Großes Vorzimmer zum Marmorsaal im Unteren Belvedere. Solche Groteskmalereien waren bis zum Ende des 18. Jahrhunderts eine beliebte Ornamentform für die Stuckierung und Ausmalung ebenerdiger Räume. Stich nach Salomon Kleiner, 1740.

199. Unteres Belvedere am Rennweg, Seitenansicht. Der erste Bau der Gesamtanlage als Orangerie mit zwei Flügeln, zwischen denen nur ein kleiner Wohntrakt liegt. Stich nach Salomon Kleiner, 1738.

Veüe du Palais situés au bout du grand Jardin, avec les 2. Parterres et Bassins, qui se trouvent entre les Bosquets et le dit Batiment.

Prospect des untern Gebäudes mit zweyen Parterren und Bassins, so zwischen denen Bosquets und besagten Gebäude liger.

200. Oberes Belvedere, Großer Festsaal. Rechteck mit zum Oktogon abgestumpften Ecken. Die Wände in Marmor-Inkrustation. Deckenfresko mit der Apotheose des Prinzen Eugen von Martino Altomonte. Stich nach Salomon Kleiner, 1731.

Seite 178/179:

201. Palais Lobkowitz (damals Dietrichstein), 1685–1687 erbaut von Giovanni Pietro Tencala. Stich nach Salomon Kleiner, 1724.

202. Palais Starhemberg, 1661 erbaut von Wolfgang Wilhelm Praemer. In der linken Bildhälfte die Minoritenkirche des 14. Jahrhunderts. Stich nach Salomon Kleiner, 1724.

203. Leopoldinischer Trakt der Hofburg. Nach dem Brand 1668–1681 durch Domenico Carlone neu errichtet. 29 Achsen, durch Kolossalbänder voneinander getrennt. Stich nach Salomon Kleiner, 1725.

204. Stadtpalais des Prinzen Eugen in der Himmelpfortgasse. Die sieben mittleren Achsen 1695–1698 von Johann Bernhard Fischer erbaut. 1708/09 fünf Achsen nach Osten, 1723/24 fünf Achsen nach Westen von Hildebrandt hinzugefügt. Stich nach Kleiner, 1725.

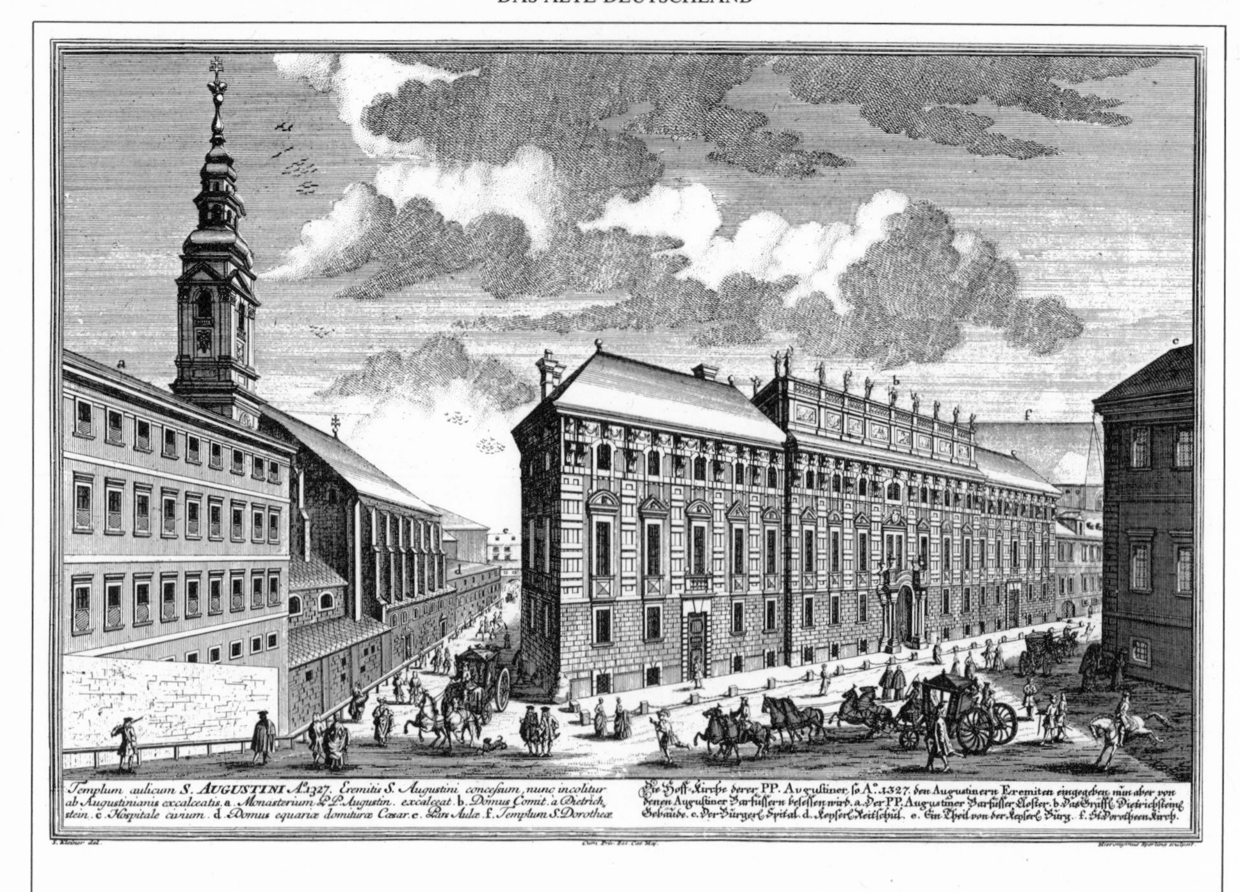

Templum aulicum S. AUGUSTINI A°. 1327. Eremitis S. Augustini concessum, nunc incolitur ab Augustinianis excalceatis. a. Monasterium P.P. Augustin. excalceat. b. Domus Comit. à Dietrichstein. c. Hospitale civium. d. Domus equariæ domituræ Cæsar. e. Pars Aulæ. f. Templum S. Dorotheæ.

Die Hoff-Kirche derer PP. Augustiner, so A°. 1327. den Augustinern Eremiten eingegeben, nun aber von denen Augustiner Barfüssern besessen wird. a. Der PP. Augustiner Barfüsser Closter. b. Das Gräffl. Dietrichsteins Gebäude. c. Der Bürgerl. Spital. d. Keyserl. Reitschul. e. Ein Theil von der Keyserl. Burg. f. St. Dorotheen Kirch.

Templum S. CRUCI ab Ottocaro Bohemiæ Rege post A°. 1227. dicatum, nunc Seraphici Ordinis Minorit. Convent. assignatum, vulgo Landhæusser dict. a. Domus Comit. à Starenberg. b. Comitis à Windisschgræz. c. Domus Principis de Liechtenstein. d. Cœnob. F.F. Minor.

Die Kirchen zum H. Creütz so jezo die PP. Minoriten besitzen, insgemein die Landhäusser Kirch; gestifftet von Ottocaro König in Böhmen A°. 1227. a. Das Gräffl. Stahrenbl. Gebäu. b. Gräffl. Windischgrä. und c. Fürstl. Lichtensteins Gebäude. d. Minoriten Häusser.

Prospectus AULÆ CÆSAREÆ, prout extra urbem versus orientem in oculos incurrit.
a. Porta aulica. b. pars Cæsareæ domituræ equestris. c. Templum aulicum. S. Augustini.
d. Templum omnium Sanctorum in hospitali civico.
Prospect der Keyserlichen Burg wie solche von aussen gegen Aufgang anzusehen.
a. Das Burg Thor. b. Ein Stück von der Kayserl. Reit Schul. c. Die Hoff Kirchen St. Augustini.
d. Aller Heilg. Pfarr Kirchl im Bürgerlichen Spital.
Sal. Kleiner del.
Cum Priv. S. C. M.
I. A. Corvinus sculp.

a
Prospectus PALATII EUGENII DUCIS SABAUDIÆ in platea ad portam Coeli
a. Domus balneatoris.
Prospect Ihro Hoch Fürstl. Durchl. Printz Eugenii von Savojen Palatium
in der Himmel-Port Gassen. a. Das Baderische Hauß.
I. A. Corvinus sculps.

205. Palais Liechtenstein in der Bankgasse. Vor 1694 nach dem Entwurf von Domenico Martinelli begonnen, 1697 im Rohbau fertig, 1706 vollendet. Stich nach Joseph Emanuel Fischer von Erlach von J. A. Delsenbach.

206. Palais Batthyány, erbaut 1692–1697 von Johann Bernhard Fischer von Erlach. Stich nach Joseph Emanuel Fischer von Erlach von J. A. Delsenbach.

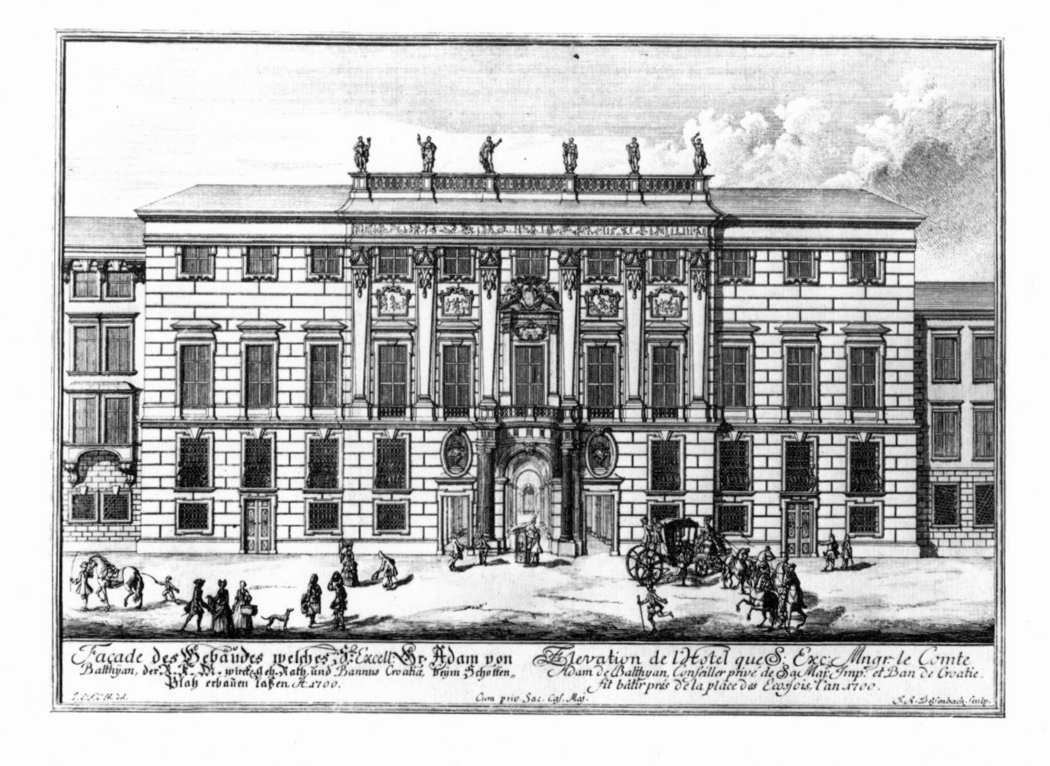

207. Böhmische Hofkanzlei, erbaut zwischen 1708 und 1714 von Johann Bernhard Fischer von Erlach. Die spätere Erweiterung um elf Achsen zeigt unser Bild erfreulicherweise noch nicht. Stich nach Salomon Kleiner, 1725.

208. Palais Daun-Kinsky, erbaut 1713–1716 von Johann Lukas von Hildebrandt. Starke Übereinstimmung der Fassade mit dem Palais Batthyány. Stich nach Joseph Emanuel Fischer von Erlach.

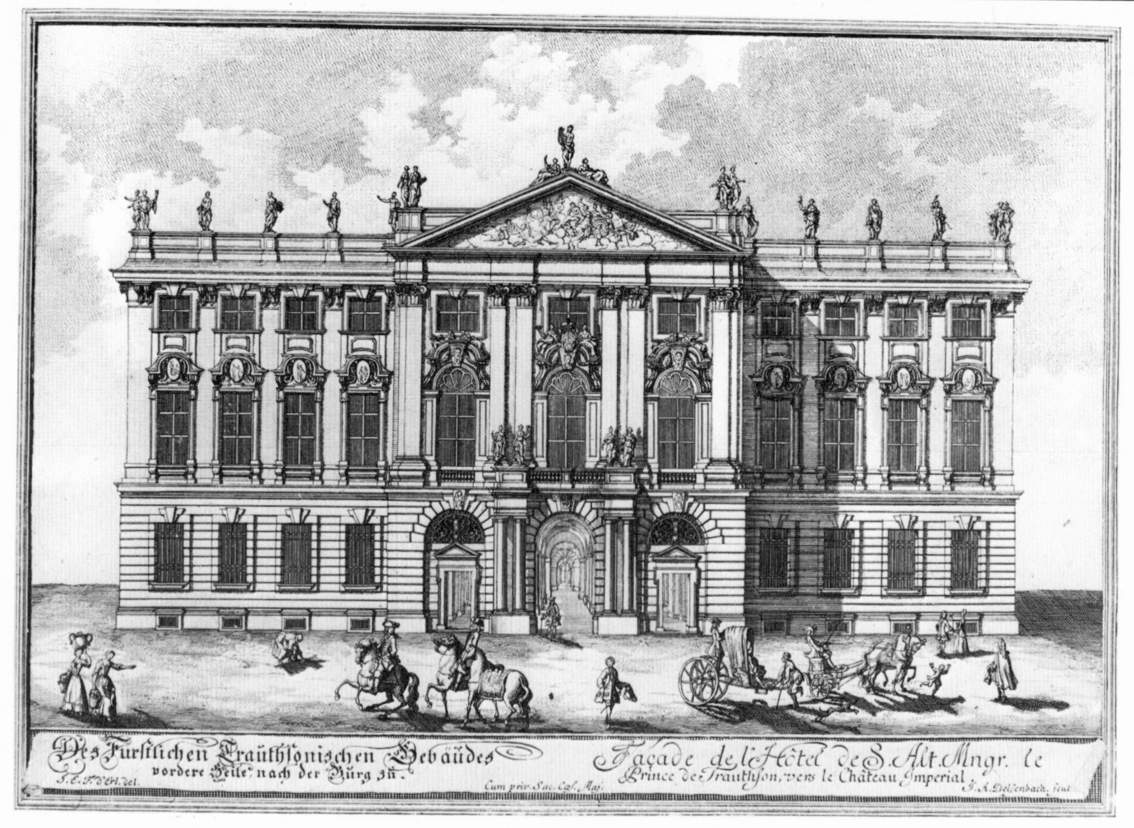

209. Palais Trautson (seit 1760 Palais der Ungarischen Garde), erbaut von Johann Bernhard Fischer von Erlach, um 1710–1712. Stich nach Joseph Emanuel Fischer von Erlach.

210. Da das Palais Trautson als Gartenpalais entworfen war, besaß es als rückwärtigen Abschluß eine Orangerie. Stich nach Joseph Emanuel Fischer von Erlach.

211. Palais Auersperg-Roffrano, um 1706 vermutlich nach Entwurf von Johann Lukas von Hildebrandt errichtet, der Mittelrisalit nach 1721 durch Johann Christian Neupauer wesentlich verändert. Hier hat Hugo von Hofmannsthal seinen »Rosenkavalier« beheimatet. Stich nach Salomon Kleiner, 1725.

212. Gartenpalais Schwarzenberg am Rennweg, Gartenfassade. Für Fürst Mansfeld-Fondi 1697–1704 von Johann Lukas von Hildebrandt errichtet. 1720–1723 von Johann Bernhard Fischer von Erlach nicht nur im Innern umgebaut, sondern auch an der Gartenfront und dem gegen den Garten vortretenden Ovalsaal. Stich nach Salomon Kleiner, um 1738.

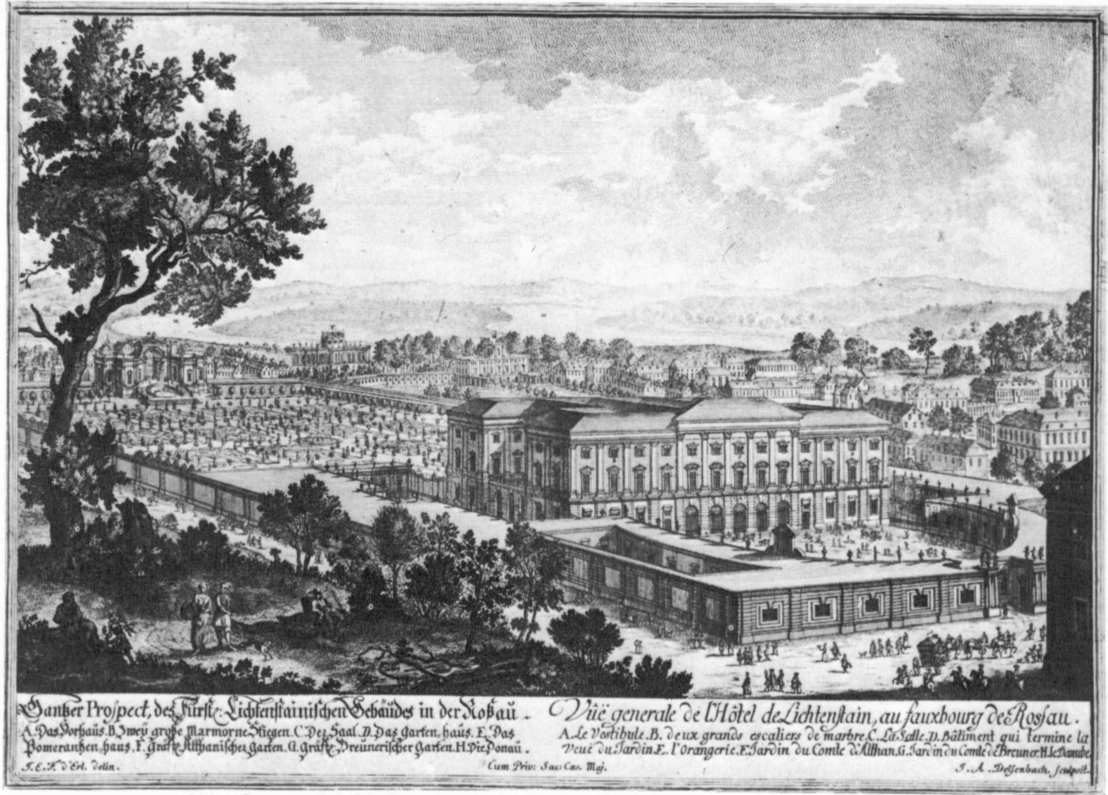

213. Gartenpalais Liechtenstein in der Rossau, 1691–1711 von D. Martinelli erbaut.

214. Gartenpalais Althan in der Rossau. Jugendwerk von Joh. Bernh. Fischer, um 1688–1692. Abgerissen 1869. Beide Stiche nach Joseph Emanuel Fischer.

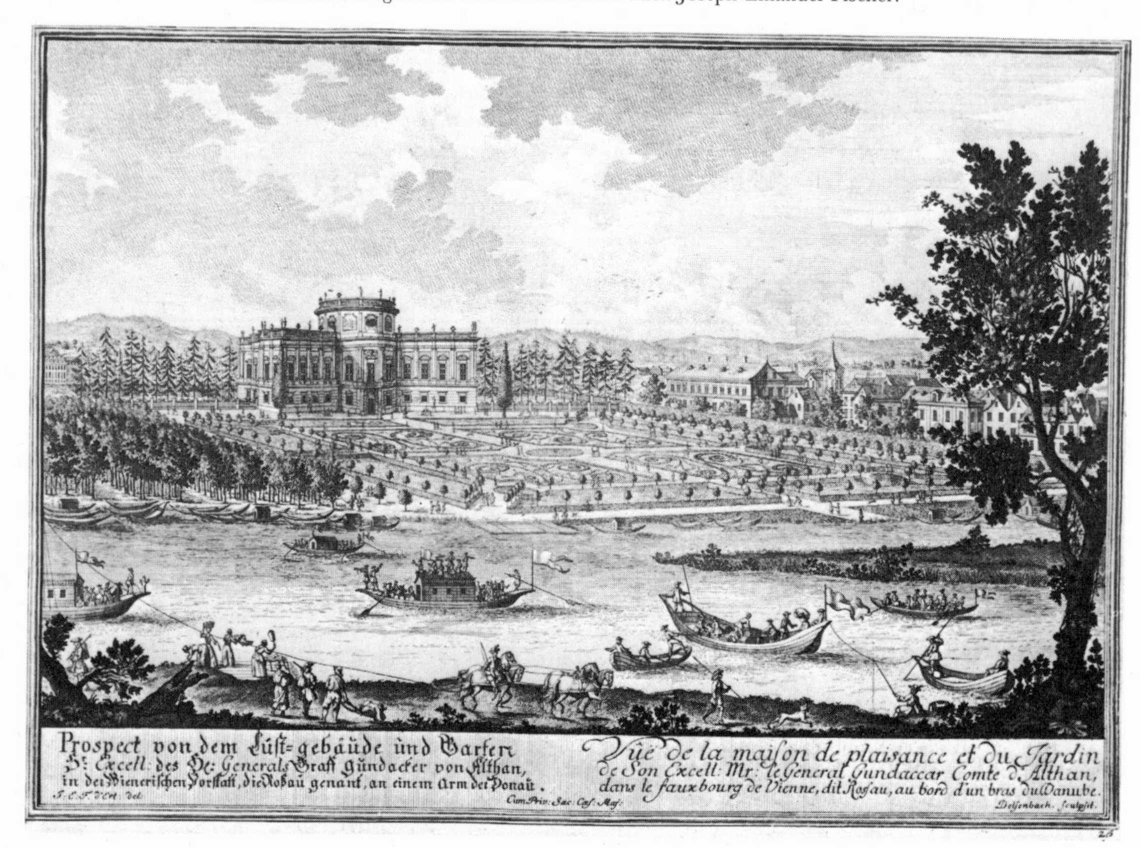

215. Gartenpalais Starhemberg-Schönburg, Rainergasse 11. Erbaut 1705/06, wahrscheinlich von Johann Lukas von Hildebrandt. Stich nach Salomon Kleiner, um 1735.

216. Gartenpalais Harrach in der Ungargasse von Johann Lukas von Hildebrandt. Gartenseite um 1735. Stich nach Salomon Kleiner, um 1738.

Ta: XIX.
Prospect eines Garten-Gebäudes sambt einem Bassin; woran zwey frey gestellte Statuen ein von Kupfer gestricktes Netz ziehen
Veuë d'une Maison de plaisance, avec un Bassin; où deux Statues sans piedestaux tirent des filets de fil de cuivre
J. B. Fischers v. Erlach delin. et inven.
C: P: S: C. M:

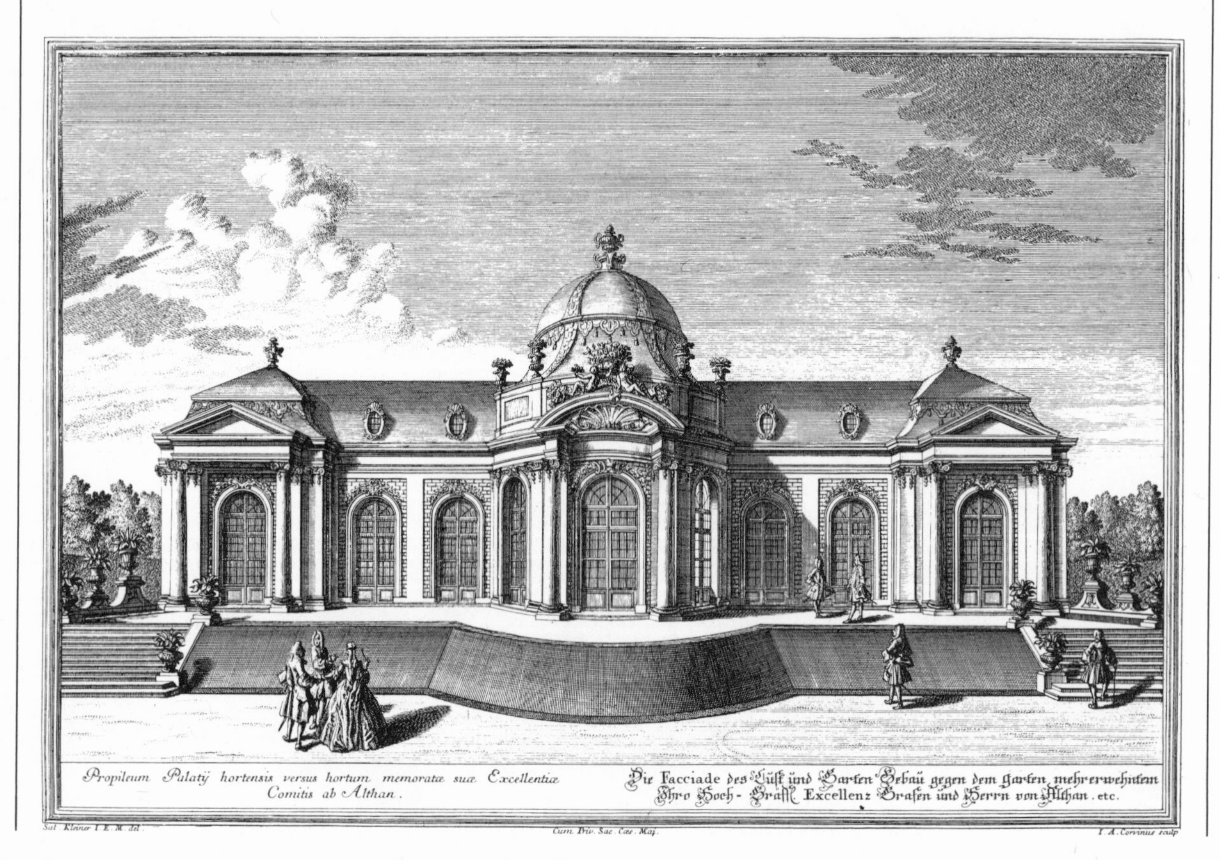
Propileum Palatij hortensis versus hortum memoratæ suæ Excellentiæ Comitis ab Althan.
Die Facciade des Lust und Garten Gebäu gegen dem Garten mehrerwehnten Ihro Hoch-Gräfl. Excellenz Grafen und Herrn von Althan. etc.
Sal. Kleiner I. E. M. del.
Cum Priv. Sac. Cæs. Maj.
I. A. Corvinus sculp.

217. Entwurf zu einem Gartenpalais von Johann Bernhard Fischer von Erlach. Taf. XIX in Buch 4 von des Meisters »Historischer Architektur«, neben anderen Entwürfen für Landhäuser. Stich von 1721.

218. Gartenpalais des Grafen Gundakar Althan in der Ungargasse. Erbaut 1729–1732 von Joseph Emanuel Fischer von Erlach. Das Palais wurde 1847 abgerissen, die Vorstellung davon ist in einem Grundriß und zwölf Zeichnungen von Salomon Kleiner, 1737/38, erhalten.

219. Haupt-Maut-Gebäude beim Roten Turm. Gewährt eine vorzügliche Vorstellung von den Bastionen um 1725, der Bebauung des Stadtrandes und dem freien Vorfeld. Stich von Salomon Kleiner, 1725.

220. Armenhaus und Soldaten-Spital in der Alsergasse, 1693 erbaut mit ungegliederten Flügeln, erweitert und mit einem dreiachsigen Mittelrisalit von Johann Bernhard Fischer von Erlach versehen, einem Spätwerk um 1718, später zerstört. Stich nach Salomon Kleiner, 1733 (Ausschnitt).

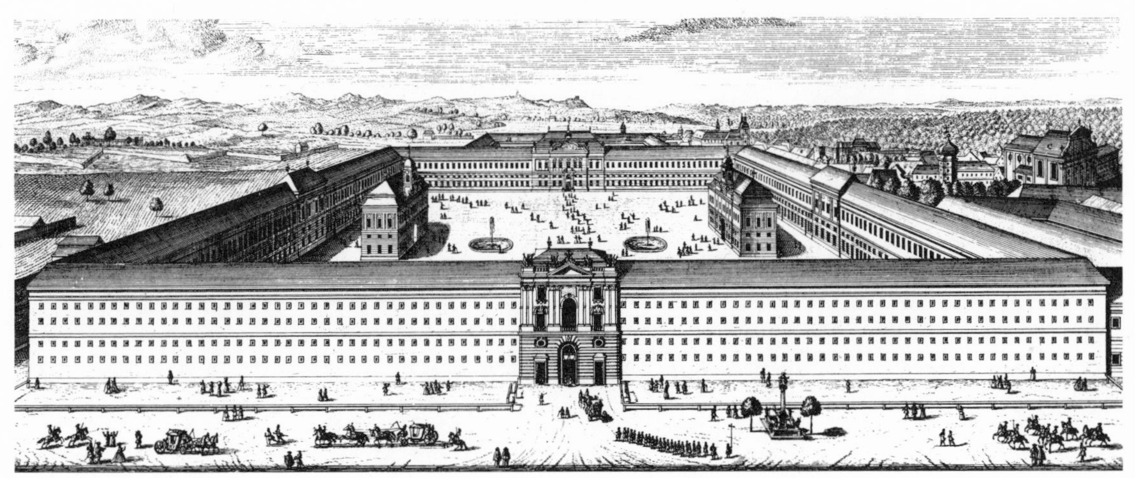

Prospect des Schloß von Saltzbürg von Mittag andüsehen
Cum Priv. S. C. M.
levé et desiné pa

221. Festung Hohensalzburg von Süden, erbaut im Investiturstreit 1077, die gotischen Teile 1465–1519. Stich von Franz Anton Danreiter, um 1750.

222. Südliche Seitenfront des Doms, ein entsprechend großer Platz auch vor der Nordflanke. Stich von Franz Anton Danreiter, um 1750.

223. Westfassade des Doms und Domplatz. Erster großer italienischer Kirchenbau auf deutschem Boden, errichtet 1614–1628 von Santino Solari. Ausbau der Türme und des Mittelgiebels erst 1651–1655. Die linke Seitenfront gehört zum Erzbischöflichen Palais, die rechte zum Stift St. Peter. Stich von Franz Anton Danreiter, um 1750.

224. Theatiner-Kloster und Kirche St. Kajetan, 1685–1700 von Caspar Zuccali aus Graubünden erbaut. Zentralkirche mit querovaler Kuppel, die von den Klostertrakten flankiert wird, die ein Fünfeck formen. Der Bau von zwei Türmen unterblieb. Stich von Franz Anton Danreiter.

225. St. Erhart im Nonntal, erbaut im Auftrag des Domkapitels 1685–1689 von Caspar Zuccali. Lage zwischen zwei nicht gleichzeitigen Spitaltrakten. Stich von Franz Anton Danreiter.

226. Dreifaltigkeitskirche, erbaut 1694–1702 von Joh. Bernhard Fischer von Erlach.

227. Kollegienkirche von Johann Bernhard Fischer von Erlach, erbaut 1694–1707 als Kirche der Benediktiner-Universität. Beide Stiche von Franz Anton Danreiter.

228. Kollegienkirche. Stich von Joseph Emanuel Fischer von Erlach.

229. Schloß Klesheim. 1700–1709 von Johann Bernhard Fischer von Erlach erbaut. Stich nach Joseph Emanuel Fischer von Erlach.

TA. IX.
Prospect der neüen Kirchen Unsrer Liebē Fraüen zü Salzbürg;
Gestifftet von Seiner Hochfürstl. Gn. Iohañe Ernesto Höchst Seel. Andenckens;
Angegeben von I.B.F.v.E.
C.P.S.C.M.
Vüe de l'Eglise de Nôtre Dame á Salzbourg,
batie par la Fondation de feu Son Alt. Mngr. Jean Ernest
et ordonée par J.B.F.v.E.

TA. XVII.
Prospect des Neüen Lüst=Gebaüdes Sei=
ner Hoch Fürstl. Gnaden zü Salzbürg, Clesheimb, oder
die neüe Favorite genandt.
Cum Privil. Sacr. Caesar. Mayst.
Vüe d'une Maison de plaisance de Son
Altesse Mgr. l'Archevêque de Salzbourg, nommée Clesheimb
ou la nouvelle Favorite
de l'invention et de l'ordonnation de J. B. Fischers d'Erlachen

230. Schloß Hellbrunn im Süden der Stadt auf dem Weg nach Hallein. 1613–1619 für Erzbischof Markus Sittikus von Hohenems durch Santino Solari erbaut. Die Architektur ist sehr schlicht, fern allem italienischen Prunk. Stich von Franz Anton Danreiter.

231. Hellbrunn, Gartenfront. Die Gartengestaltung hingegen ist sehr aufwendig, mit Grotten, Vexierwassern und künstlichen Vögeln, die singen können. Stich nach Franz Anton Danreiter.

232. Schloß Mirabell in Salzburg. Das ursprüngliche Schlößchen Altenau, 1606 von Erzbischof Wolf Dietrich erbaut, wurde 1721–1727 durch Johann Lukas von Hildebrandt umgebaut. Turm und Ostfassade nach einem Brand von 1818 leider beseitigt. Stich von Franz Anton Danreiter.

233. Mirabell-Garten, von Süden gesehen. Im Westen von der Bastion der Stadtbefestigung aus der Zeit des Dreißigjährigen Krieges begrenzt, die in den Park einbezogen ist. Stich von Franz Anton Danreiter.

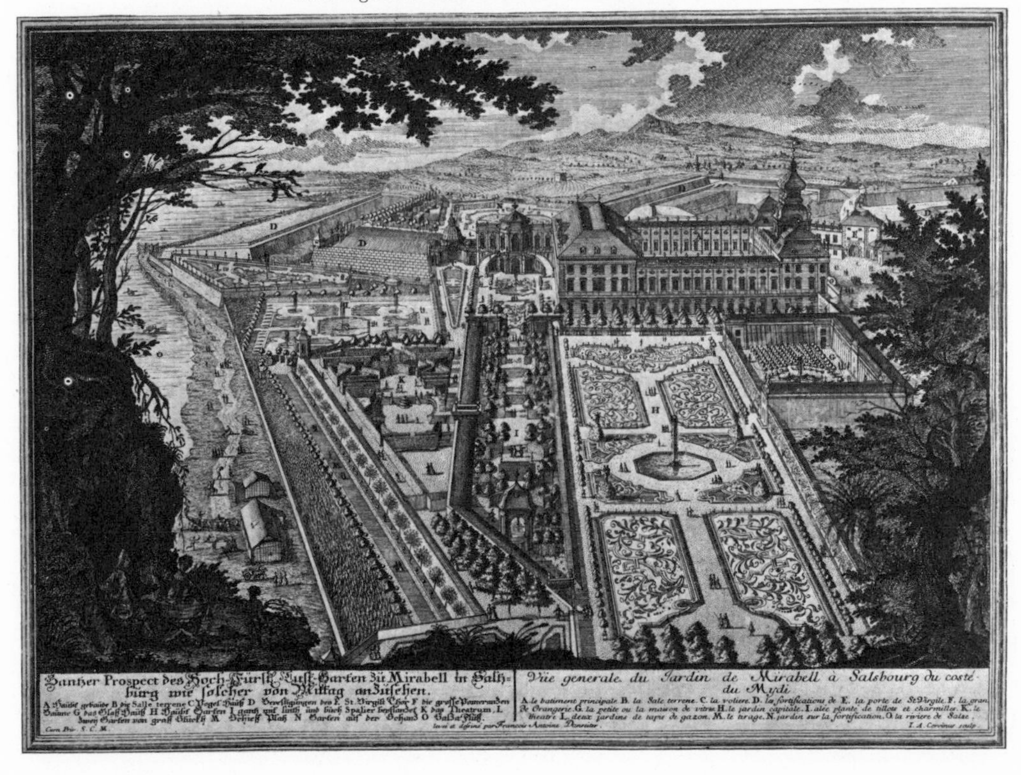

Das Durchleichtigiste Chur=Bayrische Welt berühmte Wunder=Gebäu
Daß ist
Wahre Abbildung, der Churfürstlichen Bayrischen Residenz zu München sambt allen deren Höffen und darin befindeten Lust-
auch denen daran stehenden Arsenaln oder Zeughäusern Wie ingleichen einen Theil deß grossen Hoff- und Lust=Gartens Wie solche
den Nidergang anzusehen ist
Pulchra Domus hæc est! Dominus sed Pulchrior ejus
Hic etenim Patriæ est Urbis, et Orbis amor
Diß ist der Wohn=Pallast der Bayerischen Helden
Von dem Ertz, Stahl, Porphyr und Leder Schrifften melden
So sieht sein Kaysers (A) Hoff sein (B) Brun, sein Garten (C) Hauß
Sein (D) Antiquarium: So seine (E) Grotta auß.
Apelles und Myron Lysippens Kunst und Hände
Und waß sonst Ewig heist, beadlen seine Wände
Waß aber seinen Pracht gibt Leben, Geist und Seel
Das ist, wan in Ihm wohnt Sein Fürst Eman
Dem Durchleuchtigsten Fürsten und Herrn Herrn Maximilian Emanuel in Ober und Nidern Bayrn, auch der Obern
Pfaltz Herzogen, Pfaltzgraf bey Rhein, deß Heil. Röm. Reichs Ertztruchseß und Churfürsten, Landgrafen zu Leuchtenberg.
Meinem Gnädigisten Churfürsten und Herrn
A
Michael Wening Del: et Sculpsit

Seite 196/197:

234. Residenz aus der Vogelschau. Stich von Michael Wening auf vier Platten, dem Kurfürsten Max Emanuel gewidmet, 1696/97 entstanden, aber das Gesicht des Baukomplexes aus der Zeit Maximilians I. um 1620 bewahrend. Hinter der Fassade an der Residenzstraße links der Kaiserhof, dahinter der Apothekerhof, rechts der Grottenhof, schräg dahinter der Brunnenhof.

Seite 198/199:

235. Marienplatz. Stich von Michael Wening, 1701. Auf der Mitte des Platzes die Mariensäule von 1638. Links führen Kaufinger und Neuhauser Straße zum Karlstor.

236. Die kurfürstliche Residenz von Norden, um 1701. Im Vordergrund der von Maximilian I. angelegte Hofgarten. In der Mitte der Hofgarten-Tempel von 1615. Jenseits des Wassergrabens die Neufeste, anschließend der Residenzbau Maximilians, das Schwabinger Tor (1817 abgerissen) und die Theatinerkirche (1663–1675). Im Vordergrund rechts das 1822 abgebrochene Turnierhaus. Stich von Michael Wening.

Seite 200/201:

237. Brunnenhof der Residenz, 1612 erbaut. Im Vordergrund der Wittelsbacher Brunnen mit der Standfigur Ottos von Wittelsbach und den Liegefiguren bayerischer Flüsse. Nach Entwürfen von Hans Krumper, um 1620. Stich von Matthias Diesel, um 1720.

238. Das »Geheime Gärtlein« (heute Grottenhof) der Münchner Residenz, nach Westen. Erbaut 1581–1586 als Kern der für Herzog Wilhelm V. von Friedrich Sustris neu errichteten Residenz. Stich von Matthias Diesel, um 1720.

239. Rathaus mit dem Kräutermarkt (Ostteil des heutigen Marienplatzes) und Rathausturm. Das spätgotische Rathaus, 1470–1474 erbaut, mit barocker Fassadenbemalung aus dem 18. Jahrhundert. Das Tor unter dem Rathausturm führt ins Tal. Stich von Michael Wening.

240. Rindermarkt. Am linken Bildrand die Peterskirche. Stich von Johann Stridbeck d. J.

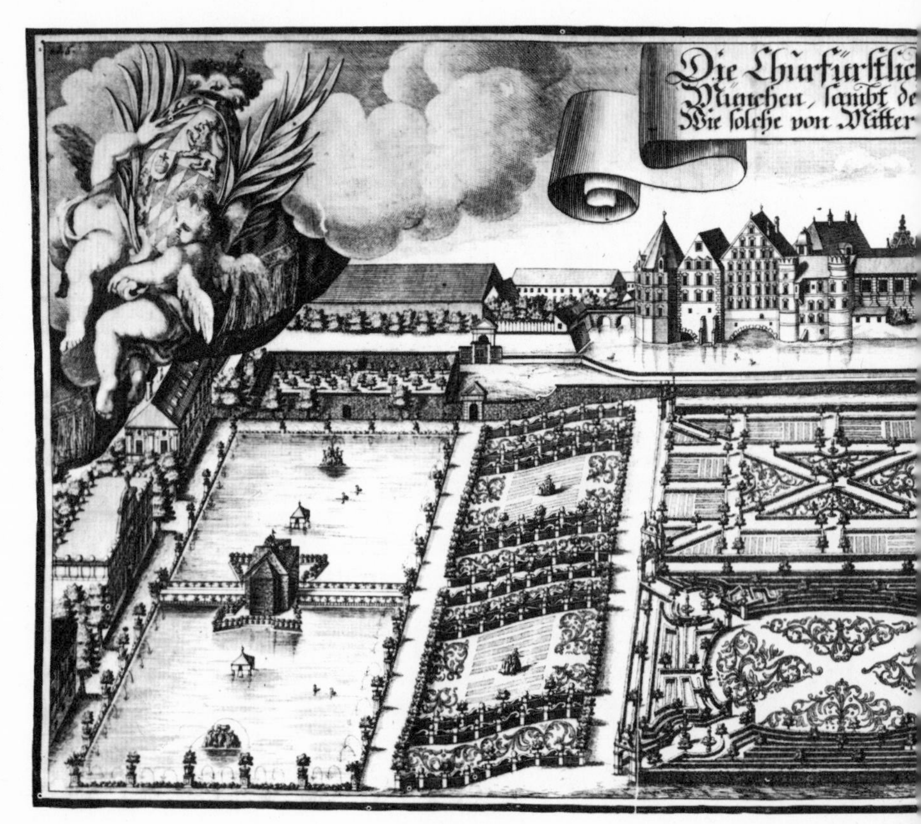

Seite 202/203:

241. Das Jesuitenkolleg mit Michaelskirche, letztere nach Plänen von Sustris, für die Jesuiten durch Herzog Wilhelm V. ab 1583 erbaut. Die Fassade der Kirche wurde von Hans Krumper entworfen, der Turm an der Nordostecke des Blocks in den Obergeschossen so niemals ausgeführt. Stich von Michael Wening, um 1700.

242. Prannerstraße mit Salzstadel und Marienkirche im Hintergrund. Am linken Bildrand das gräflich Fuggersche Palais, 1693 von Enrico Zuccali erbaut. Stich von Johann Stridbeck d. J.

243. Schleißheim. Blick über einen Teil der Schwaige und das alte Schloß auf das neue Schloß. 1626 erbaute Kurfürst Maximilian I. das alte Schloß, das neue 1701–1704, im Mitteltrakt im Rohbau, von Enrico Zuccali für Kurfürst Max Emanuel errichtet. Stich von Matthias Diesel, um 1720.

244. Schleißheim, neues Schloß, Gartenseite in ganzer Ausdehnung, die 1719–1727 unter Joseph Effner erreicht wurde. Stich von Matthias Diesel, um 1720.

Seite 204/205:

245. Schloß Nymphenburg, Gartenseite. Die Gebäudegruppe entstand nach und nach durch Anschieben neuer Pavillons zwischen 1663 und 1728, der ursprüngliche Mittelbau stammt von Agostino Barelli. Stich von Matthias Diesel, um 1720.

246. Schloß Lustheim von Enrico Zuccali. Abschluß der Gartenpartie von Schleißheim in der Mittelachse der Parkanlage. 1684–1689 wurde das Schlößchen errichtet; die geplanten Galerien, die das Lusthaus umgreifen sollten, wurden nicht ausgeführt. Stich von Matthias Diesel, um 1720.

247. Badenburg im Nymphenburger Park, 1718 von Joseph Effner errichtet. Stich von Matthias Diesel, um 1720.

248. Pagodenburg im Nymphenburger Park, 1716 von J. Effner errichtet. Innenausstattung in »ostasiatischem« Geschmack. Stich nach Matthias Diesel, um 1720.

Math. Diesel del.

Prospect und Perspectiv deß Brunn oder Prinzenhofs der Churfürstl. Residenz in München.

Ioh. August. Corvinus Sculp. 3.

La Cour des Princes en perspective

Math. Diesel inv.

Prospect deß schönen Gärtlens samt dem kostbahren Corallen Brunnen in der Churfürstl. Residenz in München.

Ioh. Aug. Corvinus Sculp. 6.

Veüe du petit beau jardin avec la precieuse fontaine de coraille de la Residence Electorale a Munique.

M 4
Das Rahthauß sambt dem
Kreütl Marckh zu München.

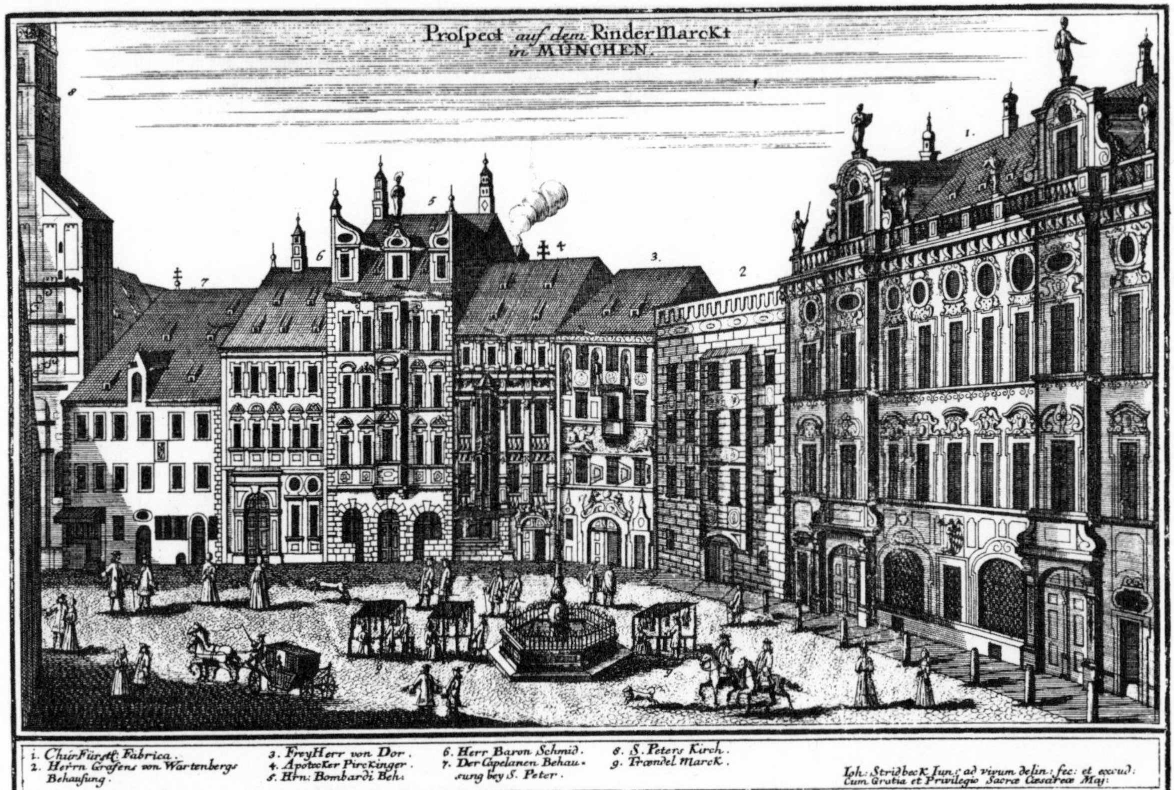
Prospect auf dem Rinder Marckt
in MÜNCHEN.
1. Chur Fürstl: Fabrica.
2. Herrn Grafens von Wartenbergs Behausung.
3. FreyHerr von Dor.
4. Apotecker Pirckinger.
5. Hrn: Bombardi Beh:
6. Herr Baron Schmid.
7. Der Capelanen Behausung bey S. Peter.
8. S. Peters Kirch.
9. Trœndel Marck.
Ioh: Stridbeck Jun: ad vivum delin: fec: et excud:
Cum Gratia et Privilegio Sacræ Cæsareæ Maj:

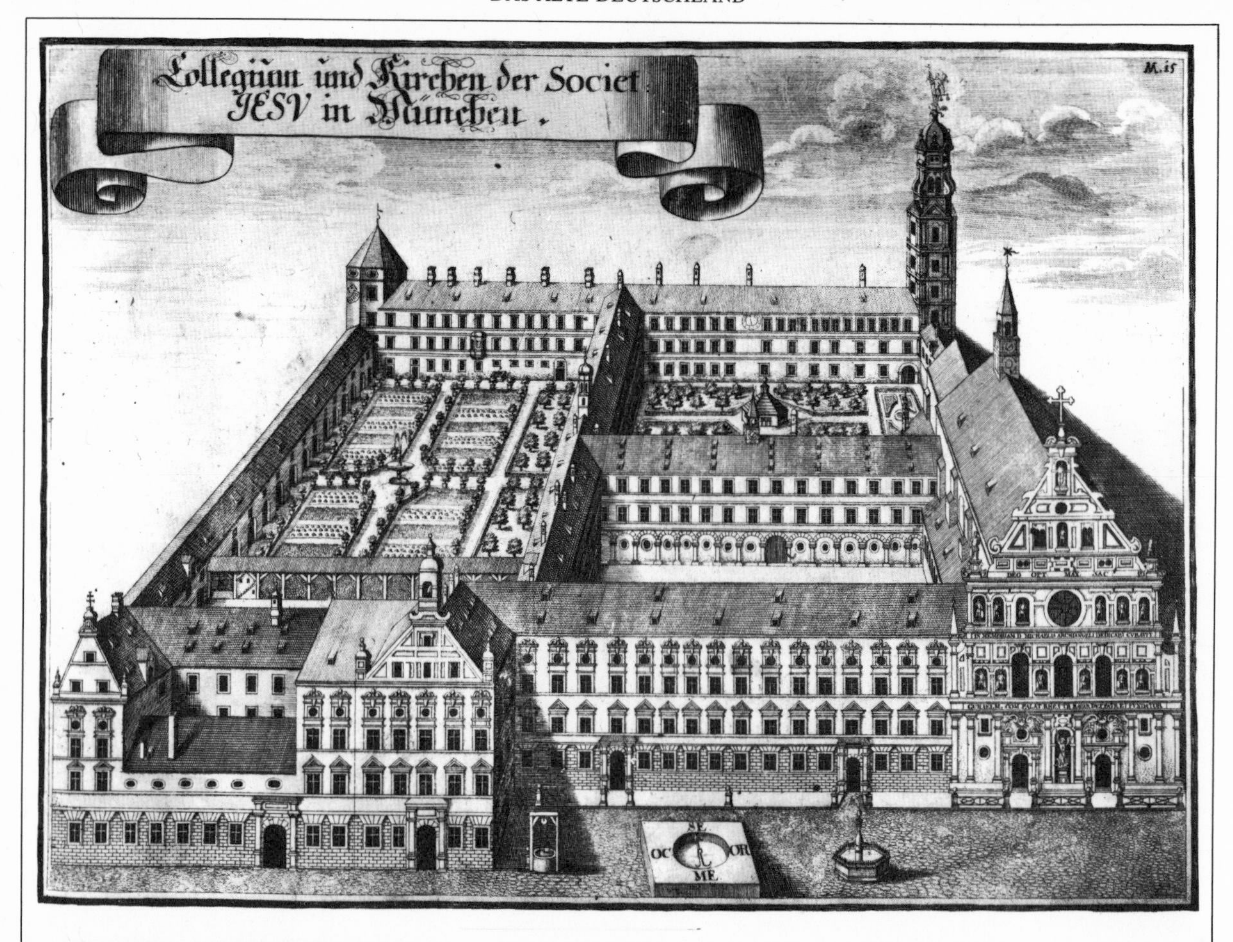
Collegium und Kirchen der Societ JESV in München.
M. 15

Anderer Prospect in der Pranger Gassen zu MÜNCHEN.
1.
2.
3.
4.
5.
6.
1. Herrn Oberst Hoff-Meisters Hrn Gr: Fuggers Palatium.
2. Das Herlings Præu-Haus.
3. Herrn Graff von Rechbergs Palatium.
4. Unser L. Frauen Kirch.
5. Der Saltz Stadel.
6. Spitz von Schön Thurn.
Iohann Stridbeck Iun: ad vivum delineavit fecit et excud: Cum Gratia et Privil: Sac: Cæs: Majestatis.

Math. Disel del. Ioh. Aug. Corvinus Sculp.

Prospect deß Churfürstl. Residenz Schlosses zu Schleisheim samt denen Vorhöfen von Nidergang anzusehen. Veüe du Pallais Electorale a Schleisheim avec 2. Antecours de l'occident a regarder. 29.

Math. Disel del. I. A. Corvinus Sc. 30.

Prospect deß Churfürstl. Residenz Schloß von seiten deß Gartens u: aufgang anzusehen Veüe de la Residence Electorale du coté de jardin et de l'orient.

Mathias Disel delin. Ioh. August. Corvinus Sculp. 22.

Prospect und Perspectiv deß Churfürstl. Schlosses zu Nymphenburg, samt Vorhof und neben gebäude, wie selbes am eingang von München anzusehen.

Le Pallais Electorale de Nymphenbourg en perspective avec la basse Cour etc: du coté de Munique.

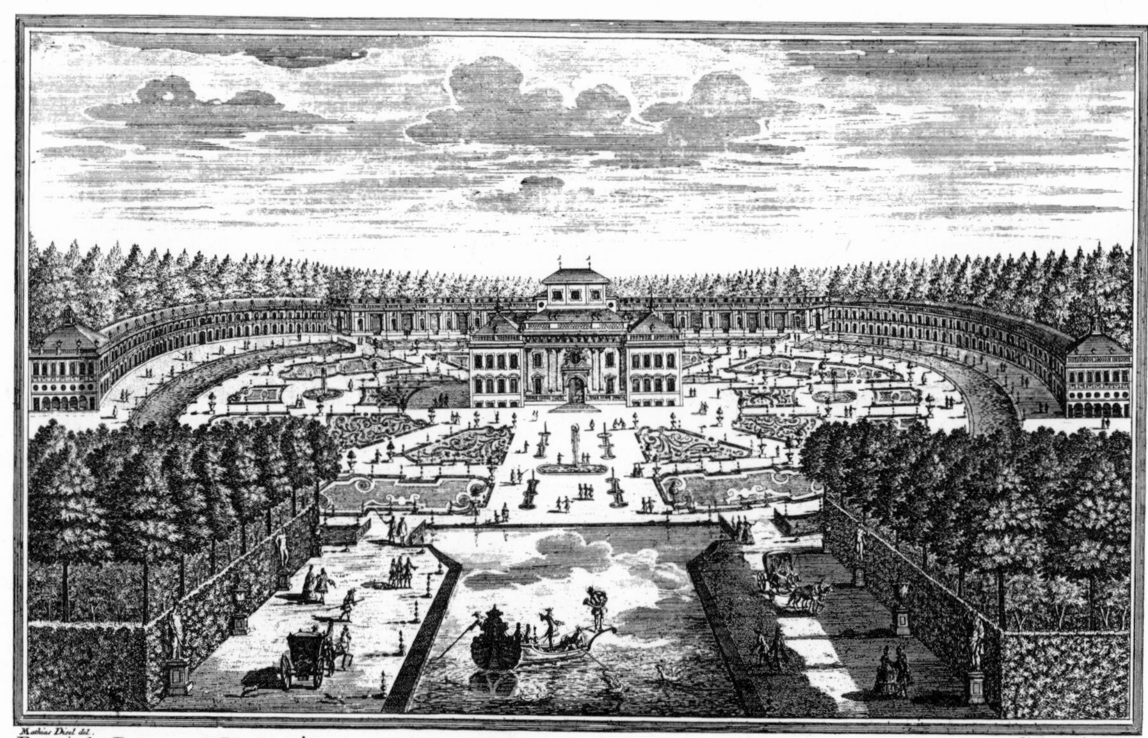

Mathias Disel del. Ioh. August Corvinus Sculps. 33.

Prospect und Perspectiv deß Churfürstl. Gartengebeüde samt denen Gallerien, parterres und Canal in Lüstheim, wie selbes von Schleisheim anzusehen.

Le Pallais du jardin en perspective avec les galleries, parterres et Canal de Lustheim, du coté de Schleisheim.

Math. Disel inv. et delin. Carl Remshart sculpsit.

Badenbürg, oder Chürfürstl. Bad in dem Hoffgarten zü Nymphenburg.

Badenbourg ou Bain Electorale au jardin de Nymphenbourg 17.

Math. Disel inv. Carl Remshart sculpsit.

Prospect u. Perspectiv deß Pavillon oder Pagottenburg genand, samt einem grossen Wasserstück in dem Chürfürstl. Hofgarten zü Nymphenburg.

Veüe du Pavillon appellé Pagottenbourg avec une grande pieces d'eau au jardin Electorale a Nymphenbourg. 15.

Dum tibi conſpicitur, præſentis imago tabelle,
Lector, amas certo ſcire quid Ipſa uelit.
Namq; oculos tantum pictura paſcere nuda,
Iuſta voluptatis pondera ferre nequit.
Ergo ut cum fructu uerſere in imagine picta,
Perlege quæ fidis ſunt ibi iuncta Typis.
Illic Imperij Mariſcalcum ſumere ſacri
Inuenies terris debita Iura ſuis.
Namq; is ab Auguſto, Auguſtus percepit Honores
Auguſtæ, placida qua Lycus intrat aqua.
Illic Theutonici apparent procèreſq; duceſq;,
Claudere quos Domini cernis utrinq; latus,
Saxonicoq; Ducem circumuolitare caballo
Sepius Auguſtum ſtructa Theatra uides,
Quiq; Sacramento fidei ſeſe obliget, illi
Quem penes Imperij ſceptra decuſq; ſacri.
Sed quid ago multis, tibi primũ impreſsa legãtur,
Supplebit reliquum picta tabella, vale.
tis
Joannes à Francolin Sa: Cæ: Ma:
Romanus fecialis, ſiue Rex armorum.

249. Weinmarkt mit dem Tanzhaus als Abschluß in der Tiefe, links das getürmte Fuggerhaus anläßlich der Belehnung Augusts von Sachsen durch Kaiser Maximilian II. am 23. April 1566. Zeitgenössischer Stich.

250. Heiligkreuztor und -turm. Stich von Simon Grimm, 1678.

251. Weinmarkt gegen Süden anläßlich der Begrüßung König Gustav Adolfs in Augsburg 1632. Rechts das Haus des Jakob Fugger. Im Hintergrund der Herkulesbrunnen und das Siegelhaus. Kupferstich von Raphael Custos, 1632.

252. Perlachberg mit neuem Perlach. Links der neue Bau (1614), rechts das Rathaus (1615–1620), beide von Elias Holl. Im Vordergrund der Augustusbrunnen von Hubert Gerhart (1589–1594), Stich von Philipp Kilian, um 1650.

253. Heiligkreuzgasse und Kesselmarkt. Stich von Karl Remshard.

254. Perlachberg gegen Norden. Es ist dieselbe Ansicht wie Abb. 252, aber nun sind alle Häuser und Türme von schlankerer Proportion, wirken leichter und luftumflossen. Stich von Heinrich Jonas Ostertag, 1721.

255. Der Goldene Saal des Rathauses von Elias Holl. Stich nach Salomon Kleiner, 1733.

CURIA REIPUBLICAE AUGUSTANAE

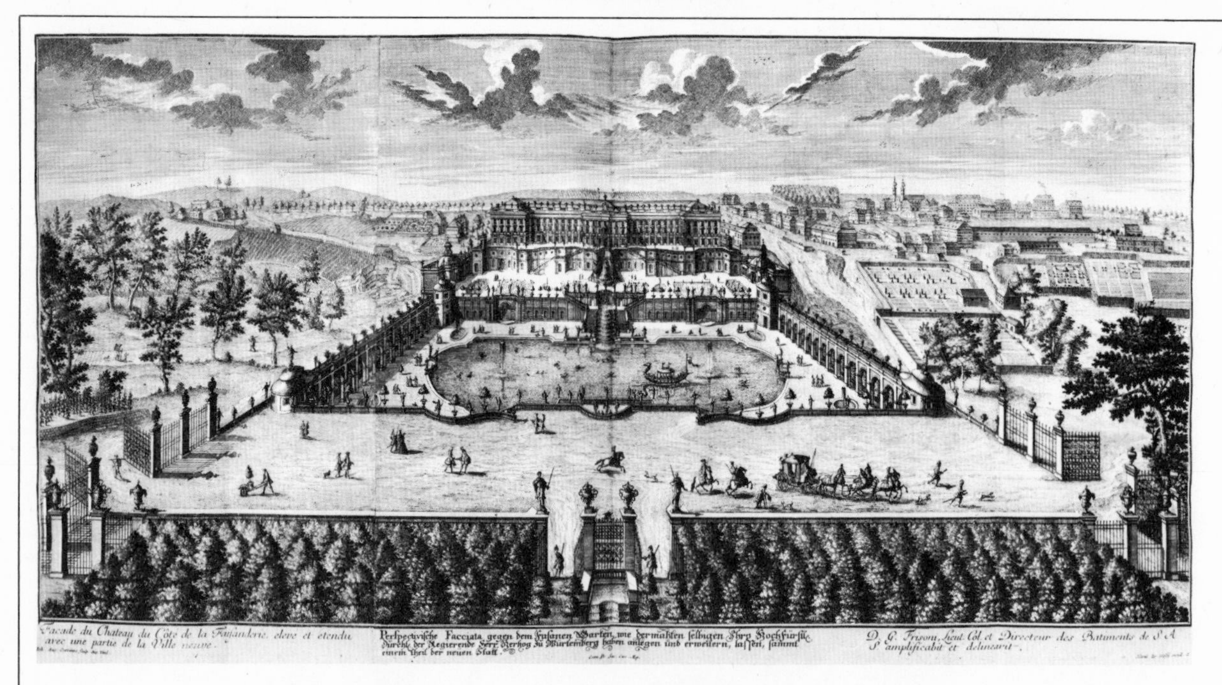

256. Ludwigsburg, Schloß. Gartenfront des 1724/25 begonnenen Neuen Corps de Logis von Donato Giuseppe Frisoni mit den schon von Johann Friedrich Nette geplanten Gartenanlagen, zunächst als Terrassen entworfen, heute eingeebnet. Stich von Johann August Corvinus.

Seite 211 oben:

257. Die Favorite im Schloßpark von Ludwigsburg, errichtet 1717–1723 von Donato Giuseppe Frisoni für Herzog Eberhard Ludwig als Jagdschlößchen. Wirkt die sakrale Doppelturmfassade auch befremdlich für ein Jagdschloß, so ist das Triumphbogen-Motiv des Hauptportals von Wiener Gartenhäusern der Zeit übernommen. Zeichnung von Frisoni, Stich von Johann August Corvinus.

258. Ludwigsburg, Schloß, Ehrenhofseite. Vogelschau-Ansicht des Projekts von Donato Giuseppe Frisoni für die Erweiterung des Ehrenhofs. Die beiden Querbauten im Vordergrund nach einem Entwurf von Frisoni wurden nie gebaut. Zeichnung von Frisoni, Stich von Georg David Nessenthaler, 1724.

259. Neuenburg. Ansicht um 1700 von Johann Stridbeck d. J.
260. Baden im Aargau. Ansicht um 1700 von Johann Stridbeck d. J.

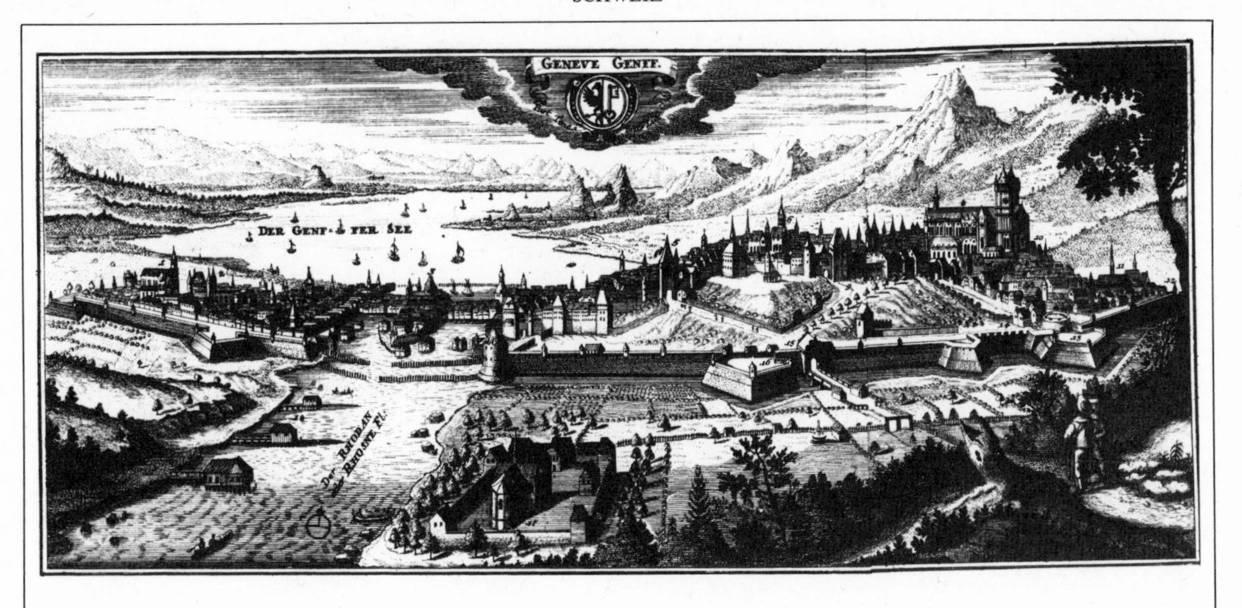

261. Genf. Ansicht um 1700 von Johann Stridbeck d. J.

262. Biel. Ansicht um 1700 von Johann Stridbeck d. J.

263. Stadtansicht von Würzburg aus dem Jahre 1723. Der unterste Abschnitt einer Universitätsthese, verfertigt von Joseph Salver, vermutlich aufgrund von topographischen und perspektivischen Grundlagen von Johann Balthasar Neumann. Damals war der Ring der Bastionen und Redouten um die Stadt noch nicht geschlossen, die Residenz kaum begonnen.

264. Die Residenz in Würzburg, Zustand der Planung von 1719/20. Das Mittelrisalit des Ehrenhofes noch mit Kolossalpilastern, die vorspringenden Mittelteile von Ehrenhof und Gartenfront durch ein riesiges Satteldach verbunden, die Schloßkapelle noch nicht im südlichen Eckrisalit der Stadtfront untergebracht, die beiden Kuppeln in der Querachse über den Risaliten der Gartenfront noch mit hohen Tambouren. Stich nach Salomon Kleiner, 1740.

265. Stift Haug in Würzburg, begonnen 1670 für Bischof Johann Philipp von Schönborn durch Antonio Petrini, vollendet 1691. Doppelturmfassade noch ganz im Sinne des Salzburger Doms. Stich nach Salomon Kleiner, 1740.

266. Schönborn-Kapelle von J. B. Neumann am Nordflügel des Querhauses vom romanischen Dom, 1721 angebaut von Fürstbischof Johann Philipp Franz von Schönborn als Grabstätte für die geistlichen Fürsten seines Hauses. Rohbau 1724 vollendet, Fertigstellung 1729–1736. Stich nach Salomon Kleiner, 1740.

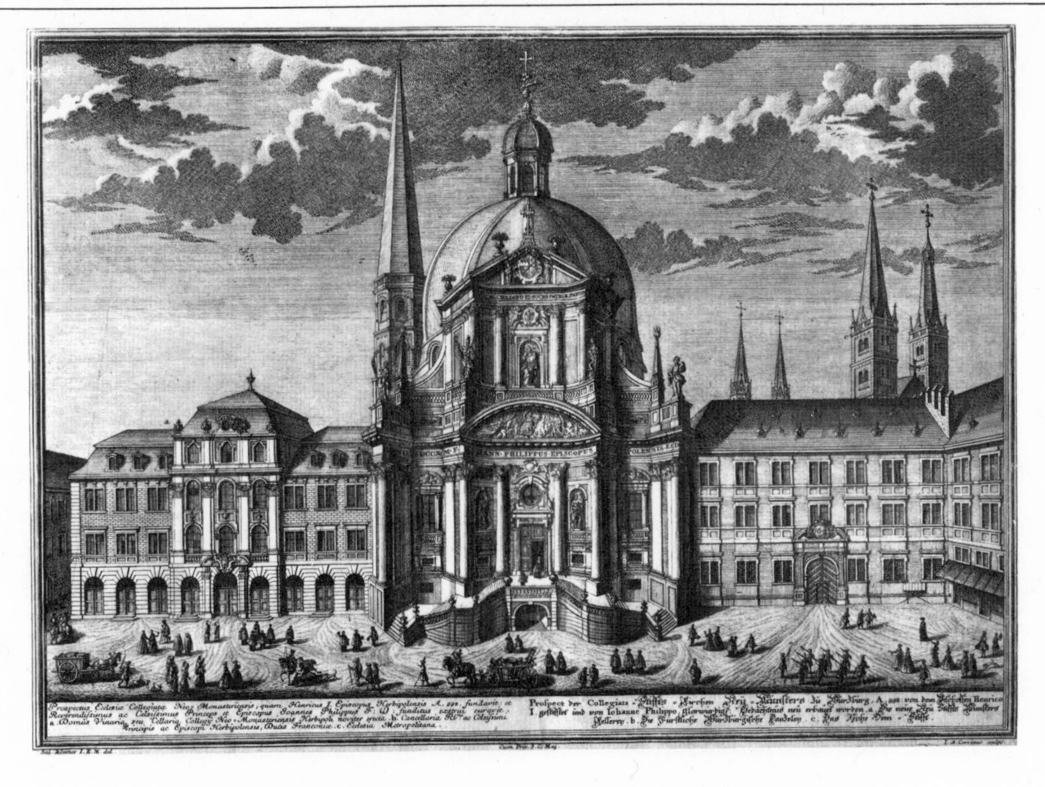

267. Fassade der Neumünsterkirche, 1711 begonnen von Johann Dientzenhofer. Man muß sich den Bau fest eingespannt in eine Straßenfront denken (Kürschnerhof zur Rechten, 1894 abgerissen), wie es der Stich auch zeigt. »In jedem Falle die schönste Barockfassade in Franken« (Dehio). Stich nach Salomon Kleiner.

268. Würzburg, Rückermainhof, Pfleghof des Klosters St. Burkhard. Erbaut 1716–1719 von J. Greising. Stich nach Salomon Kleiner.

Vüe du Chateau du Cote de la Cour:

Prospect deß Schloß gegen den Hoff.

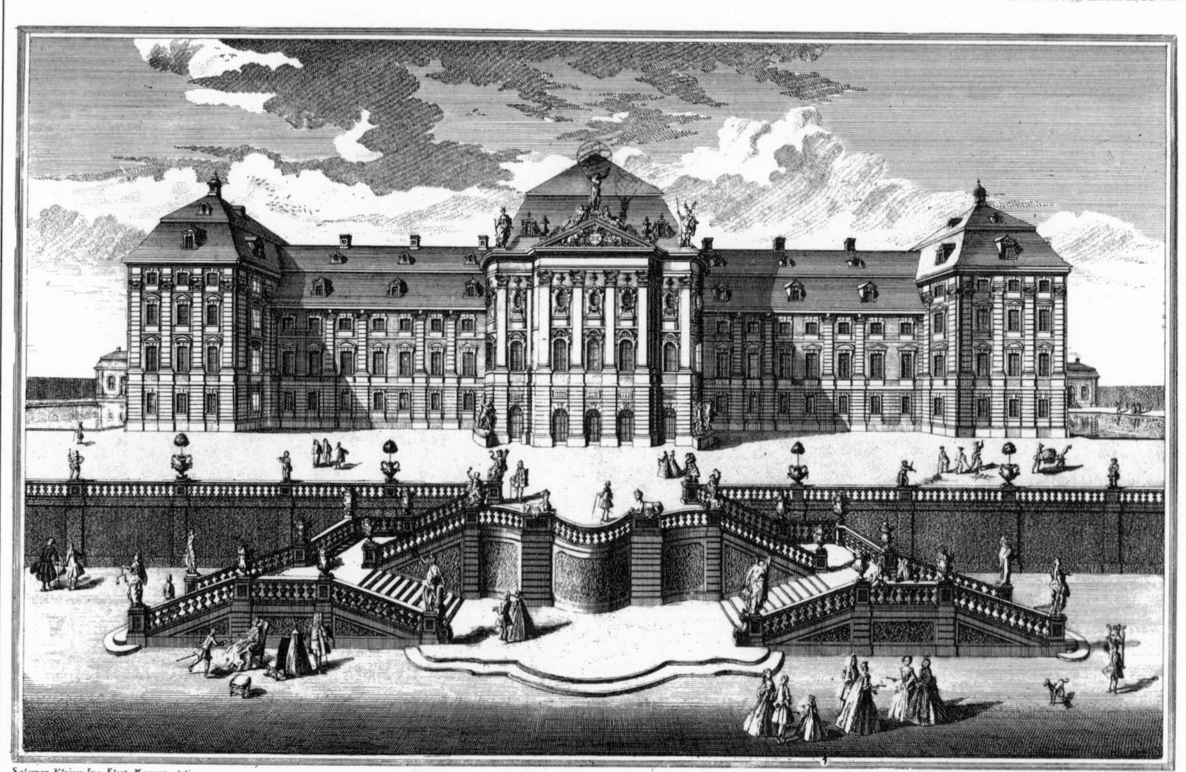

Salomon Kleiner Ing. Elect. Mogunt. delin.

Johann August Corvinus sculpsit.

Vüe du Chateau du Coté du Jardin.

Prospect des Schloß gegen den Garten.

No 5.
Cum Priv. Sac. Cæs. Maj.

Haered. Ier. Wolffii, excud. Aug. Vindel.

Vüe du Grand Escalier en entrant dans le Chateau. Prospect der Haubt-Stiegen vom Eingang des Schlosses.

269. Schloß Pommersfelden (südwestlich von Bamberg), Hoffront. Nicht im Besitz eines der beiden Mainbistümer, sondern von Kurfürst Lothar Franz von Mainz 1711–1718 für seine Familie erbaut. Bauleitung Johann Dientzenhofer, aber starke Eingriffe von Johann Lukas von Hildebrandt aus Wien. Stich nach Salomon Kleiner.

270. Gartenfront, Stich nach Salomon Kleiner.

271. Treppenhaus. Die Rampenführung ist eine Idee des Kurfürsten Lothar Franz, der Umgang mit Säulen und das Vestibül Johann Lukas von Hildebrandts Gedanke. Das Obergeschoß ist nur durch Nebentreppen zu erreichen. Das Gewölbe wurde 1714 geschlossen, 1719 das Deckengemälde vollendet, auf dem Johann Rudolph Byss Apoll, umgeben von den vier Erdteilen, darstellte. Stich nach Salomon Kleiner.

Salomon Kleiner, Ing. Elect. Mogunt. delin. — Joh. Georg Pintz sculp.

Vüe du dedans de la grande Sale enriche de tableaux, de Statues, de Coloñes de marbres et autres ornements d'Architecture
No. 15.
Cum Privil. Sac. Caes. Maj.

Prospect des mit mahlereÿen, Statuen, ünd marmor Architecture mäßig decorirten großen Saals von seithen des gartens.

Haered. Jer. Wolffii excud. Aug. Vind.

Vüe des Ecuriers du Coté du Chateau.

Prospect dern stallüngen gegen das Schloß.

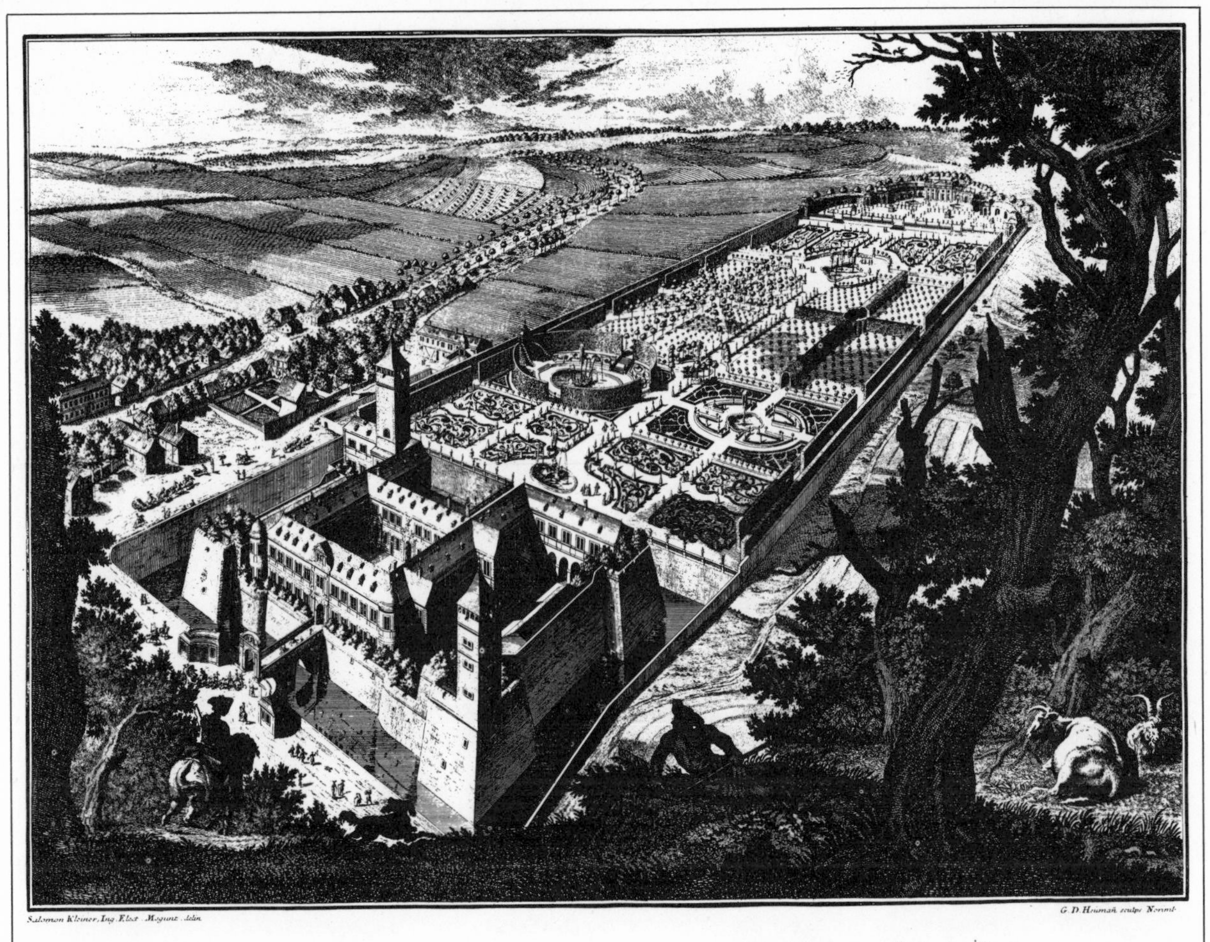

272. Großer Festsaal an der Gartenfront, durch zwei Geschosse gehend, 1713–1717. Dekorative Stukkaturen von Daniel Schenk. Stich von Salomon Kleiner.

273. Marstall, als Abschluß des hufeisenförmigen Ehrenhofs 1717–1718 von Maximilian von Welsch erbaut. Stich von Salomon Kleiner.

274. Schloß Gaibach (bei Volkach) in Unterfranken, erbaut um 1600, war Privatbesitz der Grafen Schönborn. Die früheste Gartenanlage des Lothar Franz von Schönborn, begonnen gleich nach 1677. Von der Anlage ist nichts mehr erhalten. Stich nach Salomon Kleiner, 1728.

Vüe du Chateau avec l'Entrée la place pour des Carosses et les parterres de rabats.

a. Le Bourg de Memmelsdorff.

Prospect des Hoch-Fürstl. Schloßes mit der Einfuhrt und Platz vor Carossen sambt denen daran liegenden Parterren von Rabatten.

a. Der Marckt Memmelsdorf.

Salomon Kleiner Ingen. del. — Cum Pr. Sac. Cæs. Maj. Hæred. Ier. Wolffy exc. A.V. — Ioh. Georg Weber Sculpsit.

Vüe du Boulingrin avec la Cascade, les fontaines et parterres françoises, accompagnées des rabats.

a. l'Allée, coupée dans le bois Hautsmor, ou travers dela quelle on peut decouvrir du chateau b. la ville de Bamberg.

Prospect des Boulingrin sambt der Cascaden, Fontainen und Französischen Parterren mit beyligenden Rabatten

a. Die ausgehauene Allée in dem Wald Hauffschmor, durch welche man von dem Hoch-Fürstl. Schlosse die b. Stadt Bamberg sehen kan.

Salom. Kleiner Ingen. del. — Cum Pr. Sac. Cæs. Maj. Hæred. Ier. Wolffy exc. A.V. — Iac. Andreas Friderich Sculpsit.

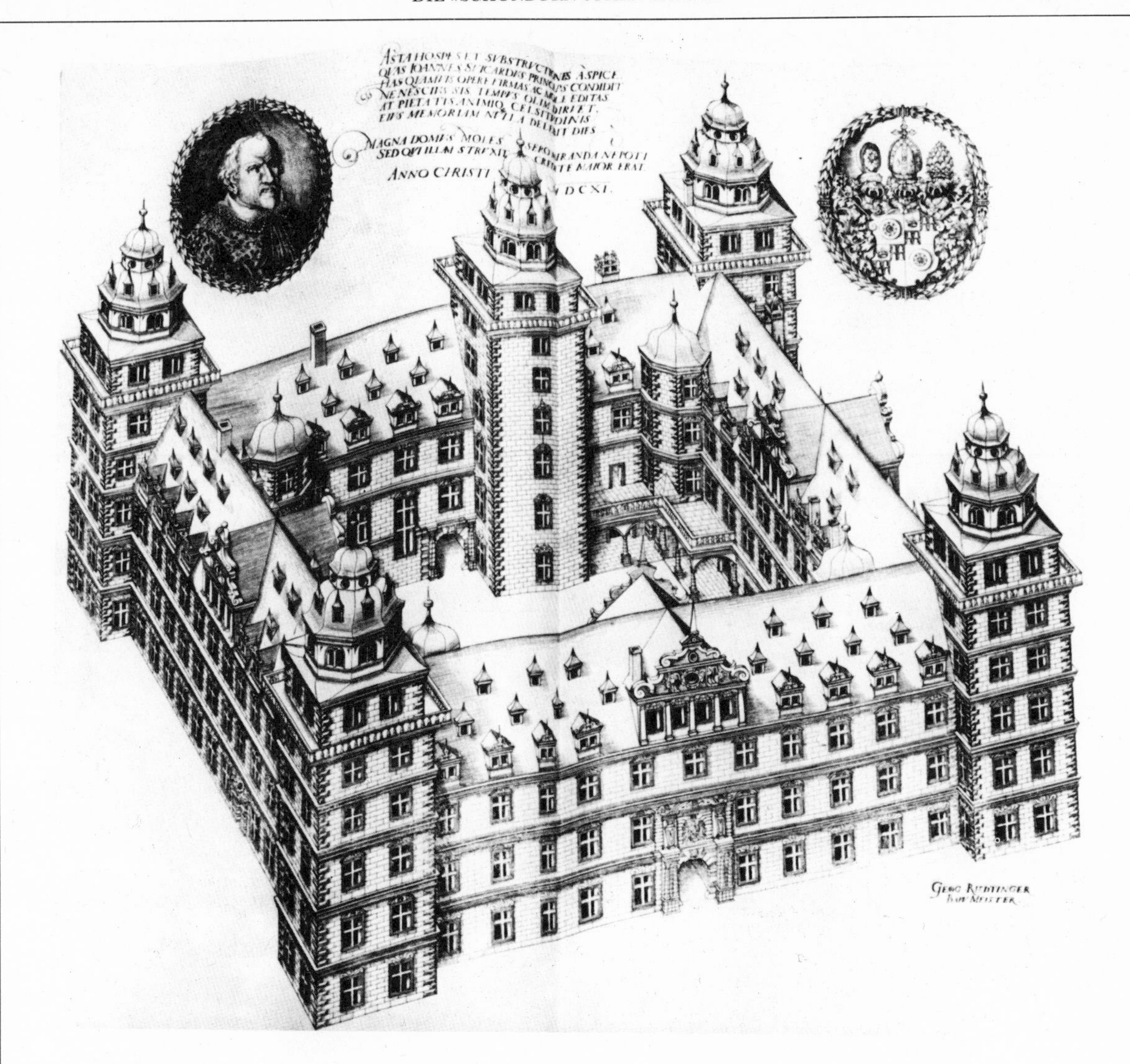

275. Schloß Seehof bei Bamberg, einst wegen des überreichen Statuenschmucks in seinem Park das Versailles von Bamberg genannt. Das Schloß über quadratischem Grundriß mit vier Ecktürmen 1687–1696 von Antonio Petrini aus Würzburg für den Fürstbischof Marquard Sebastian Schenk von Staufenberg erbaut. Stich von Salomon Kleiner, 1731.

276. Der Park, der vor allen vier Schloßfronten angelegt war, ist zerstört, die Statuen wurden nach dem Zweiten Weltkrieg verkauft. Stich von Salomon Kleiner, 1731.

277. Aschaffenburg, Schloß. Zweite Residenz des Kurfürsten von Mainz, die »altdeutsche Reichskanzlei«, errichtet für Erzbischof Johann Schweikard von Kronberg 1606–1614 von Georg Riedinger aus Straßburg. Das quadratische Schloß mit vier Ecktürmen ist der Idealtyp des italienischen, besonders aber des französischen Schloßbaus im 16. Jahrhundert. Der Bergfried des 14. Jahrhunderts aus dem Vorgängerbau übernommen. Stich von Georg Riedinger, 1611.

278. Die Favorita von Mainz, auf dem linken Rheinufer, unmittelbar südlich vor den Festungsbastionen gelegen. Von den französischen Revolutionstruppen 1795 total zerstört. Der mittlere Gartenteil als Lieblingsschöpfung des Kurfürsten Lothar

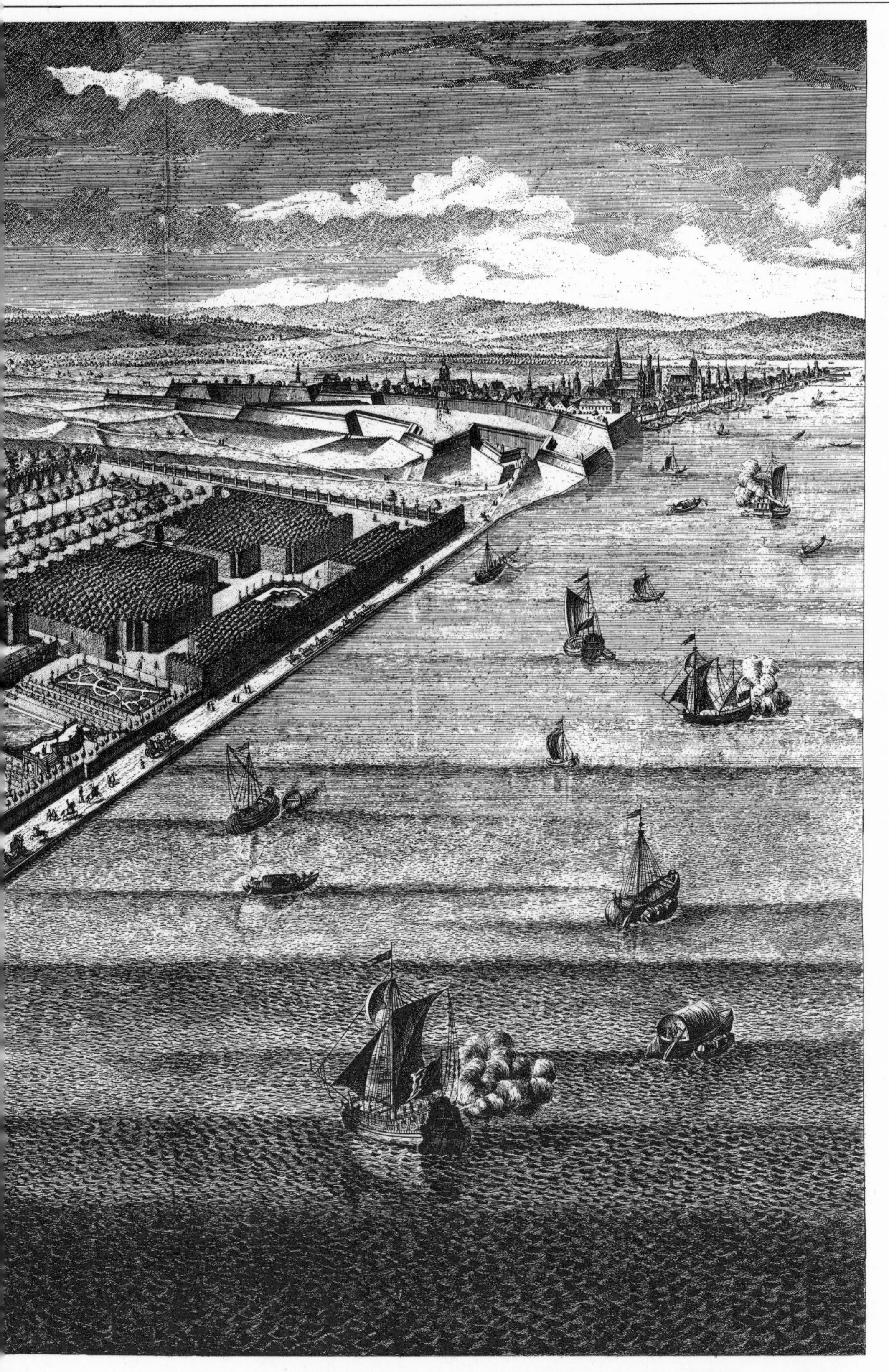

Franz von 1708–1712 entstanden. Abwandlung der Anlage Ludwigs XIV. in Marly, die darin besteht, daß die Pavillons nach außen gestaffelt sind und auf terrassiertem Gelände stehen. Stich nach Salomon Kleiner, 1726.

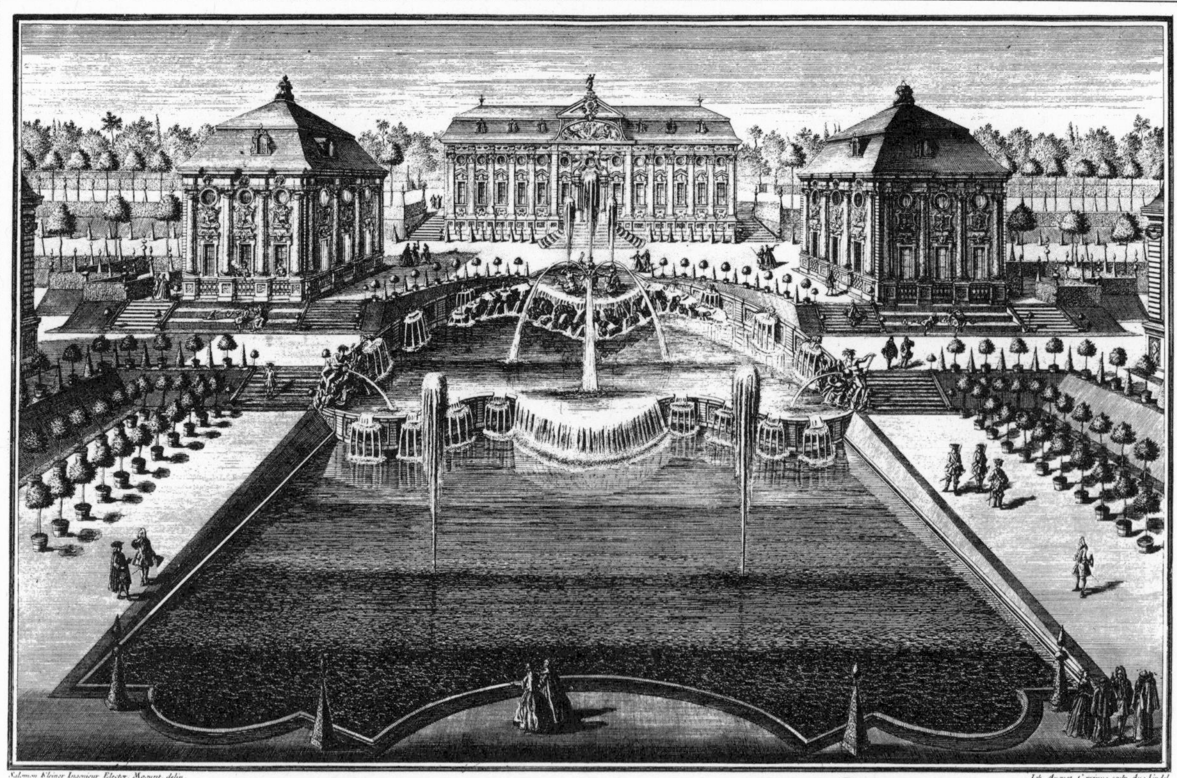

Veue de la Cascade du Rhin et du Mein.

Prospect der grossen und Wasserreichen Cascade beyde Flüß den Rhein und Mayn vorstellend.

279. Die oberste Terrasse der Favorita. Der Querbau ist die Galerie, die im Winter als Orangerie für die im Sommer auf den Terrassen und im Parterre aufgestellten Kübelpflanzen diente. Stich nach Salomon Kleiner, 1726.

280. Favorita, im Sommer Festsaal. Stich nach Salomon Kleiner, 1726.

281. Schloß Brühl, Augustusburg bei Bonn, errichtet für Kurfürst Clemens August von Köln von Johann Konrad Schlaun ab 1725. Rohbau 1728 vollendet. Gartenseite einer dreiflügeligen Anlage um einen schmalen und tiefen Ehrenhof. Stich nach Johann Martin Metz von Metelly, um 1760.

282. Bonn, kurfürstliches Schloß. Der Barockbau Enrico Zuccalis aus München (1697 begonnen) von 29 Achsen Länge mit Pavillons an den Enden wurde nach dem Entwurf des Pariser Hofarchitekten Robert de Cotte durch einen Rokokobau erweitert (ab 1715). Stich nach Johann Martin Metz von Metelly, um 1760.

283. Die alte Mainbrücke in Frankfurt, flußabwärts von Osten gesehen. Anlage der Spätgotik auf 15 Bogen unter Benutzung von Furt und Insel über den Main, 1914 abgebrochen. Auf der rechten Seite Frankfurt, vom Kaiserdom beherrscht, auf der

linken Seite die Vorstadt Sachsenhausen. Der Brückenturm auf der Sachsenhäuser Seite wurde 1765 abgebrochen, sein Pendant auf der Frankfurter Seite 1801. Stich nach Salomon Kleiner, 1738.

284. Der Römerberg von Norden. Rechts der Römer (Rathaus). In der Bildmitte die spätgotische Ratskapelle St. Nikolaus. Zwischen Römer und rechtem Bildrand die Häuser Löwenstein und Frauenstein. Stich nach Salomon Kleiner, 1738.

285. Hauptwache mit Blick in die Zeil von Südwesten. In der Mitte das 1730 erbaute Wachlokal der reichsstädtischen Garnison. Unmittelbar rechts dahinter die Katharinenkirche, die älteste protestantische Kirche der Stadt (1678–1681). Stich nach Salomon Kleiner, 1738.

286. Der Roßmarkt von Süden, der größte Platz im ummauerten Frankfurt. In der Mitte der Herkulesbrunnen (1854 abgerissen), rechts Durchblick zur Katharinenkirche. Stich nach Salomon Kleiner.

287. Der Liebfrauenberg von Osten. An der rechten Platzwand die spätgotische Liebfrauenkirche (1322 ff.). Das höchste Gebäude der rückwärtigen Platzfront ist das Haus Braunfels, die vornehmste Herberge der Reichsstadt, wo seit Friedrich III. die Kaiser abzusteigen pflegten. Stich nach Salomon Kleiner.

288. Der Römerberg am 22. Dezember 1711, dem Tage der Krönung Kaiser Karls VI. Rechts die Nikolaikirche, im Hintergrund der Domturm. Fast alle Häuser sind Fachwerkhäuser. Zeitgenössischer Stich.

289. Großer Saal des Römers. Festbankett am Krönungstag Kaiser Franz I., dem 4. Oktober 1745. An der Wand die Rokoko-Buffets hinter den Tischen der Kurfürsten. Stich aus dem Wahl- und Krönungsdiarium.

290. Der Hühnermarkt von Westen. Stich nach Salomon Kleiner, 1738.

291. Brillantfeuerwerk auf einer künstlichen Maininsel anläßlich der Kaiserkrönung Ferdinands II. am 9. September 1619. Im Hintergrund links die alte Brücke schattenhaft sichtbar. Zeitgenössischer Stich.

PROSPECTVS MONTIS VENTORVM, QVI DICITVR CAROLINVS PROPE VRBEM
CASSEL, AQVARVM DECIDENTIVM LVSIBVS, FONTIVM, ARBORVM, AC STATVARVM
DISPOSITIONE VARIA EXORNATI, VT ICHNOGRAPHICA DESCRIPTIO INDICAT
Io. Franciscus Guarnerius Archit. Romanus

Seite 234/235:

292. Entwurf zu Schloß und Park an den Hängen des Habichtswalds über Kassel (Wilhelmshöhe) von Giovanni Francesco Guernieri. Der Berg heißt hier noch *Mons ventorum,* der Herkules noch »Winterkasten«. Idealentwurf, nur das oberste Drittel bis zu den beiden Pylonen wurde ausgeführt. Das Felsenschloß ist noch ohne die Pyramide mit der Herkules-Statue. Stich von Alessandro Specchi, 1706.

Seite 236:

293. Das Oktogon noch ohne die Pyramide mit der Herkules-Statue. Darunter die Plutogrotte mit den Vexierwassern. (Im Anschluß daran beginnen die Kaskaden.) Stich von Alessandro Specchi, 1706.

294. Obere Königstraße um 1780. Lithographie des frühen 19. Jahrhunderts nach einem verlorenen Stich.

295. Der Friedrichsplatz 1789. In der Mitte das Museum Fridericianum, der erste Großbau im Geschmack des englischen Palladianismus in Deutschland (1769) von Simon Louis du Ry. Rechts (ohne Turm) die katholische Elisabethkirche. Kolorierter Kupferstich von J. W. Kobold.

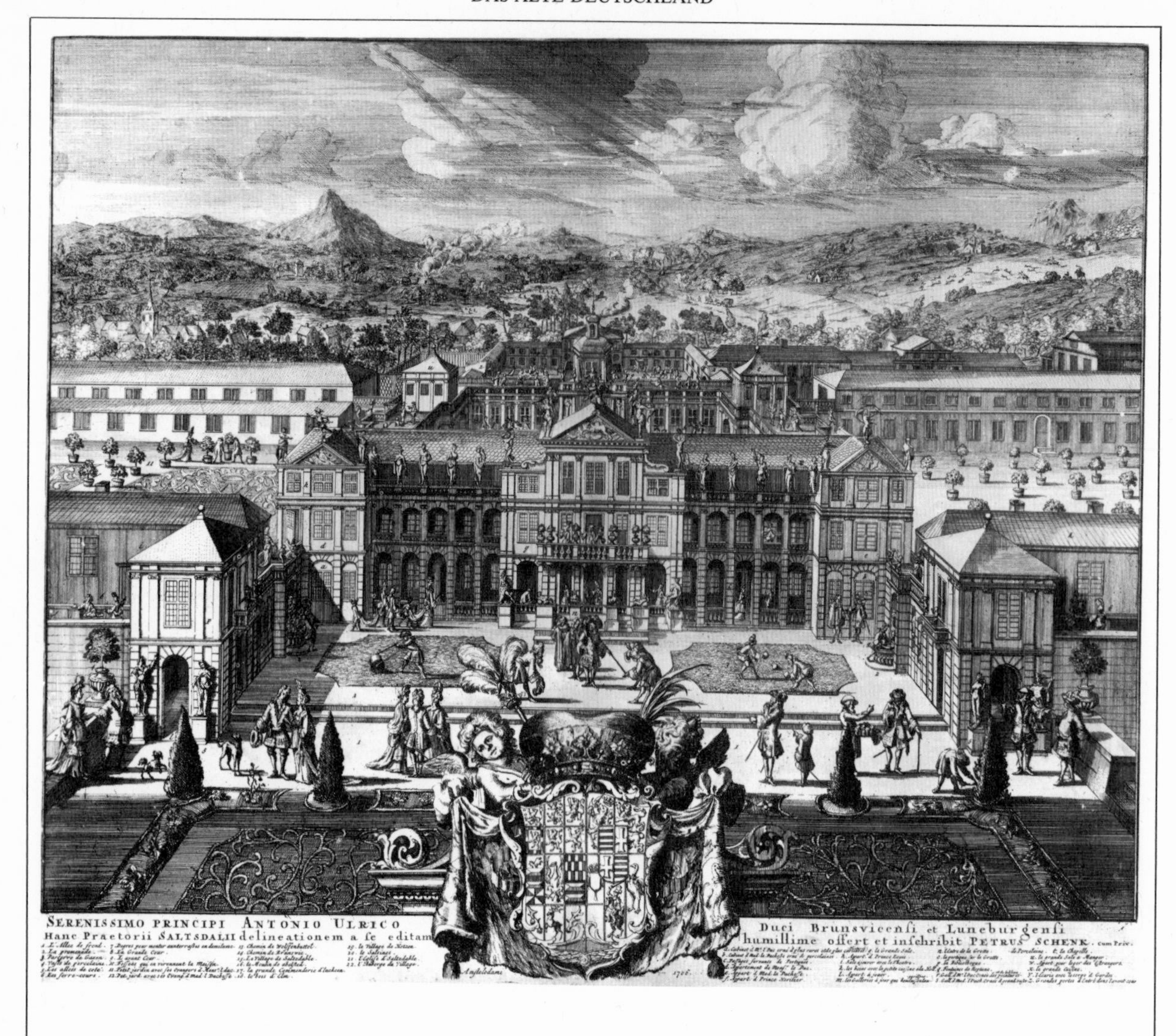

296. Salzdahlum (Salzthalen), auf halbem Wege zwischen Braunschweig und Wolfenbüttel, 1688–1694 für Herzog Anton Ulrich von Braunschweig von Johann Balthasar Lauterbach errichtet, dem ab 1689 Hermann Korb zur Seite stand. Da die ganze Anlage trotz verschwenderischer Innenausstattung mit Grotten und Deckengemälden nur aus Holz bestand, war sie 1813 schon abbruchreif. Stich von Romey de Hooghe.

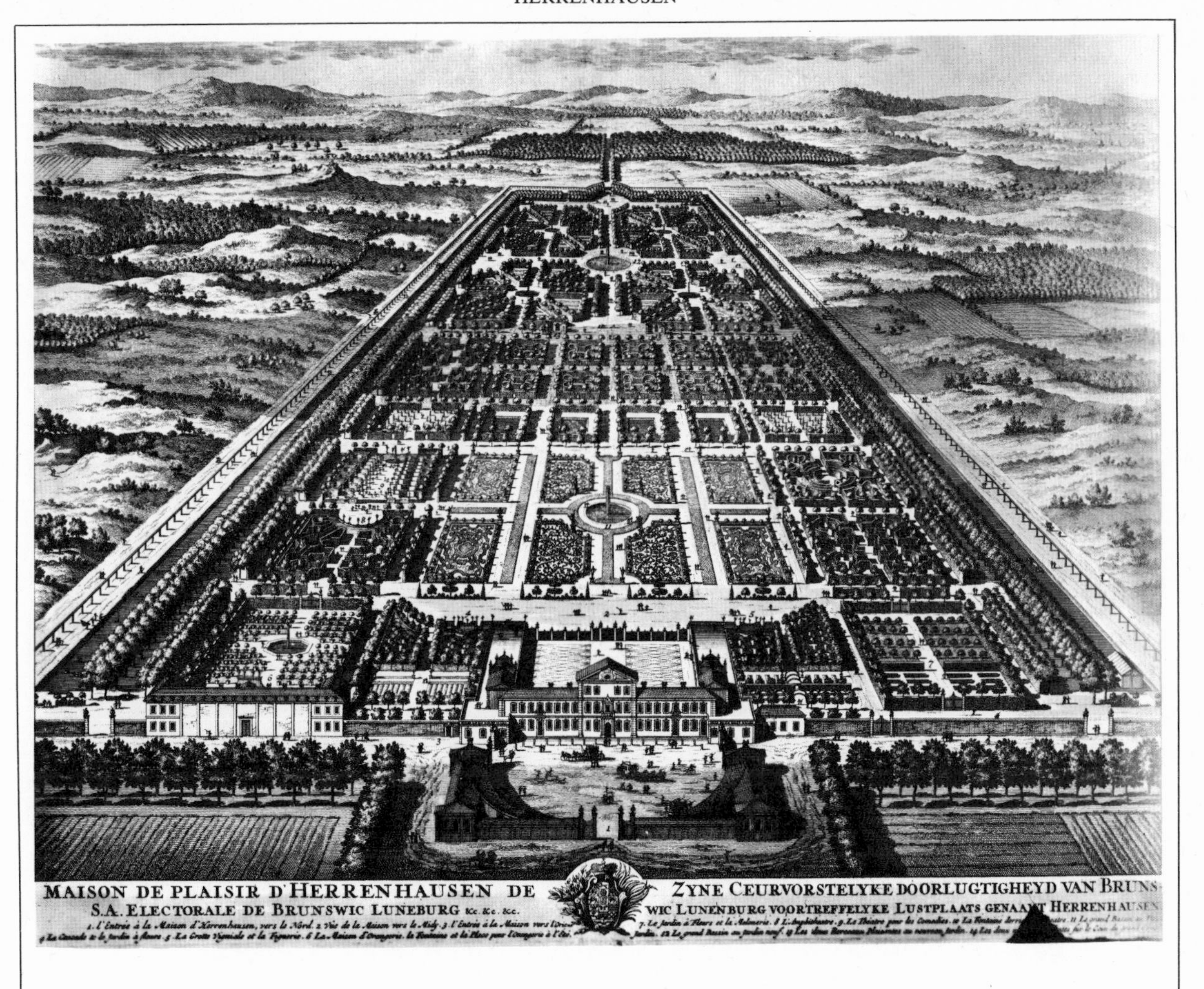

297. Herrenhausen bei Hannover, einer der frühesten Barockgärten in Norddeutschland, 1682–1696 von Martin Charbonnier für Herzog (seit 1692 Kurfürst) Ernst August angelegt. Streng formalisierter Baumbestand von Hainbuchen und Linden, Blumen fehlen weitgehend. Die Broderien in Buchsbaum ausgelegt. Anonymer Stich von 1714.

298. Entwurf für den Schloßplatz mit einem Dom an der Rückfront. Entwurf um 1702 von Jean Baptiste Broebes, gestochen erst kurz vor 1733. Ausgeführt davon ist nur der rechte Seitenblock, das Schlütersche Schloß. Geplant als Gegenstück im Süden der Marstall, im Westen sollte die mittelalterliche Dominikanerkirche in einen Dom umgewandelt und von einem Invalidenhaus umgeben werden. Links im

Hintergrund die Dorotheenstadt, rechts der Münzturm von Schlüter, der kurz vor seiner Vollendung 1706 wegen Einsturzgefahr wieder abgerissen werden mußte. Dahinter rechts das Zeughaus und die Anfänge der Lindenstraße. Das Projekt kann nicht von Broebes allein stammen, man vermutet den Einfluß des schwedischen Hofarchitekten Nikodemus Tessin d. J., der damals mehrfach in Berlin weilte.

299. Berlin, Schloß. Front gegen den Lustgarten. »A. Schlüter Architectus. P. Dekker sculpsit«, Berlin 1703.

300. Berlin, Schloß. Innerer Hof, Nordflügel, 1698–1706. Stich von Paul Decker.

301. Berlin, Schloß. Innerer Hof, Ostflügel, 1698–1706. Stich von Paul Decker. Diese drei sehr seltenen Blätter (wozu ein viertes gehört) sind ihres großen Formats wegen als Illustrationen selbst in einem Barock-Folianten nicht denkbar. Ihr ursprünglicher Verwendungszweck ist noch ungeklärt.

302. Schloß Monbijou. Als Gartenschlößchen für den Grafen von Wartenburg 1703 von Eosander von Göthe erbaut. Stich nach Eosander, vor 1710, als das Schloß von Kronprinzessin Sophie Dorothea erworben und durch langgestreckte Flügelbauten erweitert wurde.

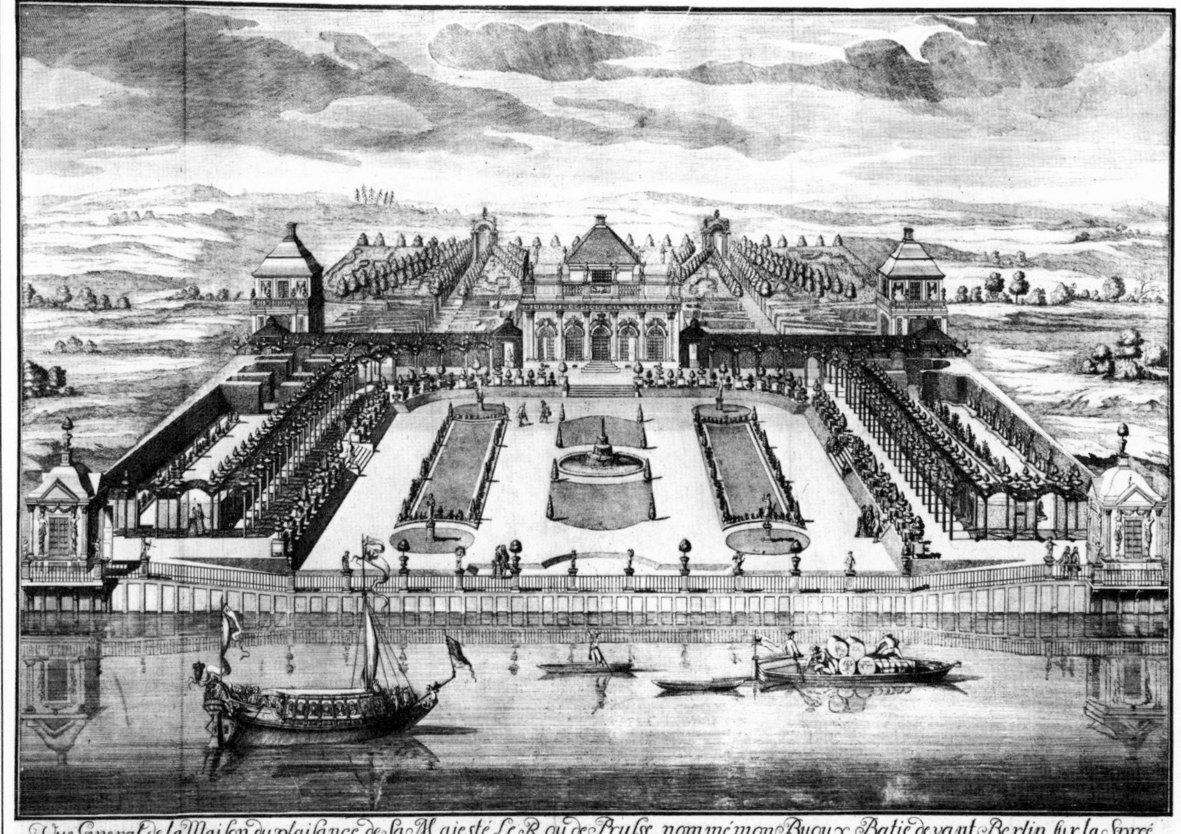

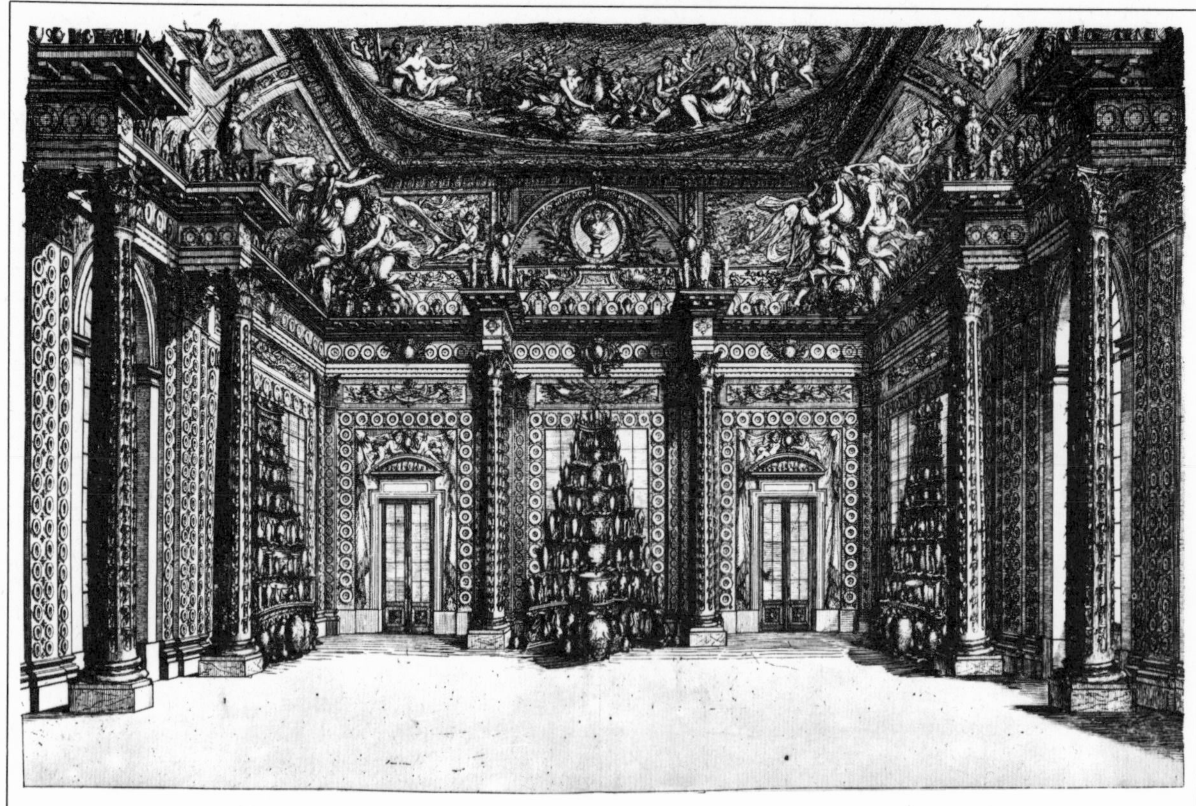

303. Schloß Oranienburg, Porzellan-Kabinett. Im Zuge des Umbaus durch Nehring entstand 1694/95 der Spiegelporzellansaal. Radierung von Jean Baptiste Broebes, veröffentlicht 1733.

304. Berlin, Friedrichsforum mit Opernhaus (1741 ff.) und Hedwigskirche (1747 ff.). Als Abschluß des Platzes ist auf der andern Seite das Palais des Prinzen Heinrich (die heutige Universität, 1748 ff.) zu denken. Stich von J. D. Schleuen.

305. Der Lustgarten von Westen. Links die Ecke des Zeughauses, im Hintergrund der alte Dom (1747 ff. errichtet), anschließend der Apothekenflügel des Schlosses (mit den Renaissancegiebeln). Stich von Johann Rosenberg, um 1780.

306. Hedwigskirche im Bau, vollendet erst 1778. Stich von Joh. Rosenberg, um 1780.

307. Potsdam, Schloß Sanssouci. Die Südseite des Schlosses auf der obersten Terrasse. Stich von A. L. Krüger.

308. Potsdam, Schloß Sanssouci mit den Terrassen. 1745–1747 nach Zeichnungen und genauen Anweisungen Friedrichs des Großen erbaut. Ausführung von Georg Wenzeslaus von Knobelsdorff. Die Rückwände der Terrassen sind verglast, um hier edles Spalierobst ziehen zu können. Stich von J. D. Schleuen.

309. Potsdam, Communs des Neuen Palais, mit diesem gemeinsam eine geschlossene Anlage bildend, erbaut 1765–1769 von Gontard. Stich von J. D. Schleuen.

310. Potsdam, Neues Palais, 1763–1766 von Büring und Manger erbaut. Hauptfassade gegen Sanssouci. Stich von J. D. Schleuen.

311. Berlin, Eingang zur Straße »Unter den Linden«, rechts das Zeughaus, dahinter das Palais Prinz Heinrich, ihm gegenüber das Opernhaus. Stich von Johann Rosenberg, um 1780.

312. Berlin, Blick in die Klosterstraße mit Parochialkirche. Zentralbau von Nehring, 1703 geweiht. Zwei Geschosse und Spitze des Turms 1713/14 von Gerlach. Stich von Johann Rosenberg, um 1780.

313. Ansicht des Waisenhauses mit der Waisenhausbrücke über die Spree. Der 59 m hohe Turm der Waisenhauskirche 1727 von Gerlach erbaut. Das gesamte Bauwerk 1905 abgebrochen. Stich von Johann Rosenberg, um 1780.

314. »Köllnischer Fischmarkt« mit Petrikirche, 1809 abgetragen. Stich von Johann Rosenberg, um 1780.

Perspective du Pont de Dresde sur l'Elbe,
d'hollande avec la part latérale
Ce Tableau fait par ordre de S. M. le Roy de Pologne et Elec. de Sax. &c. &c. &c.

tirée de la veuë du Palais de S. M, dit
de l'Église catôlique et batimens contiguis.
Peint. dessiné, et gravé par Bernard Bellotto dit Canaletto ~ 1749.

Seite 250/251:

315. Dresden, Elbansicht vom Japanischen Palais. Hinter der von Matthäus Daniel Pöppelmann 1727–1731 erneuerten Augustusbrücke die Frauenkirche, rechts die katholische Hofkirche, 1737 begonnen. Stich von Bernardo Bellotto, 1749.

Seite 252/253:

316. Zwingerpavillon, Schloßseite (neuerdings Glockenspielpavillon genannt). 1722–1728 von Matthäus Daniel Pöppelmann. Stich aus des Meisters Zwingerpublikation von 1729. Die großartige Außentreppe mit zwei Rampen wurde 1826 abgerissen.

317. Das Kronentor des Zwingers, vom Graben gesehen. Stich von Matthäus Daniel Pöppelmann, 1729.

318. Das Nymphenbad des Zwingers. Blick auf Wall und Kaskade. Die Skulpturen in den Nischen sind Hauptwerke von Balthasar Permoser. Stich von Matthäus Daniel Pöppelmann, 1729.

Inv. et del. Pöppelmann Premier Architect, &c.
Schmidt Grave.

F. A.
R. P.

Vüe interieure des Pavillons et des Galleries du Zwinger ou se conservent, la Bibliotheque
Roiale, et les Cabinets d'Estampes, des Mathematiques, et des Curiosités de la Nature et de l'Art; prise du Pavillon principal
1. Partie du Chateau Roial. 2. le Jeu de Paume. 3. le Palais de S. A. R. Mg.r le Prince Electoral. 4. le Theatre de l'Opera

Perspective de la Facade de la Gallerie Roiale avecune
partie de l'Eglise Nôtre Dame Vue de la grande Garde, et de la Pirnaische Gasse aiant de l'autre côté le Gewandt haus
La vüe a été prise du Juden Hoff

319. Das Innere des Zwingers, vom Wallpavillon aus gesehen. Stich von Bernardo Bellotto, 1758.

320. Neumarkt mit altem Galeriegebäude. Am vorderen Bildrand links die Gemäldegalerie, im Hintergrund die Frauenkirche, rechts davor die Hauptwache, am rechten Bildrand das Gewandhaus. Stich von Bernardo Bellotto, 1749.

321. Die Frauenkirche mit Blick auf die Rammische Gasse. Stich von Bernardo Bellotto, 1757.

322. Die Saturnbastion mit dem Wilsdruffer Tor. Stich von Bernardo Bellotto, 1750

Rempars de la Ville de Dresden et de-
ment la Bibliotheque Roïale et le Théatre de l'Opera.
Peint et gravé par Ber: Bellotto, dit Canaletto, Peintre du Roi 1750.

323. Seitenansicht der Zwingergalerie mit dem mathematisch-physikalischen Salon und dem Kronentor. Stich von Bernardo Bellotto, 1758.

324. Die katholische Hofkirche und die ersten Bogen der Augustusbrücke, gesehen von der heutigen Brühlschen Terrasse. Links hinter dem Schiff der Kirche der Schloßturm, am rechten Bildrand das Japanische Palais. Stich von Bernardo Bellotto, 1748.

325. Neumarkt mit dem Gewandhaus (links), rechts vor der Frauenkirche die Hauptwache (1715 ff., 1766 abgebrochen). Stich von Bernardo Bellotto, 1750.

326. Der Neustädtische Markt auf der Nordseite der Elbe an der Stelle des 1685 abgebrannten Dorfes Altendresden. Einheitliche Anlage Augusts des Starken, 1732 in »Königstadt Dresden« umbenannt. Mitten auf dem Platz das Reiterdenkmal des Königs, kupfergetrieben und feuervergoldet, 1736 aufgestellt. Stich von Bernardo Bellotto, 1750.

Vuë des ruines des Fauxbourgs de la Ville de Dresde, entre aûtres, de la maison de Fürstenhof, près du fossé,
attenant au fauxbourg de Pirna. On découvre dans le lointain le Rempart de la Ville neuve, la Vigne de Naumann, et les collines des environs.
Dédié à Son Altesse Royale Monseigneur le Prince Xavier Administrateur de Saxe &c. &c. &c.

Vue des Débris, de la Tour de S.te Croix, qui s'écroula le 22.me de Juin 1765, dans le tems qu'on commençoit à relever l'E.
glise, laquelle avoit péri par le Bombardement de la Ville de Dresde en 1760.
Dédié à Son Altesse Royale, Madame l'Electrice Douairiere de Saxe

327. Die Ruinen der Pirnaschen Vorstadt, nach der Beschießung von 1760. Links das ausgebrannte Palais Fürstenhof. Stich von Bernardo Bellotto, 1766.

328. Die Kreuzkirche, die als Folge des preußischen Bombardements von 1760 im Jahre 1765 einstürzte. Stich von Bernardo Bellotto, 1765.

329. Blick auf Pirna, überragt von der Festung Sonnenstein. Stich von Bernardo Bellotto, 1758/59.

330. Festung Königstein von Westen, links im Hintergrund der Lilienstein. Auf dem Plateau des Tafelbergs des Elbsandstein-Gebirges wurde seit der Mitte des 16. Jahrhunderts von den sächsischen Kurfürsten planmäßig die Festung Königstein angelegt. Stich von Bernardo Bellotto, nicht datiert.

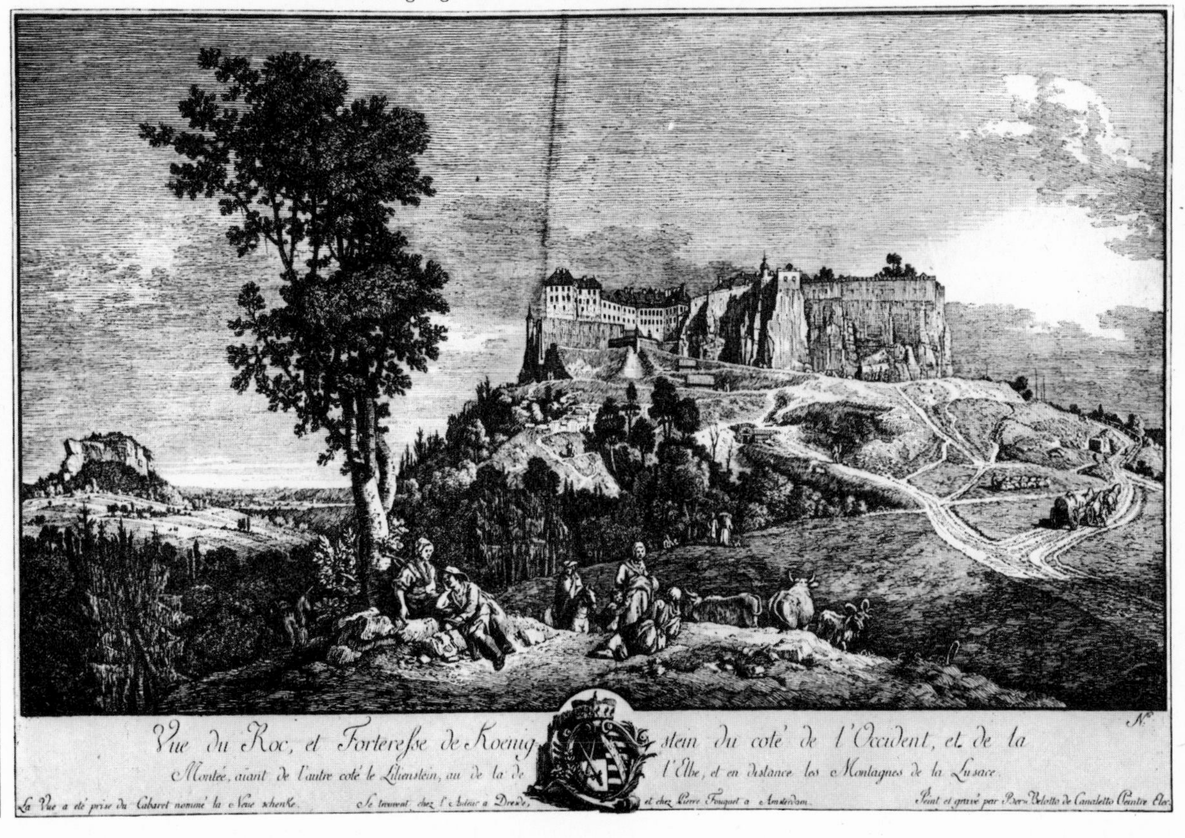

PROSPECT WARSZAWY OD PAŁACU ORDYNACKIEGO
az do Zamku, z częscią Pragi za Wisłą. Malowany w Roku 1772
przez Bernardo Bellotto de Canaletto y przez niego Stychowany w Roku 1774.
1 Kosciol S. Krzyzki
2 Palac J.W. Woiewodziny Podlaskiey
4 Kosciol Panien Wizytek

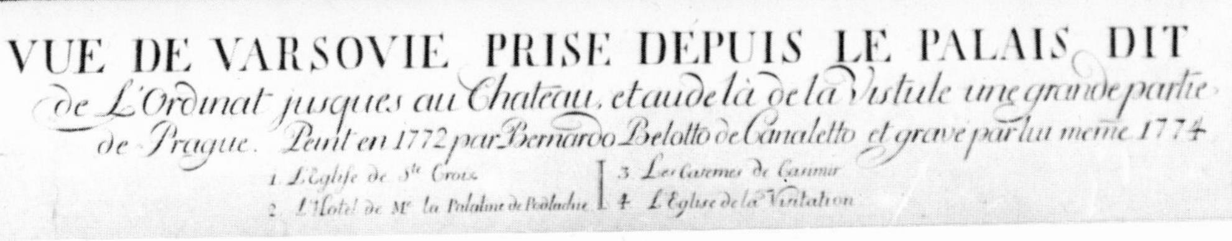
VUE DE VARSOVIE PRISE DEPUIS LE PALAIS DIT
de L'Ordinat jusques au Chateau, et au de là de la Vistule une grande partie
de Prague. Peint en 1772 par Bernardo Belotto de Canaletto et gravé par lui même 1774
1. L'Eglise de Ste Croix
2. L'Hotel de Me la Palatine de Podlachie
3. Les Casernes de Casimir
4. L'Eglise de la Visitation

Seite 262/263:

331. Warschau vom stadtseitigen Weichselufer mit Blick auf die Praga-Vorstadt. Stich von Bernardo Bellotto, 1774.

Seite 264 oben:

332. Der Breslauer Ring vom Heumarkt, Blick auf den Olauischen Schwibbogen. Stich von Friedrich Bernhard Werner.

333. Gräflich Hatzfeldsches Palais in der Albrechtgasse. Stich von Friedrich Bernhard Werner.

334. Der Breslauer Ring vom Kornmarkt mit Blick auf die Schmiedebrücke, links das Rathaus, im wesentlichen aus dem letzten Viertel des 15. Jahrhunderts. Stich von Friedrich Bernhard Werner.

335. Der Breslauer Ring vom Naschmarkt zur Albrechtsgasse. Stich von Friedrich Bernhard Werner.

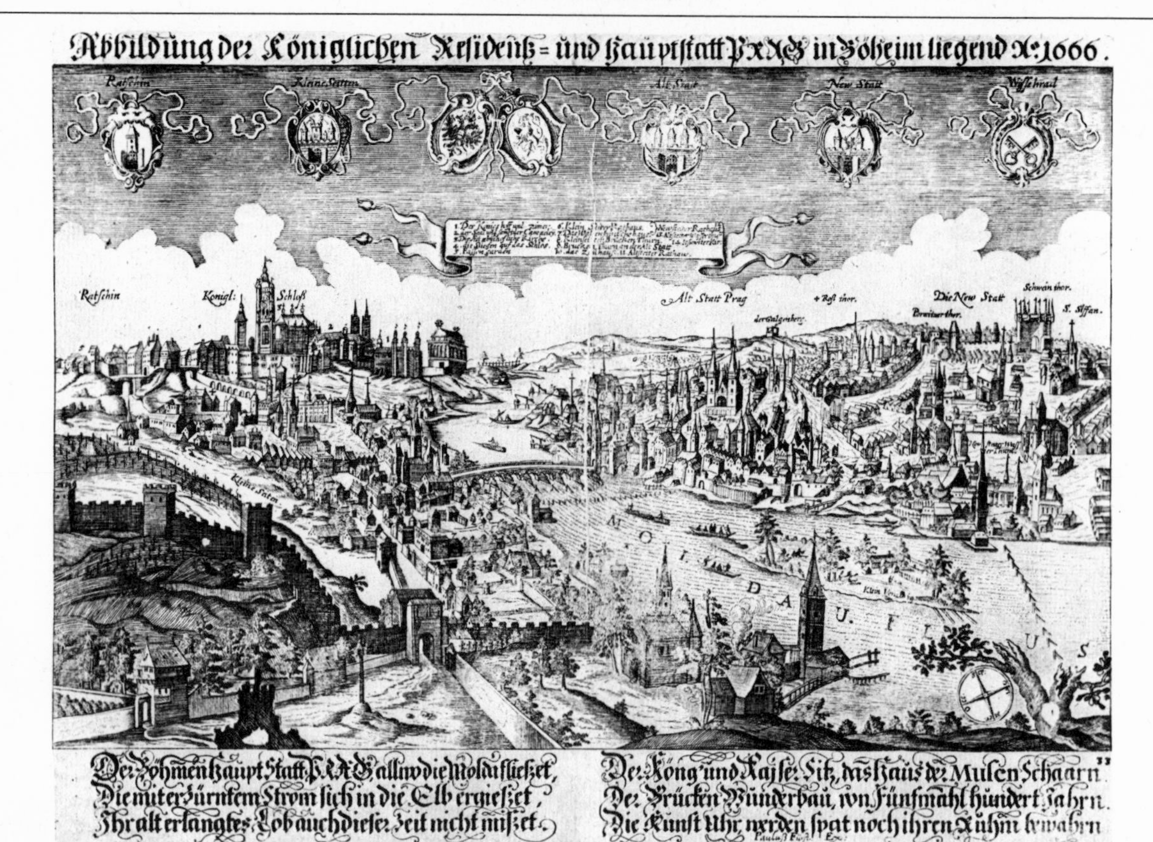

336. Prag, Ansicht von 1666 von Paulus Fürst.

337. Der Dom, ein Torso, an dem die Bautätigkeit 1421 infolge des Ausbruchs der Hussitenkriege eingestellt worden war und der bis 1872 nur aus gotischem Chor und Querhaus bestand. 1872–1929 neugotisches Schiff und Fassade. Kolorierter Kupferstich von Ph. u. F. Heger, 1792.

338. Prag, die Moldau mit der Karlsbrücke. Links die Kleinseite, rechts der Altstädter Brückenturm und die Kuppel der Kreuzherrenkirche. Die Brücke wurde von Peter Parler ab 1357 erbaut und nach ihrem Stifter Kaiser Karl IV. benannt. Stich von Joseph Anton Scotti.

339. Kreuzherrenplatz. Am linken Bildrand der Altstädter Brückenturm, begonnen vor 1378, in der Mitte die Kreuzherrenkirche von dem französischen Baumeister Jean Baptiste Matthey, 1679–1689 erbaut, am rechten Bildrand die erste Jesuitenkirche Prags, St. Salvator, 1578 begonnen, Fassade von 1653. Stich von Ph. u. F. Heger.

Ansicht das grossen Platzes auf dem Ratschin bis zu dem Toscanischen Haus
Vüe de la grande Place du Ratschin jusqu' au Palais de Toscane.
Dedié a Son Excelence Monsieur
Adam Francois Comte de Hartig
Seigneur de Berschtowitz, Wartemberg, Niemes, Grassa &c. &c.
Comandeur de l'Ordre St. Estienne, et Ministre Plenipotentiaire
Conseiller intime actuel de sa Majesté Imp. Roy. et Apost.
ala Cour de Baviere, et au même Cercle Imperiale &c. &c.
zu finden in Prag bey Johann Balzer

Ansicht der Kirche und Hiberner Gasse
Vue de l'Eglise et de la rue des Hibernois
Dedié a Son Altesse Monseigneur
Charles Egon Prince de Fürstenberg.
Landgrave de Baar et Stühlingen &c.
et grand Burgrave &c.
Chevalier de La Toison d'or &c.
du Royaume de Boheme.
Cum Privi. S.C.M.
zu finden in Prag bey Johann Balzer.

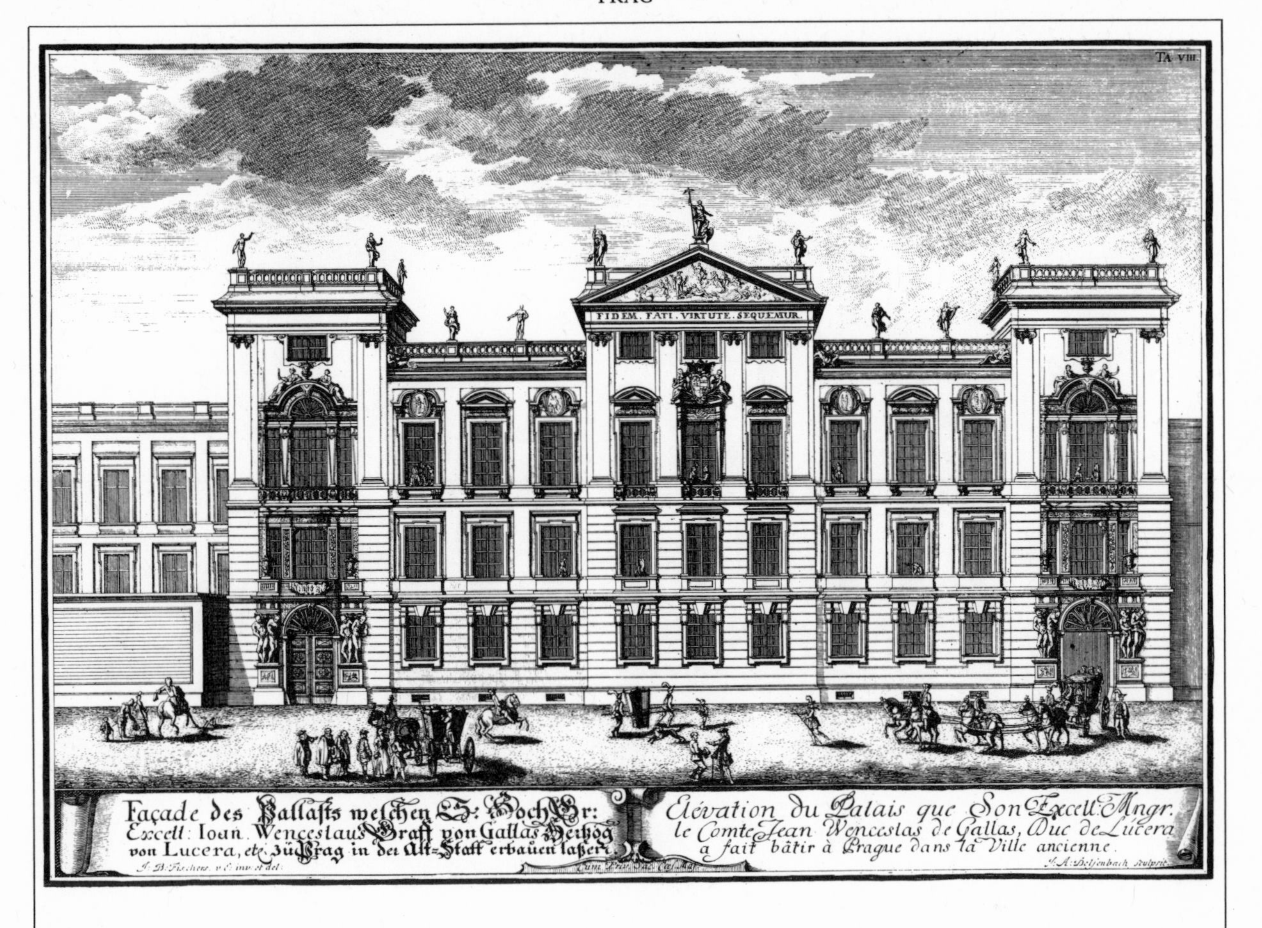

340. Hradschiner Platz. Auf der Mitte des Platzes die Mariensäule, 1736 aufgestellt. Am rechten Bildrand das erzbischöfliche Palais von 1764, an der Rückwand des Platzes das Toscana-Palais, 1689, wahrscheinlich von Jean Baptiste Matthey. Stich von Joseph Anton Scotti.

341. Hibernerkirche und -kloster. Irische Franziskaner, 1559 aus Irland vertrieben, stellten 1652 die von den Hussiten zerstörte St. Ambrosiuskirche wieder her. Stich von Joseph Anton Scotti.

342. Palais Clam-Gallas von Johann Bernhard Fischer von Erlach, begonnen 1713. In einer sehr engen Gasse stehend, die keinen Überblick über die Fassade erlaubt. Stich aus Fischers »Historischer Architektur«, Buch IV, Tafel VIII.

343. Stockholm, die alte Wasaburg, am 7. Mai 1697 durch einen Großbrand vernichtet. Stich von Eric Dahlberg.

344. Stockholm, Neues Schloß, errichtet von Nikodemus Tessin d. J. a) Nordflügel der Hoffassade, 1693 begonnen, b) Außenbau, Nordfassade. Die drei anderen Fassaden wurden erst 1697 nach dem Schloßbrand entworfen, das Gebäude 1754 nach 64jähriger Bauzeit vollendet.

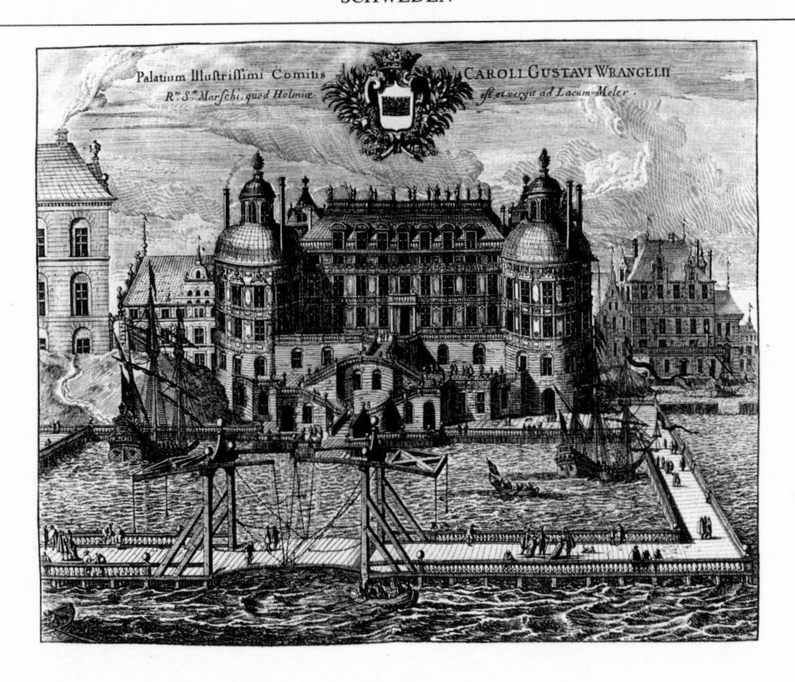

345. Wrangelsches Palais auf Riddarholmen, Stockholm, Seeseite, erbaut 1651–1672. Erste Konzepte von Jean de la Vallée, Planung und Durchführung von Nikodemus Tessin d. Ä. (doch in Fassadenmalerei). Der Bau ist in vereinfachter Form noch erhalten (Brände). Stich von Wilhelm Swidde nach einer (noch erhaltenen) Zeichnung von Eric Dahlberg für das Werk »Svecia Antiqua et hodierna«.

346. Wrangelsches Palais, Nordseite.

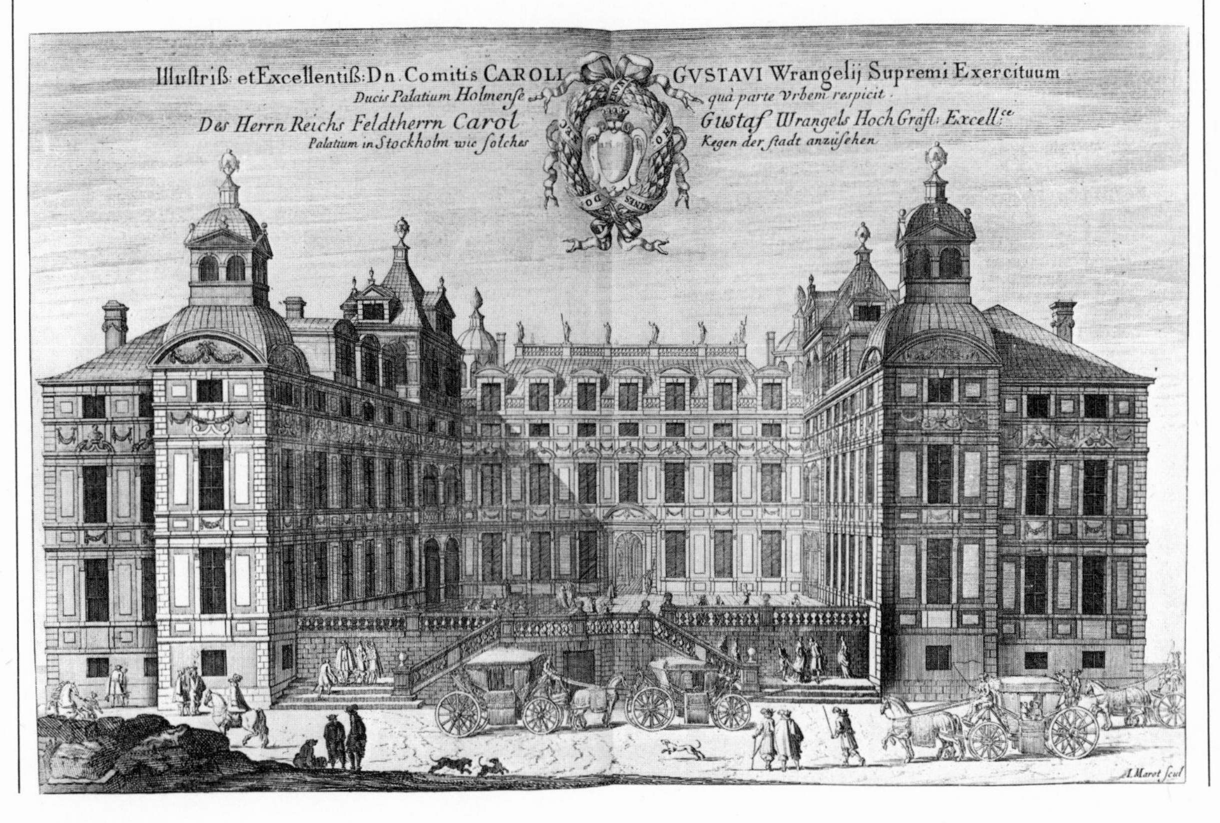

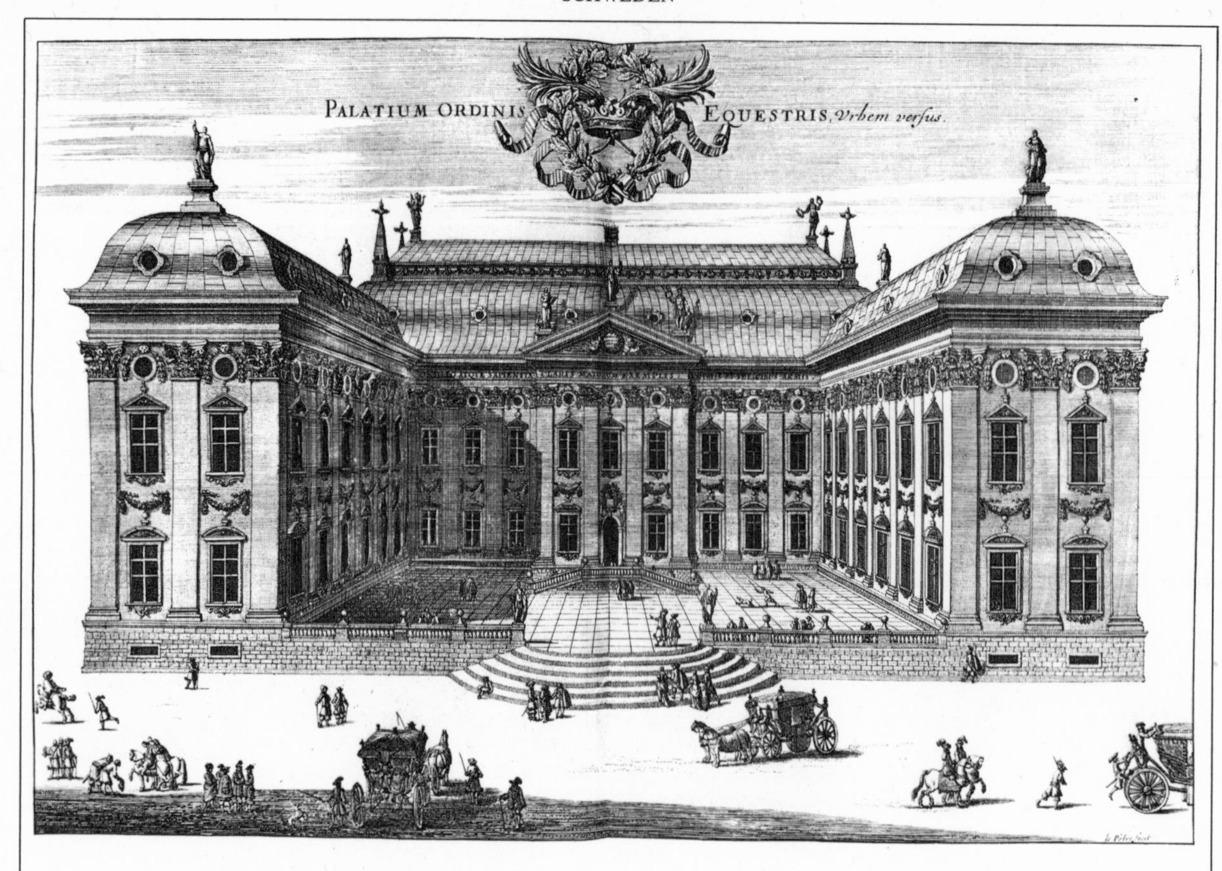
PALATIUM ORDINIS EQUESTRIS, Urbem versus.

Delineatio Templi, et magnificentia et mira operis elegantia conspicui, Anno 1694 a Potentissimo Rege CAROLO XI. sumtu insigni, in Holmensi Arce adornati

Deliniatio Scalæ ac porticus in Regio Palatio
DROTTNINGHOLMENSI, operis perelegantis, sumptuosi,
magnificiq, adeo, ut eis Europa paucas habeat similes.
W. Swidde Sculp.
Holmiæ A° 1694.

Seite 272/273:

347. Ritterschaftshaus in Stockholm (Ständehaus), Ansicht von Westen. Erbaut 1641–1674, begonnen von Simon de la Vallée, zu Ende geführt von dessen Sohn Jean.

348. Stockholm, Schloßkapelle, 1693. Stich von Johannes van Aveelen.

349. Drottningholm, Treppenhaus, 1662–etwa 1685 von Nikodemus Tessin d. Ä. Stich von Willem Swidde d. J., 1694.

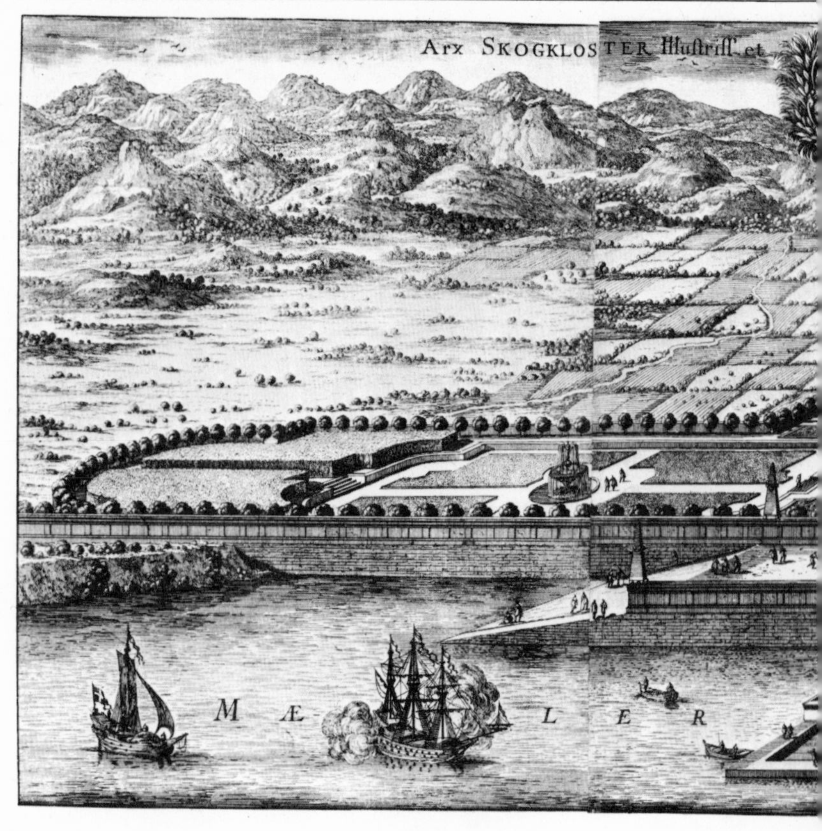

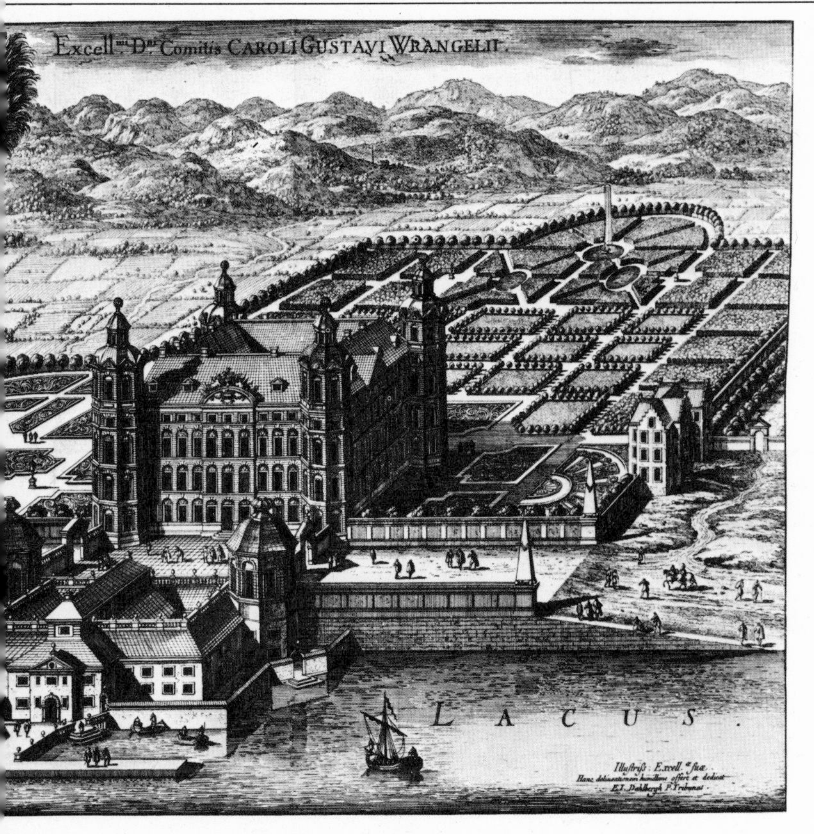

350. Schloß Skokloster, Uppland, von Osten, 1653–1677 erbaut für den Magnaten Carl Gustaf Wrangel nach einem Modell von Caspar Vogel, Fassadengestaltung von Nikodemus Tessin d. Ä. unter Mitwirkung von Eric Dahlberg. Park und das nicht zur Ausführung gekommene Bootshafengebäude von Jean de la Vallée. Anlage gut gepflegt erhalten. Stich von Swidde nach Dahlbergs Zeichnung.

351. Schloß Drottningholm, Gartenfront. 1662 von Nikodemus Tessin d. Ä. begonnen, auf der Seeseite dreigeschossig, auf der Parkseite zweigeschossig. Kein Mittelpavillon, wie in Frankreich üblich. Stich von Willem Swidde d. J.

352. Kopenhagen, Schloß Rosenborg. König Christian IV. ließ 1606 Garten und Landhaus anlegen, das 1613–1615 nach Westen verlängert und um ein Stockwerk erhöht wurde. Heute Museum. Stich für Laurids Lauridsen Thurah.

353. Schloß Frederiksborg in Hillerød (Seeland), erbaut zwischen 1602 und 1620 für König Christian IV. Schwerer Brand 1859. Stich aus Thurah.

354, 355. Kopenhagen, Schloß Christiansborg. Von Elias David Häusser in deutlicher Anlehnung an die Wiener Barockarchitektur entworfen. Grundsteinlegung 1733 für König Christian VI. 1745 im Außenbau fertiggestellt, 1794 abgebrannt. Laurids Thurah war an der Ausführung beteiligt. Stich aus Thurah.

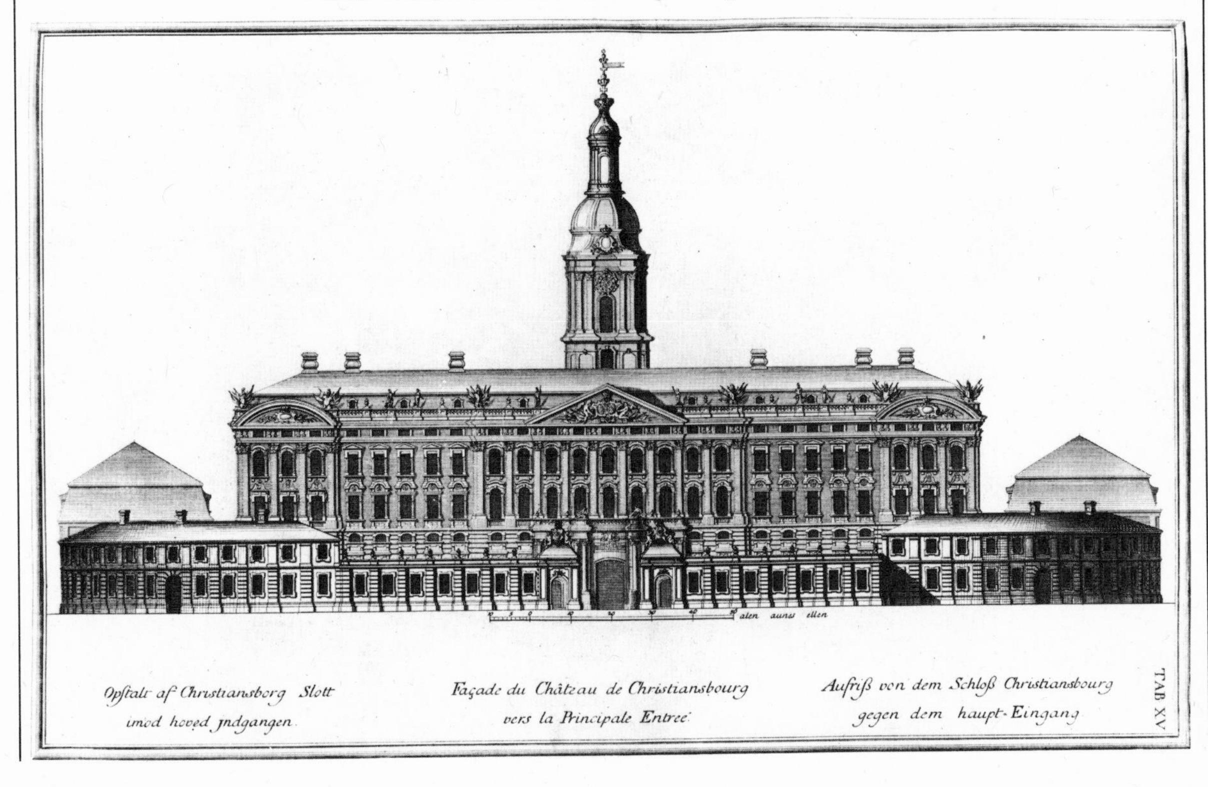

Петергофской Ея Императорскаго Величества дворецъ, на берегу финландскаго Залива
въ тритцати верстахъ отъ Санктпетербурга.

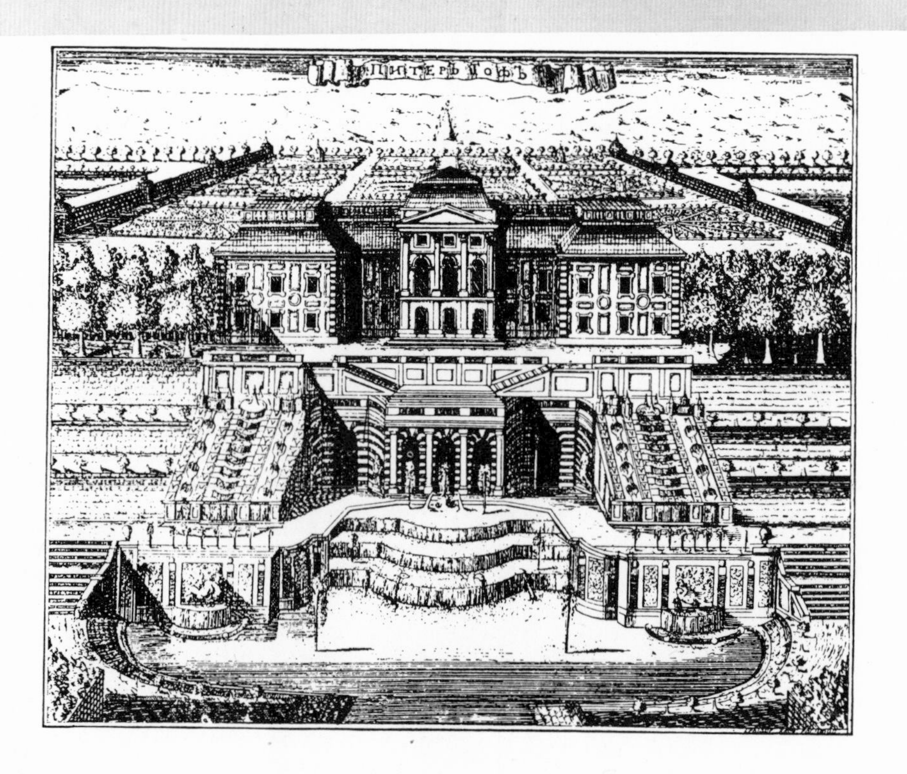
ПИТЕРЬ ГОФЪ

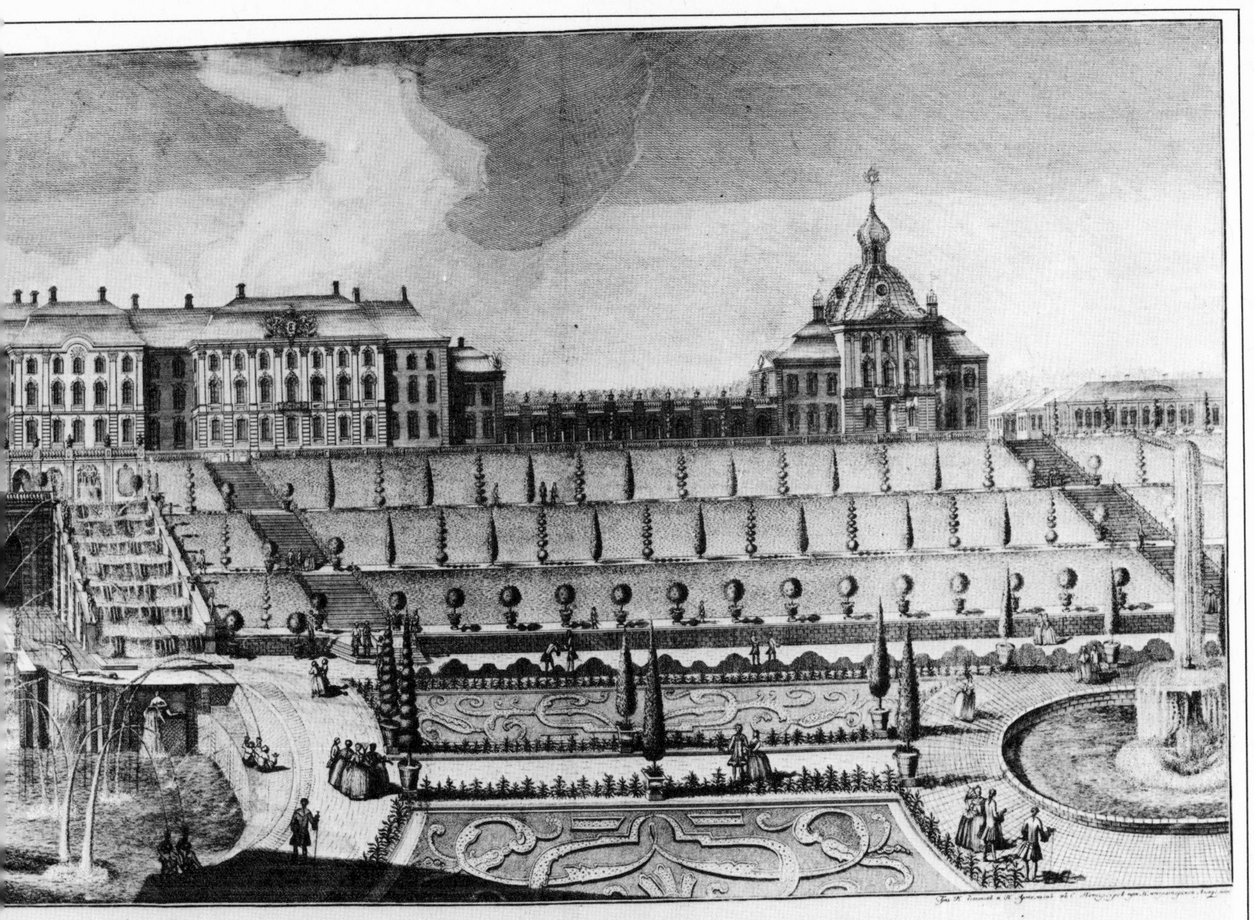

356. Schloß Peterhof. Es war der Gedanke Peters des Großen, auf der Anhöhe ein Schloß zu errichten, darunter eine Grotte und diese durch einen Kanal mit der Kronstädter Bucht zu verbinden. Der ursprüngliche Bau, 1715–1724, von F. Braunstein begonnen, hatte genau die Breite der Wasserspiele. Erweiterung durch Bartolomeo Rastrelli für Kaiserin Elisabeth 1747–1752: Aufsetzen eines zweiten Obergeschosses, Verbreiterung des Mittelteils auf Kosten der Galerien, Anbau von zwei Zentralbauten an den Flanken. Das Schloß brannte 1941 völlig aus; die Wasserkünste wurden zerstört. Sofortiger Wiederaufbau nach 1945. Stich von Machaev, 1761.

357. Schloß Peterhof. 1715 von F. Braunstein begonnen, Stich von Suboff.

Seite 280/281:

358. Petersburg. Das Zwölf-Kollegien-Gebäude auf dem Nordufer der Newa. Diese ersten Bauten in der neu gegründeten Stadt errichtete der Welschschweizer Domenico Trezzini für die zwölf obersten Verwaltungsbehörden des Reiches. Rechts die ersten Kaufhäuser. Stich von Machaev.

359. Das zweite Winterpalais (das erste war bald nach 1711 von Mattarnowi als eines der ersten Steinhäuser erbaut worden), 1726/27 von Domenico Trezzini umgebaut und vergrößert, bestand bis in die achtziger Jahre des 18. Jahrhunderts. Stich von Machaev.

360. Die Peter-Pauls-Festung mit der Peter-Pauls Kathedrale, der Begräbnisstätte aller russischen Zaren von Peter dem Großen bis Alexander III. Die Festung (Grundsteinlegung 1703) und die Kathedrale (1712–1721) sind beide von Domenico Trezzini erbaut. Stich von Machaev.

361. Fontanka-Ufer mit Grotte. Am linken Bildrand Lebensmittelmagazin des Hofs. Stich von Machaev.

Проспектъ Государственныхъ Коллегій съ частію Гостинаго двора с Восточную сторону.

Vüe des batimens des Colleges Imperiaux & d'une partie du Magazin de marchandises vers l'orient

Проспектъ стараго зимняго дворца съ каналомъ соединяющимъ Мойку съ Невою

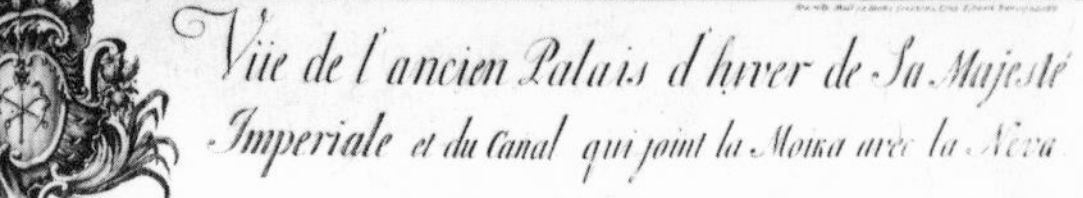

Vüe de l'ancien Palais d'hiver de Sa Majesté Imperiale et du Canal qui joint la Moika avec la Neva

Проспектъ въ верхъ по Невѣ рѣкѣ отъ Адмиралтейства
и Академiи Наукъ къ востоку.

Проспектъ по рѣкѣ Фонтанкѣ отъ Грота
и Запаснаго дворца на Полдень.

Vüe prise sur la riviere de Fontancka vers le midi
entre la Grotte et le magazin des provisions de la Cour.

362. Anitschkow-Palais mit Blick den Alexander-Newski-Prospekt entlang. Das Palais 1746 im Rohbau vollendet, Entwurf von Semzow, weitergeführt von Rastrelli. Im Hintergrund rechts das Palais Schuwalow auf der Italienischen Straße von Tschewakinski. Im Vordergrund die Fontanka. Stich von Machaev.

363. Zarskoje Selo (heute Puschkin), Gartenfront, entstanden in immer neuen Bauphasen aus dem kleinen zweistöckigen Schlößchen, das F. Braunstein 1718–1724 errichtet hatte und das bis zu einer Fassadenlänge von etwa 300 m anwuchs. 1745–1748 am Nordende die Kirche angebaut. Schließlich von Rastrelli 1752–1759 zum Abschluß gebracht. Diese Abbildung zeigt nur die linke Hälfte eines Stiches von Machaev, 1761.

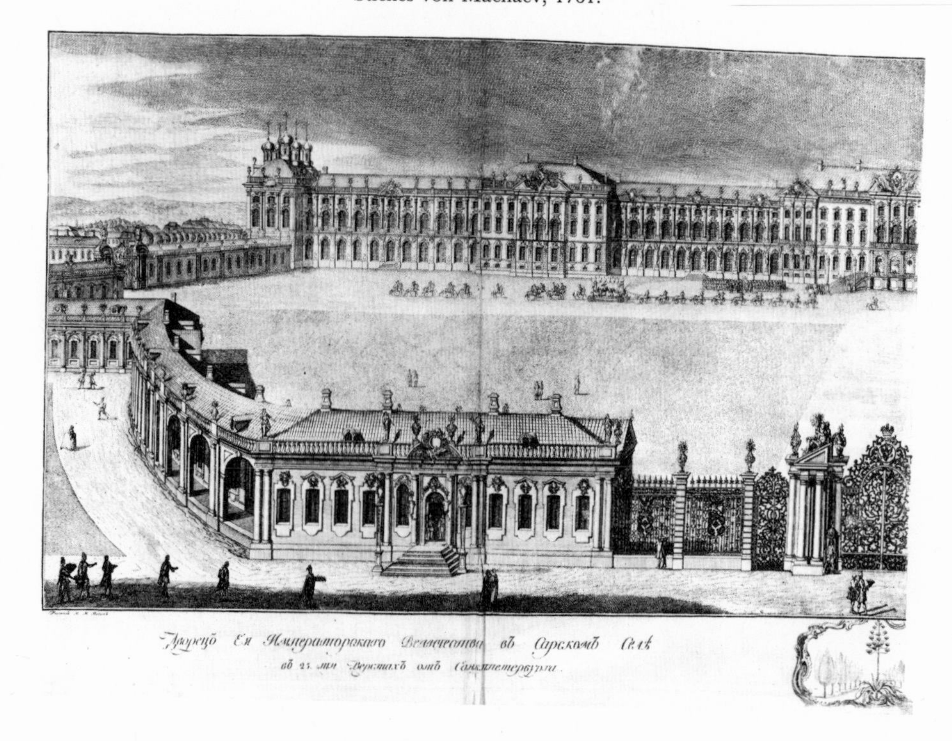

Nachwort

Dieses Buch enthält Neuaufnahmen von originalen Stichwerken. (Nur in Ausnahmefällen, wo die technischen Schwierigkeiten unüberwindlich waren, wurde davon abgewichen.) So bin ich den Beamten vieler Kupferstich-Sammlungen für ihr Entgegenkommen, für Rat und Hilfe zu großem Dank verpflichtet. Es sind dies vor allem:

in Augsburg: Kunstgeschichtliches Institut der Universität,
Dr. Adrian Freiherr v. Buttlar

in Basel: Kunstmuseum, Dr. Monica Stucky-Schürer

in Bonn: Rheinisches Amt für Denkmalpflege, Dr. Wilfried Hansmann

in Berlin: Staatliche Kunstbibliothek, Dr. Ekhart Berckenhagen
und Dr. Marianne Fischer

in Dresden: Kupferstich-Kabinett der Staatlichen Museen, Dr. Schmidt

in Frankfurt: Kupferstich-Kabinett des Städelschen Instituts,
Dr. Margarete Stuffmann

Stadt- und Universitäts-Bibliothek, Dr. Werner Wenzel

in Kassel: Kupferstich-Kabinett der Staatlichen Museen, Dr. Wolfgang Adler

in München: Graphische Sammlung, Dr. Richard Harprath

Bayerisches Nationalmuseum, Dr. Peter Volk

Bayerische Staatsbibliothek, Kartensammlung, Dr. Traudl Seifert

Stadtmuseum, Frau Reichenwallner

in Stuttgart: Staatsgalerie, Dr. Heinrich Geißler

in Wien: Albertina, Hofrat Dr. Koschatzky

Hofbibliothek, Hofrat Dr. Weichinger

in Würzburg: Mainfränkisches Museum, Dr. H. W. Muth

Professor Dr. Gerhard Eimer in Frankfurt half mir bei der Identifizierung schwedischer, Professor Dr. Klaus Zernack in Gießen bei der Feststellung russischer Objekte. Professor Dr. Rudolf Zeitler in Uppsala hat dem Verfasser reiches Material über Dahlbergs »Suecia Antica« übersandt. Allen Herren bin ich zu herzlichem Danke verpflichtet.

Bei der Anfertigung des Layouts und der Fertigstellung des Buches bin ich von der Lektorin, Nora v. Mühlendahl, und der Herstellerin, Brigitte Müller, auf das tatkräftigste unterstützt worden. Die Zusammenarbeit mit beiden Damen halte ich in dankbarer Erinnerung.

Literaturverzeichnis

Die behandelten Stichwerke sind im Text hinreichend zitiert. SH mit nachfolgender Nummer bezeichnet einen Band von Harenbergs »Bibliophilen Taschenbüchern«, deren Stichfolgen zur barocken Architektur unter Beratung des Verfassers erscheinen.

I. WERKE ALLGEMEINER ART

Berlin, Kunstbibliothek der Staatlichen Museen. Katalog der Ornamentstich-Sammlung, Berlin 1939 (grundlegende Bibliographie)

M. L. Gothein, Geschichte der Gartenkunst. 2 Bde., Jena 1914

D. Hennebo, A. Hoffmann: Geschichte der deutschen Gartenkunst. Bd. II: Der architektonische Garten, Hamburg 1965

Barock in Deutschlands Residenzen. Katalog der Ausstellung in Berlin 1966 von E. Berckenhagen

W. Tintelnot: Barocktheater und barocke Kunst, Berlin 1939

P. Kristeller: Kupferstich und Holzschnitt in vier Jahrhunderten. 4. Aufl., Berlin 1922

II. DIE ANFÄNGE

Jaques Callot

I. Lieure: Jacques Callot. 5 Bde., Paris 1927 ff.

D. Ternois: L'art de Jacques Callot, Paris 1962

D. Ternois: Catalogue complet de son œuvre dessiné, Paris 1961

Jacques Callot. Das gesamte Werk. I. Bd.: Handzeichnungen. II. Bd.: Druckgraphik. Hrsg. Th. Schröder, München 1971

ITALIEN

Rom

H. Egger: Römische Veduten. Handzeichnungen des 15.–18. Jahrhunderts. Zur Topographie der Stadt Rom, I, Wien 1911 (2. Aufl. 1931), II, Wien 1931

H. Keller: Das barocke Rom in Kupferstich-Veduten, HS 92, Dortmund 1979

A. M. Hind: Giovanni Battista Piranesi. A Critical Study. With a List of his Published Works, New York 1922

H. Foçillon: Giovanni Battista Piranesi. A cura di M. Valvesi u. A. Monferini (italienische Übersetzung des französischen Buches, Paris 1918)

H. Thomas: The Drawings of Giovanni Battista Piranesi, New York 1954

N. Miller: Archäologie des Traums. Versuch über Giovanni Battista Piranesi, München 1978

J. Wilton-Ely: Giovanni Battista Piranesi. Vision und Werk, München 1978

Venedig

A. de Vesme: Le peintre Graveur Italien, Mailand 1906

M. Pittaluga: Acquafortisti Veneziani del Settecento, Venedig 1953

Mostra degli incisori Veneti del Settecento, Venezia 1941. Catalogo di R. Pallucchini

Venezianische Veduten des 18. Jahrhunderts. Radierungen aus dem Museo Correr, Venedig. Ausstellung Nürnberg, Germanisches Museum, 1964

Marco Ricci e gli incisori bellunesi del '700 e '800. Mostra di Belluno 1968

Disegni incisioni e bozzetti del Carlevarijs. Mostra a Udine 1964. Catalogo di Aldo Rizzi

H. Bideau: Heiteres Venedig, SH 179, Dortmund 1980

H. Bideau: Michele Marieschi, Painter and Etcher, in Vorbereitung

R. Bromberg: Canaletto's Etchings, London und New York 1974

D. Freiherr v. Hadeln: Die Zeichnungen von Antonio Canale, gen. Canaletto, Wien 1930

K. T. Parker: The Drawings of Antonio Canaletto at Windsor Castle, Oxford und London 1948

Florenz

Views of Florence and Tuscany by Guiseppe Zocchi. Seventy seven Drawings from the Collection of the Pierpont Morgan Library New York. Ed. E. Evans Dee, 1971

FRANKREICH, NIEDERLANDE UND ENGLAND

L. Hautecœur: Histoire de l'architecture classique en France, ab Bd. 2, Le règne de Louis XIV, Paris 1948

I. Cordey: Vaux-le-Vicomte, Paris 1924

Pierre de Nolhac: La création de Versailles d'après les sources inedites, Versailles 1901

Pierre de Nolhac: Histoire du Château de Versailles I. Versailles sous Louis XIV. 2 Bde., Paris 1911

Pierre de Nolhac: Histoire du Château de Versailles au XVIII. siècle, Paris 1918

E. de Ganey: André le Nostre, Paris 1962

Ph. d Cossé-Brissac: Châteaux de France disparus, Paris 1947

Eine Untersuchung über die französische Stecher-Familie de Perelle steht noch aus.

P. P. Rubens, Palazzi di Genova 1622. Hrsg. H. Gurlitt, Bibliothek alter Meister der Baukunst III, Berlin 1924

A. G. Bienfait: Oude hollandsche Tuinen. Text- und Tafelband, s'Gravenhage 1943

F. A. I. Vermeulen: Handboek tot de Geschiedenis der Nederlandsche Bouwkunst, III. Text- u. Tafelband, Den Haag 1941

I. Harris: Die Häuser der Lords und Gentlemen (Auswahl aus Kip und Knyff »Nouveau theatre de la Grande Bretagne«, London 1708), SH 304, Dortmund 1982

DAS ALTE DEUTSCHLAND

Wien

I. Nebehey, R. Wagner:
Bibliographie altösterreichischer Ansichtswerke aus fünf Jahrhunderten, Graz 1981

M. Eisler: Das barocke Wien, Wien und Leipzig 1923

Salomon Kleiner: Das Belvedere zu Wien, SH 171, Dortmund 1980

Salomon Kleiner: Das florierende Wien, SH 104, Dortmund 1979

E. Neubauer: Wiener Barockgärten in zeitgenössischen Veduten, SH 158, Dortmund 1980

C. Schütz, J. Ziegler, L. Janscha: Die Wiener Ansichten (Artaria-Stiche), SH 307, Dortmund 1981

Johann Bernhard Fischer von Erlach: Entwurf einer Historischen Architektur, SH 18, Dortmund 1978

Der Verlag Artaria, Veduten und Wiener Alltagsszenen, 72. Sonderausstellung des Historischen Museums der Stadt Wien, 1981, Hrsg. Günter Düriegl

Salzburg

Franz Anton Danreiter: Salzburger Ansichten. Vedutenwerk in vier Teilen, SH 296, Dortmund 1982

München

Michael Wening, der Kupferstecher der Max Emanuel Zeit. Katalog der Ausstellung im Münchner Stadtmuseum, September 1977 – Januar 1978

Matthias Diesel: Kurbayerische Schlösser, SH 240, Dortmund 1981

Augsburg

O. Schürer: Augsburg (Deutsche Bauten, Bd. 22), Burg b. Magdeburg 1934

Die »Schönborn'schen Lande«

K. Lohmeyer: Schönbornschlösser. Die Stichwerke Salomon Kleiners Favorita ob Mainz, Weißenstein ob Pommersfelden und Gaibach in Franken, Heidelberg 1927

Salomon Kleiner: Schönbornschlösser. Drei Vedutenfolgen aus den Jahren 1726–31, SH 110, Dortmund 1980

W. Wenzel: Die Gärten des Lothar Franz v. Schönborn (Frankfurter Forschungen zur Architekturgeschichte III), Berlin 1970

Frankfurt

H. Schomann: Kaiserkrönung. Wahl und Krönung in Frankfurt/Main, SH 290, Dortmund 1982

W. Sage: Das Bürgerhaus in Frankfurt am Main bis zum Ende des 30jährigen Krieges (Das Deutsche Bürgerhaus, Hrsg. A. Bernt, Bd. II), Tübingen 1959

Kassel

P. Heidelbach: Geschichte der Wilhelmshöhe, Leipzig 1909

Herrenhausen

Udo v. Alvensleben: Herrenhausen, der Sommersitz der Welfen, Berlin 1929

Niederrhein

W. Hansmann, G. Kropp: Schlösser des Kurfürsten Clemens August von Köln, 21 Kupferstiche nach Metz v. Metelly, München 1976.

Dresden

J. L. Sponsel: Der Zwinger, die Hoffeste und die Schloßbaupläne zu Dresden. Text- und Tafelband in Großfolio, Dresden 1924

F. Löffler: Das alte Dresden, Dresden 1955

Matth. Daniel Pöppelmann: Der Zwinger zu Dresden, SH 151, Dortmund 1980

H. A. Fritzsche: Bernardo Bellotto, gen. Canaletto, Burg b. Magdeburg 1936

S. Kozakiewiez: Bernardo Bellotto, gen. Canaletto, 2 Bde, Recklinghausen 1972

H. Keller: Das Dresden des Rokoko in Stichen Bellotto-Canalettos, SH 378, Dortmund 1983

Bernardo Bellotto. Zeichnungen aus dem Hessischen Landesmuseum in Darmstadt, Hrsg. M. Bleyl, Darmstadt 1981

Die Vorsatzpapiere zeigen:

»Kupferstecher und Radierer«
von Abraham Bosse, 1643 (vorne),
und zwei Radierungen
aus dem Buch von Abraham Bosse:
»Die Kunst, in Kupfer zu stechen«,
Dresden 1765 (hinten).

Wie das Aetzwaßer über die Platte gegoßen wird.